Wo Märchen im allgemeinen aufhören, da wo zwei Liebende endlich glücklich vereint sind, beginnen die Ehegeschichten, und die Wirklichkeit wechselt sogleich hinüber in den Alltag. Doch müssen Liebesgeschichten in Ehegeschichten enden? Folgt man den hier versammelten 18 Autoren und Autorinnen aus Europa und Amerika, von Arthur Schnitzler bis Dacia Maraini, so sind Ehegeschichten zumindest der Ort höchst gemischter Gefühle. Es fällt auf, daß alle diese Geschichten, ob sie nun zu einer eher positiven oder zu einer sehr kritischen Einschätzung der Ehe tendieren, wesentlich geprägt sind von Ambivalenz: allen ist ihr Gegenstand strittig, und ihre innere Argumentation verläuft kontrovers. So scheint es, als sei das Wesen der Ehe am treffendsten durch den Aspekt der Widersprüchlichkeit beschrieben.

Innerhalb der 19 hier vorgelegten Erzählungen über ein Thema, das wie kaum ein anderes mit Gefühlen, Hoffnungen und Konfliktstoff besetzt ist, markieren die Texte von Mark Helprin und Henri Michaux äußerste Gegenpositionen: Helprin gibt mit seiner Short Story ›Wegen der Hochwasserfluten‹ das seltene Beispiel einer geradezu beseligenden und Berge versetzenden jungen Eheliebe, während Michaux mit seinem ›Fingerzeig für junge Ehen‹ die gelegentliche Ermordung des Ehepartners in der Phantasie quasi als einzige Möglichkeit dauerhaften ehelichen Friedens empfiehlt.

Alles in allem: von jedem etwas, Liebe und Leidenschaft, erotische Verwirrungen, schwierige Anfänge und Enden, sanfter Schrecken und subtile Gemeinheiten, aber auch die Wonne der Gewohnheiten, das Glück der Dauer und – die Erkenntnis, daß man Ehen offenbar nur von innen beurteilen kann.

Zu den Autoren findet sich eine ausführliche biographische Notiz im Anhang.

Die Herausgeberin Ursula Köhler, geb. 1944, ist Lektorin im S. Fischer Verlag.

Flitterwochen

und andere Ehegeschichten

Ausgewählt und
mit einer Nachbemerkung von
Ursula Köhler

Fischer Taschenbuch Verlag

Sonderausgabe
Veröffentlicht im Fischer Taschenbuch Verlag GmbH,
Frankfurt am Main, Mai 1992

Quellenhinweise am Schluß des Bandes
Umschlaggestaltung: Manfred Walch, Frankfurt am Main
Umschlagabbildung: Wilhelm Thöny, ›Doppelporträt‹, um 1942
Museum Moderner Kunst Stiftung Ludwig, Wien
Gesamtherstellung: Clausen & Bosse, Leck
Printed in Germany
ISBN 3-596-11306-7

Inhalt

Es genügt in der Liebe, durch liebenswürdige Eigenschaften, durch Reize zu gefallen. Aber in der Ehe muß man einander lieben, um glücklich zu sein, oder wenigstens zueinander passende Fehler haben.

Nicolas de Chamfort

KATHERINE MANSFIELD

Flitterwochen

Und als sie aus dem Spitzenladen kamen, standen da der Kutscher und der Wagen, den sie ›ihren‹ Wagen nannten, und warteten unter einer Platane auf sie. Was für ein Glück! War es etwa kein Glück? Fanny drückte den Arm ihres Mannes. Derartige Dinge schienen sie immer wieder zu erleben, seit sie – im Ausland waren. Fand er das nicht auch? Aber George stand bloß auf der Bordschwelle, hob seinen Stock und stieß ein lautes »Heda!« aus. Fanny war die Art, wie George die Mietwagen herbeirief, manchmal ein bißchen peinlich, aber den Kutschern schien es nichts auszumachen, also war es wohl in Ordnung. Dick, gutmütig und lächelnd stopften sie das Blättchen weg, das sie gerade lasen, rissen die Baumwolldecke vom Pferd und waren bereit, zu gehorchen.

»Hör mal«, sagte George und half Fanny beim Einsteigen, »wie wär's, wenn wir unsern Tee dort tränken, wo die Hummer wachsen? Möchtest du das?«

»Furchtbar gern«, sagte Fanny begeistert, lehnte sich an und fragte sich, warum die Art, wie George etwas vorschlug, alles so besonders nett klingen ließ.

»Also gut – *bien*!« Er setzte sich neben sie. »*Allez*!« rief er forsch, und sie fuhren los.

Sie fuhren los und sausten flott im grüngoldenen Schatten der Platanen dahin, durch kleine Gassen, die nach Zitronen und frischem Kaffee rochen, am Brunnenplatz vorbei, wo Frauen mit hochgestemmten Wassereimern zu schwatzen aufhörten und ihnen nachblickten, um die Ecke und am Café mit seinen roten und weißen Sonnenschirmen, den grünen Tischen und den blauen Siphonflaschen vorbei und schließlich auf die Strandpromenade. Dort kam ein leichter, warmer Wind über das endlos weite Meer hergezogen. Er streifte George, und vor Fanny schien er zu zögern, während sie beide auf das glitzernde Wasser hinausblickten. Und George sagte: »Famos, was?« Und Fanny sah träumerisch drein und sagte, was sie mindestens zwanzigmal täglich gesagt hatte, seit sie – im Ausland waren: »Ist es nicht erstaunlich, wenn man bedenkt, daß wir hier ganz allein sind, weit weg von allen Leuten, wo niemand uns sagen kann, nach Hause zu gehen, oder uns herumkommandieren kann – ausgenommen wir selber?«

George hatte es längst aufgegeben, ›ja, erstaunlich‹ zu antworten. Meistens küßte er sie nur. Doch jetzt nahm er ihre Hand, steckte sie in die Tasche, drückte ihre Finger und sagte: »Als kleiner Junge habe ich immer eine weiße Maus in meiner Tasche herumgetragen.«

»Nein, wirklich?« rief Fanny, die sich wahnsinnig für alles interessierte, was George jemals getan hatte. »Hast du weiße Mäuse so gern gehabt?«

»So ziemlich«, sagte George etwas lahm. Er beobachtete etwas, was jenseits der Badetreppen auf und ab hüpfte. Plötzlich sprang er fast vom Sitz hoch. »Fanny«, schrie er, »da draußen ist jemand im Wasser! Siehst du ihn? Ich hatte keine Ahnung, daß die Leute hier schon mit dem Baden angefangen haben. Es ist mir all die Tage einfach entgangen!«

George starrte auf das gerötete Gesicht und die geröteten Arme, als könne er sich von dem Anblick nicht losreißen. »Jedenfalls«, brummte er vor sich hin, »sollen mich keine zehn Pferde davon abhalten, morgen früh ins Wasser zu gehen.«

Fanny sank das Herz. Seit Jahren hatte sie von den furchtbaren Gefahren des Mittelmeers gehört. Es war die reinste Todesfalle. Das schöne, heimtückische Mittelmeer! Da lag es behaglich vor ihnen hingestreckt, berührte mit seinen weißen Seidenpfoten die Steine und zog sich wieder zurück... Doch sie hatte schon lange vor ihrer Heirat den festen Entschluß gefaßt, nicht zu der Sorte Frauen zu gehören, die sich in ihres Mannes Vergnügungen einmischten, deshalb sagte sie nur leichthin: »Vermutlich muß man über die Strömungen sehr gut Bescheid wissen, ja?«

»Ach, ich weiß nicht«, antwortete George, »die Leute reden einen Haufen Blödsinn über die Gefahren.«

Doch jetzt fuhren sie auf der Landseite an einer hohen Mauer entlang, die mit blühendem Heliotrop überzogen war, und Fanny hob ihre kleine Nase. »Oh, George«, hauchte sie, »dieser Duft! Die köstliche...«

»Erstklassige Villa!« sagte George. »Sieh mal hin – zwischen den Palmen kannst du sie erkennen!«

»Ist sie nicht ziemlich groß?« sagte Fanny, die jede Villa nur als möglicherweise in Frage kommenden Wohnsitz für sich und George betrachtete.

»Na ja, wenn man lange dort wohnen wollte, brauchte man einen Haufen Gäste«, erwiderte George. »Sonst wär's mordslangweilig. Aber sie ist wirklich glatt! Möcht' mal wissen, wem sie gehört!« Und er stach dem Kutscher mit dem Stock in den Rücken.

Der faule Kutscher, der keine Ahnung hatte, antwortete lächelnd – und wie immer auf solche Fragen –, es sei der Besitz einer reichen spanischen Familie.

»Scheint hier an der Küste 'ne Masse Spanier zu geben«, sagte George und lehnte sich wieder an, und sie schwiegen, bis sie um die Biegung kamen und das große, blendend weiße Hotel-Restaurant vor ihnen auftauchte. Davor war eine kleine, ins Meer hinausgebaute Terrasse mit

Schirmpalmen und Tischen, und als sie sich näherten, eilten von der Terrasse und vom Hotel Kellner herbei, Fanny und George zu begrüßen und willkommen zu heißen und ihnen jeden erdenklichen Fluchtweg abzuschneiden.

»Draußen?«

Oh, natürlich wollten sie draußen sitzen! Der aalglatte Ober, der einem Fisch im Gehrock lächerlich ähnlich sah, glitt näher.

»Bitte, hier, mein Herr! Bitte hier entlang! Hier habe ich einen sehr netten kleinen Tisch!« schnaufte er. »Genau der richtige Tisch für Sie, Sir. Gleich hier in der Ecke! Hier, bitte!«

George folgte ihm also und sah äußerst gelangweilt aus, während Fanny sich bemühte, ein Gesicht zu machen, als hätte sie endlose Jahre ihres Lebens damit zugebracht, sich im Ausland zwischen Tischen hindurchzuwinden.

»Hier, mein Herr! Hier sitzen Sie sehr gut!« schmeichelte der Ober, nahm die Vase vom Tisch und stellte sie wieder hin, als wäre es ein aus der Luft herbeigezaubertes frisches Bouquet. George weigerte sich, sofort Platz zu nehmen. Er durchschaute diese Burschen – ihn konnte man nicht hereinlegen. Diese Kerls waren drauf erpicht, einen zu hetzen. Daher steckte er die Hände in die Tasche und sagte sehr gelassen zu Fanny: »Ist's dir hier recht oder würdest du lieber anderswo sitzen? Wie wär's dort drüben?« Und er deutete auf einen Tisch auf der entgegengesetzten Seite.

Wie gut es war, ein Mann von Welt zu sein! Fanny bewunderte ihn von Herzen, doch sie wollte nichts weiter, als sich hinzusetzen und wie alle andern auszusehen.

»Nein – ich – der hier gefällt mir«, sagte sie.

»Gut!« entgegnete George hastig, nahm beinah schneller als Fanny Platz und bestellte rasch: »Zweimal Tee und Schokoladeneclair!«

»Sehr wohl, Sir!« sagte der Ober, und sein Fischmund öffnete und schloß sich, als wollte er in der nächsten Minute wieder ins Wasser tauchen. »Also keinen Toast vorher? Wir haben sehr guten Toast!«

»Nein«, sagte George schroff. »Du willst doch keinen Toast, was, Fanny?«

»O nein, danke, George«, antwortete Fanny und betete im stillen, daß der Ober wegginge.

»Oder vielleicht möchte die Dame gern die lebendigen Hummer im Bassin dort anschauen, bis der Tee bereit ist?« Und er griente und verzog das Gesicht und schwenkte seine Serviette wie eine Fischflosse.

Georges Blick wurde steinern. Wieder sagte er: »Nein!«, und Fanny senkte den Kopf über den Tisch und knöpfte ihre Handschuhe auf. Als sie wieder hochblickte, war der Mensch weg. George nahm den Hut ab, warf ihn auf einen Stuhl und strich sich das Haar glatt.

»Gott sei Dank, daß der Bursche weg ist«, sagte er. »Diese Ausländer sind so furchtbar lästig. Die einzige Möglichkeit, um sie loszuwerden, ist einfach, nicht mehr zu reagieren, wie du es eben bei mir beobachten konntest. Gott sei Dank!« seufzte George noch einmal und so inbrünstig, daß Fanny – aber das wäre zu unsinnig gewesen – sich hätte einbilden können, der Ober habe ihn genauso eingeschüchtert wie sie. Statt dessen war sie aufs neue von ihrer Liebe zu George überwältigt. Seine Hände lagen auf dem Tisch, große braune Hände, die sie so gut kannte. Sie sehnte sich, eine seiner Hände zu nehmen und innig zu drücken. Doch zu ihrem Erstaunen tat George genau dasselbe. Er beugte sich über den Tisch, legte seine Hand über die ihre und sagte, ohne sie anzublicken: »Fanny, liebste Fanny!«

»Oh, George!« Und in diesem himmlischen Augenblick hörte Fanny ›tring-tring-dudelü‹ und ein leichtes Gitarrenklimpern. Also gibt's gleich Musik, dachte sie, aber gerade jetzt war ihr die Musik nicht wichtig. Nichts war wichtig außer ihrer Liebe. Leise lächelnd blickte sie in das leise lächelnde Gesicht, und es war ein so beseligendes Gefühl, daß sie George am liebsten gesagt hätte: »Laß uns hierbleiben – hier, wo wir sind – an diesem Tischchen. Es ist unübertrefflich, und das Meer ist auch unübertrefflich. Laß uns bleiben!« Doch statt dessen wurden ihre Augen ernst.

»Liebster«, sagte Fanny, »ich muß dich etwas furchtbar Wichtiges fragen. Versprich mir, daß du antworten wirst! Versprich es!«

»Ich verspreche es!« erklärte George – ein wenig zu feierlich, um ebenso ernst zu sein wie sie.

»Es geht mir nämlich darum« – Fanny unterbrach sich eine Sekunde, senkte den Blick und sah wieder auf –, »findest du, daß du mich jetzt wirklich kennst?« fragte sie leise. »*Mich* kennst, wie ich wirklich bin?«

Das war zuviel für George. Seine Fanny kennen? Ein nachsichtiges, kindliches Grinsen flackerte auf. »Das sollt' ich wohl meinen!« beteuerte er. »Aber warum? Was ist los?«

Fanny spürte, daß er sie nicht ganz verstanden hatte. Rasch fuhr sie fort: »Ich meine Folgendes: es kommt so oft vor, daß Menschen, selbst wenn sie einander lieben, sich doch nicht – es ist schwer auszudrücken – sich gegenseitig doch nicht völlig kennen. Anscheinend wollen sie's auch gar nicht. In den allerwichtigsten Dingen mißverstehen sie einander!« Fanny blickte erschrocken auf. »George, bei uns kann das doch nicht vorkommen, nicht wahr? Niemals?«

»Bestimmt nicht«, lachte George und wollte ihr gerade erklären, wie sehr er ihre kleine Nase liebe, als der Kellner mit dem Tee kam und die Musik zu spielen begann. Es waren eine Flöte, eine Gitarre und eine Geige, und sie spielten so fröhlich, daß Fanny meinte, wenn sie nicht achtgäbe, würden sogar die Tassen und Untertassen kleine Flügel bekommen und davonfliegen. George vertilgte drei Schokoladeneclairs und Fanny zwei. Der Tee schmeckte zwar merkwürdig – »Hummer im Teekessel!« überschrie George die Musik –, aber er war doch ganz gut, und als sie das Tablett beiseite geschoben hatten und George rauchte, fühlte Fanny sich so weit gestärkt, daß sie auch die andern Leute anschauen konnte. Was sie jedoch am meisten interessierte, das waren die Musikanten unter einem der dunklen Bäume. Der Dicke, der die Gitarre zupfte, war wie ein Bild. Der dunkelhaarige Flötenspieler zog ständig die Brauen in die Höhe, als wundere er sich selber über die Töne, die aus seiner Flöte kamen. Der Geiger stand im Schatten.

Die Musik hörte ebenso unvermittelt auf, wie sie begonnen hatte. Da erst fiel ihr ein hochgewachsener alter Mann mit weißem Haar auf, der neben den Musikanten stand. Seltsam, daß sie ihn nicht gleich bemerkt hatte. Er trug einen sehr hohen, blanken Kragen, einen Rock, der an den Säumen schon grünlich schimmerte, und beschämend armselige Knöpfstiefel. War auch er ein Kellner? Er sah nicht wie einer aus, und doch stand er da und blickte über die Tische hin, als denke er an etwas anderes, Fernliegendes, das nichts mit alledem hier zu tun hatte. Wer mochte er sein?

Und noch während Fanny ihn beobachtete, faßte er an seine Kragenspitzen, hüstelte leicht und drehte sich zu den Musikanten um. Sie begannen wieder zu spielen. Etwas Stürmisches, Übermütiges, voller Feuer und Leidenschaft wurde in die Luft geschleudert, wurde der stillen Gestalt zugeschleudert, die die Hände umklammerte und – noch immer mit dem in die Ferne schweifenden Blick – zu singen begann.

»Allmächtiger!« sagte George. Und alle andern waren anscheinend ebenso erstaunt. Sogar die kleinen Kinder, die ihr Eis vor sich hatten, starrten hin und hielten den Löffel hoch... Es war nichts zu hören als eine feine, schwache Stimme, die Erinnerung an eine Stimme, die etwas Spanisches sang. Sie zitterte, schwang sich zu den hohen Tönen auf, sank wieder und schien zu flehen, zu bitten, um etwas zu betteln – und dann wechselte der Ausdruck, und nun klang die Stimme ergeben, sie fügte sich, sie wußte, es war ihr versagt.

Kurz vor dem Schluß stieß ein kleines Kind ein quietschendes Lachen aus, doch jedermann lächelte – mit Ausnahme von Fanny und George. Ist das Leben denn auch *so*? dachte Fanny. Solche Menschen gibt es also. Und Leid gibt es! Wieder blickte sie auf das herrliche Meer, das die Ufer liebkoste wie ein Liebender, und auf den Himmel, der im Abendglanz erstrahlte. Hatten sie und George das Recht, so glücklich zu sein? War es nicht grausam? Es mußte noch etwas anderes im Leben geben, wodurch solche Dinge möglich wurden. Was war es? Fragend wandte sie sich zu George um.

Doch George hatte nicht dasselbe wie Fanny empfunden. Die Stimme des armen alten Knaben war in ihrer Art komisch, aber herrje!, brachte sie einem nicht zu Bewußtsein, wie großartig es war, so wie er und Fanny am Anfang von allem zu stehen? Auch George blickte auf das glitzernde, atmende Meer, und seine Lippen öffneten sich, als könnte er es trinken. Wie prachtvoll es war! Nichts als das Meer konnte einem das Gefühl einflößen, daß man auf der Höhe war. Und dort saß Fanny, seine Fanny, neigte sich vor und atmete so sanft.

»Fanny!« rief George sie an.

Als sie sich ihm zuwandte und er ihren weichen, verwunderten Ausdruck sah, war er so überwältigt, daß er um ein Haar über den Tisch gesprungen wäre und sie davongetragen hätte.

»Hör mal«, sagte er hastig, »laß uns gehen, ja? Laß uns ins Hotel zurückkehren. Komm! Komm, Schatz! Jetzt gleich!«

Die Musikanten begannen zu spielen. »O Gott«, ächzte er beinah. »Laß uns gehen, ehe der alte Knacker wieder zu krächzen anfängt!«

Und einen Augenblick drauf waren sie weg.

VIRGINIA WOOLF

Lappin und Lapinova

Sie waren getraut. Der Hochzeitsmarsch verklang. Die Tauben flatterten. Kleine Jungen in Eton-Blazern warfen Reis; ein Foxterrier trottete über den Weg; und Ernest Thorburn führte seine Braut zum Wagen, mitten durch die kleine neugierige Schar völlig fremder Menschen, die sich in London immer findet, um sich am Glück oder Unglück anderer Leute zu erfreuen. Zweifellos sah er gut aus und sie schüchtern. Mehr Reis wurde geworfen, und der Wagen fuhr davon.

Das war am Dienstag. Jetzt war Samstag. Rosalind mußte sich erst noch daran gewöhnen, daß sie Mrs Ernest Thorburn war. Vielleicht würde sie sich nie daran gewöhnen, Mrs Ernest Irgendwer zu sein, dachte sie, während sie im Erkerzimmer des Hotels am Fenster saß, über den See auf die Berge blickte und darauf wartete, daß ihr Mann zum Frühstück herunterkam. Ernest war ein Name, an den man sich nur schwer gewöhnen konnte. Es war nicht der Name, den sie sich ausgesucht hätte. Ihr wären Timothy, Antony oder Peter lieber gewesen. Er sah auch gar nicht aus wie Ernest. Der Name erinnerte an das Albert Memorial, an Mahagonibuffets, an Stahlstiche vom Prinzgemahl und seiner Familie – kurz, an das Eßzimmer ihrer Schwiegermutter in der Porchester Terrace.

Aber da war er ja. Gott sei Dank sah er nicht aus wie Ernest – oh nein. Aber wie dann? Sie sah ihn kurz von der Seite an. Also, wenn er Toast aß, sah er aus wie ein Kaninchen. Nicht daß man tatsächlich eine Ähnlichkeit hätte sehen können zwischen einem so winzigen scheuen Wesen und diesem adretten muskulösen jungen Mann mit der geraden Nase, den blauen Augen und dem entschlossenen Mund. Aber das machte die Sache nur noch interessanter. Seine Nase zuckte ein kleines bißchen, wenn er aß. Wie die Nase ihres Kaninchens. Sie beobachtete weiter, wie seine Nase zuckte; und als er sie dann dabei ertappte, wie sie ihn ansah, mußte sie erklären, warum sie lachte.

»Weil du wie ein Kaninchen bist, Ernest«, sagte sie. »Wie ein Wildkaninchen«, fügte sie hinzu und sah ihn an. »Ein Kaninchen auf der Jagd; ein Königskaninchen; ein Kaninchen, das Gesetze aufstellt für alle anderen Kaninchen.«

Ernest hatte nichts dagegen, diese Art von Kaninchen zu sein, und da sie es lustig fand, wenn seine Nase zuckte – er hatte nicht gewußt, daß seine Nase zuckte –, ließ er sie absichtlich zucken. Und sie lachte und lachte; und er lachte auch, so daß die altjüngferlichen Damen und der Angler und der Schweizer Kellner in seinem schmierigen schwarzen Jacket es alle errieten; die beiden waren sehr glücklich. Aber wie lange dauert ein solches Glück? fragten sie sich; und ihre Antworten entsprachen den je eigenen Lebensumständen.

Zur Mittagszeit saß Rosalind auf einem Büschel Heidekraut am See und sagte: »Salat, Kaninchen?« Dabei hielt sie ihm die Salatblätter hin, die zu den harten Eiern gegessen werden sollten. »Komm, friß sie mir aus der Hand«, fügte sie hinzu, und er streckte sich vor und mümmelte den Salat und zuckte mit der Nase.

»Gutes Kaninchen, liebes Kaninchen«, sagte sie und streichelte ihn, wie sie zu Hause ihr zahmes Kaninchen immer gestreichelt hatte. Aber das war absurd. Er war kein zahmes Kaninchen, was er auch immer sonst sein mochte. Sie übersetzte es ins Französische. »Lapin« nannte sie ihn. Aber was er auch immer sonst sein mochte, ein französisches Kaninchen war er nicht. Er war durch und durch englisch – geboren in der Porchester Terrace, erzogen in Rugby; und jetzt Staatsbeamter in Diensten Seiner Majestät. Also versuchte sie es als nächstes mit »Häschen«, aber das ging erst recht nicht. Ein »Häschen« war ein rundlicher weicher komischer Mensch; er war dünn und hart und ernst. Und doch zuckte seine Nase. »Lappin«, rief sie plötzlich; und stieß einen kleinen Schrei aus, als hätte sie genau das Wort gefunden, nach dem sie gesucht hatte.

»Lappin, Lappin, König Lappin«, wiederholte sie. Es schien genau auf ihn zu passen, er war nicht Ernest, er war König Lappin. Warum? Sie wußte es nicht.

Wenn es auf ihren langen einsamen Spaziergängen keinen neuen Gesprächsstoff mehr gab – und es regnete, wie alle warnend vorhergesagt hatten; oder wenn sie, weil es kalt war, abends am Kamin saßen, und die altjüngferlichen Damen fort waren und der Angler auch, und der Kellner nur kam, wenn man nach ihm klingelte, ließ sie ihrer Phantasie freien Lauf und erfand die Geschichte des Lappin-Stammes. Unter ihren Händen – während sie nähte und er las – wurden die Lappins sehr wirklich, sehr lebendig, sehr lustig. Ernest legte die Zeitung weg und half ihr. Es gab die schwarzen Kaninchen und die roten; es gab die feindlich und die freundlich gesinnten. Es gab den Wald, in dem sie lebten, und das umliegende Grasland und den Sumpf. Vor allem aber gab es König Lappin, der keineswegs nur die eine Eigenheit besaß, mit der Nase zu zukken, sondern der mit der Zeit zu einem höchst charaktervollen Tier wurde; Rosalind fand immer neue Qualitäten in ihm. Vor allem aber war er ein großer Jäger.

»Und was«, sagte Rosalind am letzten Tag ihrer Flitterwochen, »hat der König heute gemacht?« In Wirklichkeit hatten sie eine lange Bergtour unternommen, und sie hatte eine Blase an der Ferse bekommen, aber das meinte sie nicht.

»Heute«, sagte Ernest und zuckte mit der Nase, während er das Ende seiner Zigarre abbiß, »hat er einen Hasen gejagt.« Er hielt inne; zündete ein Streichholz an und zuckte wieder.

»Eine Häsin«, fügte er hinzu.

»Eine weiße Häsin!« rief Rosalind aus, als hätte sie damit gerechnet. »Eine ziemlich kleine Häsin; silbergrau mit großen, hellen Augen?«

»Ja«, sagte Ernest und sah sie so an, wie sie ihn angesehen hatte, »ein eher kleines Tier; mit hervortretenden Augen und zwei herabhängenden Vorderpfoten.« Genau so saß sie da, mit ihrem Nähzeug, das von ihren Händen herabhing; und ihre Augen, die so groß und hell waren, standen zweifellos ein wenig hervor.

»Ach, Lapinova«, murmelte Rosalind.

»Heißt sie so?« fragte Ernest – »die echte Rosalind?« Er sah sie an. Er war sehr in sie verliebt.

»Ja; so heißt sie«, sagte Rosalind. »Lapinova.« Und bevor sie in dieser Nacht zu Bett gingen, war alles genau geregelt. Er war König Lappin; sie war Königin Lapinova. Sie waren das genaue Gegenteil voneinander; er war kühn und entschlossen; sie vorsichtig und unzuverlässig. Er herrschte über die geschäftige Welt der Kaninchen; ihre Welt war ein verlassener, geheimnisvoller Ort, den sie meist bei Mondschein durchstreifte. Trotzdem berührten sich ihre Reviere; sie waren König und Königin.

Als sie aus den Flitterwochen zurückkamen, besaßen sie also eine private Welt, in der bis auf den weißen Hasen nur Kaninchen wohnten. Niemand ahnte etwas von diesem Ort, und das machte das Ganze natürlich noch amüsanter.

Das Gefühl, gegen den Rest der Welt verbündet zu sein, war bei ihnen noch ausgeprägter als bei den meisten jungverheirateten Paaren. Oft sahen sie sich heimlich an, wenn von Kaninchen und Wäldern und Fallen und vom Schießen die Rede war. Oder sie zwinkerten sich verstohlen über den Tisch zu, wenn Tante Mary sagte, sie könne keinen Hasen in einer Schüssel liegen sehen – er sehe aus wie ein Baby; oder wenn John, Ernests sportlicher Bruder, ihnen erzählte, welchen Preis Kaninchen diesen Herbst in Wiltshire erzielten, samt Fell und allem. Manchmal, wenn sie einen Wildhüter brauchten oder einen Wilddieb oder einen Gutsherrn, machten sie sich einen Spaß daraus, diese Rollen auf ihre Freunde zu verteilen. Ernests Mutter, Mrs Reginald Thorburn, paßte zum Beispiel hervorragend in die Rolle des Squire. Aber all das war geheim – das war das Entscheidende; niemand außer ihnen wußte von der Existenz dieser Welt.

Wie hätte sie ohne diese Welt, fragte sich Rosalind, diesen Winter überhaupt überstehen können? Da war zum Beispiel die goldene Hochzeit, zu der sich alle Thorburns in der Porchester Terrace zusammenfanden, um den fünfzigsten Jahrestag dieser Verbindung zu feiern, die so gesegnet gewesen war – hatte sie nicht Ernest Thorburn hervorgebracht? und so fruchtbar – hatte sie nicht neun weitere Söhne und Töchter obendrein hervorgebracht, von denen viele verheiratet und ebenfalls fruchtbar waren? Sie hatte Angst, vor diesem Fest. Aber es war unausweichlich. Als sie nach oben ging, wurde ihr schmerzlich bewußt, daß sie ein Einzelkind und noch dazu eine Waise war; ein bloßer Tropfen unter all diesen Thorburns, die in dem großen Salon mit der glänzenden Satintapete und den schimmernden Familienporträts versammelt waren. Die lebenden Thorburns sahen den gemalten sehr ähnlich; nur daß sie statt gemalter Münder echte Münder hatten; aus denen Späße kamen; Späße aus der Schulzeit, wie sie der Hauslehrerin den Stuhl weggezogen hatten; Späße mit Fröschen, die sie unverheirateten Damen zwischen die jungfräulichen Laken gesteckt hatten. Was sie betraf, so hatte sie noch nicht einmal jemandem aus Spaß die Bettücher verknotet. Mit ihrem Geschenk in der Hand ging sie auf ihre Schwiegermutter zu, die in gelbem Satin prangte; und auf ihren Schwiegervater, der mit einer sattgelben Nelke dekoriert war. Überall auf den Tischen und Stühlen um sie herum lagen Achtungsbekundungen aus Gold; manche in Watte eingebettet; andere prächtig wuchernd – Kerzenleuchter; Zigarrenkisten; Ketten; jedes Teil vom Goldschmied mit einem Stempel für solides, echtes, auf den Feingehalt geprüftes Gold versehen. Sie aber hatte als Geschenk nur eine kleine Büchse aus Tombak, in die Löcher gebohrt waren; einen alten Sandstreuer, ein Relikt aus dem 18. Jahrhundert, das man einst benutzte, um Sand auf die nasse Tinte zu streuen. Ein ziemlich sinnloses Geschenk, fand sie – im Zeitalter des Löschpapiers; und als sie es überreichte, sah sie die schwarze Stummelschrift vor sich, in der ihre Schwiegermutter zu ihrer Verlobung der Hoffnung Ausdruck verliehen hatte, »Daß mein Sohn dich glücklich machen wird«. Nein, sie war nicht glücklich. Kein bißchen glücklich. Sie sah Ernest an, der strack wie ein Ladestock dastand, mit einer Nase, die aussah wie alle Nasen auf den Familienporträts; einer Nase, die überhaupt nie zuckte.

Dann gingen sie hinunter zum Dinner. Sie saß halb verdeckt hinter den großen Chrysanthemen, die ihre rot-goldenen Blütenblätter zu großen festen Kugeln rollten. Alles war golden. Eine goldumränderte Karte mit verschlungenen goldenen Initialen rezitierte die Liste aller Gänge, die sie nacheinander vorgesetzt bekommen würden. Sie tauchte ihren Löffel in einen Teller mit einer klaren goldenen Flüssigkeit. Der naßkalte weiße Nebel draußen war von den Lampen in ein Goldgeflecht verwandelt worden, das die Tellerränder verschwimmen ließ und den Ananasfrüchten eine rauhe goldene Schale verlieh. Nur sie selbst, die in ihrem weißen Hochzeitskleid mit ihren vorstehenden Augen vor sich hinspähte, schien unauflösbar wie ein Eiszapfen zu sein.

Im Laufe des Dinners jedoch wurde der Raum dampfig heiß. Schweißperlen standen den Männern auf der Stirn. Sie fühlte, wie ihr Eiszapfen sich in Wasser verwandelte. Sie zerschmolz; zerstob; löste sich auf in nichts; und würde bald ohnmächtig werden. Da hörte sie durch das Wogen in ihrem Kopf und das Getöse in ihren Ohren eine Frauenstimme rufen, »Aber sie vermehren sich so!«

Die Thorburns – ja; sie vermehren sich so, sprach sie nach; und betrachtete all die runden roten Gesichter, die sich in dem Schwindel, der sie überkam, verdoppelt zu haben schienen; und vergrößert, in dem goldenen Nebel, der sie mit einem Strahlenkranz umgab. »Sie vermehren sich so!« Da brüllte John:

»Die Teufelsbrut! ...Totschießen sollte man die! Mit den Stiefeln zertrampeln! Anders wird man mit denen nicht fertig... Kaninchen!«

Bei diesem Wort, diesem magischen Wort, kam wieder Leben in sie. Sie lugte durch die Chrysanthemen und sah Ernests Nase zucken. Sie kräuselte sich, sie zuckte mehrmals hintereinander. Und da brach eine geheimnisvolle Katastrophe über die Thorburns herein. Die goldene Tafel wurde zu einem Moor, wo der Stechginster in voller Blüte stand; das Stimmengewirr verwandelte sich in ein einziges schallendes Juxgelächter, das vom Himmel herabtönte. Es war ein blauer Himmel – die Wolken zogen langsam dahin. Und sie waren alle verwandelt – die Thorburns. Sie sah ihren Schwiegervater an, einen heimlichtuerischen kleinen Mann mit gefärbtem Schnurrbart. Er hatte eine Schwäche fürs Sammeln – Siegel, Emailledosen, Kleinigkeiten von Toilettentischen aus dem 18. Jahrhundert, die er in den Schubladen seines Arbeitszimmers vor seiner Frau versteckte. Jetzt sah sie ihn wie er war – ein Wilddieb, der sich davonstahl, den Mantel prall gefüllt mit Fasanen und Rebhühnern, die er heimlich in seiner verrauchten kleinen Hütte in einen dreifüßigen Topf fallen ließ. Das war ihr wirklicher Schwiegervater – ein Wilddieb. Und Celia, die unverheiratete Tochter, die immer die Geheimnisse anderer Menschen herausschnüffelte, die kleinen Dinge, die sie verbergen wollten – sie war ein weißes Frettchen mit rosa Augen und einer Nase, die von ihren schrecklichen Schnüffeltouren unter Tage erdverkrustet war. In einem Netz von Männerschultern herabbaumeln und in ein Loch hinabgestoßen werden – es war ein bedauernswertes Leben – Celias Leben; es war nicht ihre Schuld. So sah sie Celia. Und dann sah sie ihre Schwiegermutter an – die sie den Squire getauft hatten. Rot, derb, ein Tyrann – sie war all das, wie sie so stand und sich bedankte, aber als Rosalind – das heißt Lapinova – sie jetzt sah, sah sie den zerfallenen Familiensitz hinter ihr, den Putz, der von den Wänden blätterte, und hörte, wie sie mit einem Schluchzen in der Stimme ihren Kindern (die sie haßten) für eine Welt dankte, die nicht mehr existierte. Plötzlich wurde es still. Sie alle standen mit erhobenen Gläsern da; sie alle tranken; dann war es vorüber.

»Oh König Lappin!« rief sie, als sie zusammen im Nebel nach Hause fuhren, »wenn deine Nase nicht genau in dem Moment gezuckt hätte, hätte ich in der Falle gesessen!«

»Aber du bist in Sicherheit«, sagte König Lappin und drückte ihre Pfote.

»Völlig in Sicherheit«, antwortete sie.

Und sie fuhren zurück durch den Park, König und Königin des Sumpfs, des Nebels und des Moors, das nach Ginster duftete.

So verging die Zeit; ein Jahr; zwei Jahre. Und an einem Winterabend, der zufällig mit dem Jahrestag der goldenen Hochzeit zusammenfiel – aber Mrs Reginald Thorburn war tot; das Haus war zu vermieten; und es wohnte nur noch ein Hausmeister dort – kam Ernest aus dem Amt nach Hause. Sie hatten ein hübsches kleines Heim; die Hälfte eines Hauses über einer Sattlerei in South Kensington, nicht weit von der U-Bahn-Station. Es war kalt, die Luft war neblig und Rosalind saß am Kamin und nähte.

»Stell dir vor, was mir heute passiert ist«, begann sie, sobald er es sich bequem gemacht und die Beine vor dem Feuer ausgestreckt hatte. »Ich überquerte gerade den Bach, als –«

»Welchen Bach?« unterbrach sie Ernest.

»Den Bach unten, wo unser Wald an den schwarzen Wald grenzt«, erklärte sie.

Ernest sah sie einen Augenblick lang völlig verständnislos an.

»Wovon zum Teufel redest du?« fragte er.

»Aber Ernest!« rief sie bestürzt. »König Lappin«, fügte sie hinzu und ließ ihre kleinen Vorderpfoten im Schein des Feuers baumeln. Aber seine Nase zuckte nicht. Ihre Hände – sie wurden wieder zu Händen – hielten den Stoff umklammert; die Augen traten ihr halb aus dem Kopf. Er brauchte mindestens fünf Minuten, um sich von Ernest Thorburn in König Lappin zu verwandeln; und während sie wartete, fühlte sie etwas Schweres hinten im Genick, als wollte ihr es jemand brechen. Schließlich verwandelte er sich in König Lappin; seine Nase zuckte; und sie streiften den ganzen Abend durch die Wälder, ganz wie sonst auch.

Aber sie schlief schlecht. Mitten in der Nacht wachte

sie mit dem Gefühl auf, daß ihr etwas Seltsames widerfahren sei. Sie war steif und fror. Schließlich machte sie Licht und sah Ernest an, der neben ihr lag. Er schlief fest. Er schnarchte. Aber obwohl er schnarchte, blieb seine Nase vollkommen ruhig. Sie sah aus, als hätte sie gar nie gezuckt. War es möglich, daß er wirklich Ernest war; und daß sie wirklich mit Ernest verheiratet war? Sie sah das Eßzimmer ihrer Schwiegermutter plötzlich vor sich; und dort saßen sie, sie und Ernest, gealtert, unter den Stahlstichen, vor dem Buffet... Es war ihr goldener Hochzeitstag. Sie konnte es nicht ertragen.

»Lappin, König Lappin!« flüsterte sie, und einen Augenblick lang schien seine Nase ganz von selbst zu zucken. Aber er schlief weiter. »Wach auf, Lappin, wach auf!« rief sie.

Ernest erwachte; und als er sie kerzengerade neben sich sitzen sah, fragte er: »Was ist los?«

»Ich hab gedacht, mein Kaninchen ist tot!« wimmerte sie. Ernest war wütend.

»Red nicht solchen Unsinn, Rosalind«, sagte er. »Leg dich hin und schlaf.«

Er drehte sich auf die andere Seite. Im nächsten Augenblick war er fest eingeschlafen und schnarchte.

Aber sie konnte nicht schlafen. Sie lag zusammengerollt auf ihrer Betthälfte, wie ein Hase in seinem Lager. Sie hatte das Licht ausgemacht, aber die Zimmerdecke wurde von der Straßenlaterne schwach beleuchtet und von den Bäumen draußen mit einem Spitzenmuster bedeckt, so als befände sich ein schattiges Wäldchen an der Decke, in dem sie umherwanderte, sich drehend und wendend, hinein und hinaus und rundherum, auf der Jagd und gejagt, das Hundegebell und die Hörner im Ohr; fliehend, flüchtend... bis das Dienstmädchen den Vorhang aufzog und den Morgentee brachte.

Am nächsten Tag konnte sie sich auf nichts konzentrieren. Sie schien etwas verloren zu haben. Sie fühlte sich, als wäre ihr Körper geschrumpft; er war klein geworden und schwarz und hart. Auch schienen ihre Gelenke steif zu sein, und als sie in den Spiegel schaute, was sie mehrmals tat, wenn sie in der Wohnung umherging, schienen ihr die Augen aus dem Kopf zu springen, wie die Rosinen in einem Rosinenbrötchen. Die Zimmer schienen ebenfalls geschrumpft zu sein. Große Möbelstücke standen in merkwürdigem Winkel hervor, und sie stieß sich immer wieder an ihnen. Schließlich setzte sie ihren Hut auf und ging hinaus. Sie ging die Cromwell Road entlang; und jedes Zimmer, an dem sie vorbeikam und in das sie spähte, schien ein Eßzimmer mit dicken gelben Spitzenvorhängen und Mahagonibuffets zu sein, in dem Menschen unter Stahlstichen beim Essen saßen. Endlich gelangte sie zum Naturkundemuseum; als Kind war sie dort immer gern gewesen. Aber das erste, was sie sah, als sie jetzt hineinging, war ein ausgestopfter Hase, der mit rosaroten Glasaugen auf Kunstschnee stand. Davon zitterte sie irgendwie am ganzen Körper. Vielleicht würde es besser werden, wenn es dunkelte. Sie ging nach Hause und setzte sich an den Kamin, ohne Licht, und versuchte sich vorzustellen, sie sei allein draußen in einem Moor; und ein Bach rausche vorbei; und jenseits des Baches sei ein dunkler Wald. Aber sie gelangte nicht über den Bach hinaus. Schließlich hockte sie sich ans Ufer auf das nasse Gras und saß zusammengekauert in ihrem Stuhl, die Hände baumelten leer und ihre Augen wirkten glasiert, wie Glasaugen, im Feuerschein. Dann krachte plötzlich ein Gewehr... Sie erschrak, als wäre sie erschossen worden. Es war nur Ernest, der den Schlüssel im Schloß umdrehte. Sie wartete zitternd. Er kam herein und schaltete das Licht an. Da stand er, groß und gutaussehend, und rieb sich die Hände, die vor Kälte rot waren.

»Du sitzt im Dunkeln?« sagte er.

»Ach Ernest, Ernest!« rief sie und sprang von ihrem Sessel auf.

»Was ist denn jetzt los?« fragte er energisch, während er sich die Hände am Feuer wärmte.

»Es ist wegen Lapinova...« stammelte sie und blickte ihn aus ihren großen erschrockenen Augen wild an. »Sie ist weg, Ernest, ich hab sie verloren!«

Ernest runzelte die Stirn. Er preßte die Lippen fest zusammen. »Ach, das ist es also?« sagte er und lächelte seine Frau ziemlich grimmig an. Zehn Sekunden lang stand er schweigend da; und sie wartete und fühlte, wie sich Hände immer fester in ihrem Genick schlossen.

»Ja«, sagte er schließlich. »Arme Lapinova...« Er zog sich vor dem Spiegel über dem Kaminsims die Krawatte gerade.

»In die Falle gegangen«, sagte er, »getötet«, und setzte sich und las Zeitung.

Das also war das Ende dieser Ehe.

ARTHUR SCHNITZLER

Die Frau des Weisen

Hier werde ich lange bleiben. Über diesem Orte zwischen Meer und Wald liegt eine schwermütige Langeweile, die mir wohltut. Alles ist still und unbewegt. Nur die weißen Wolken treiben langsam; aber der Wind streicht so hoch über Wellen und Wipfel hin, daß das Meer und die Bäume nicht rauschen. Hier ist tiefe Einsamkeit, denn man fühlt sie immer; auch wenn man unter den vielen Leuten ist, im Hotel, auf der Promenade. Die Kurkapelle spielt meist melancholische schwedische und dänische Lieder, aber auch ihre lustigen Stücke klingen müd und gedämpft. Wenn die Musikanten fertig sind, steigen sie schweigend über die Stufen aus dem Kiosk herab und verschwinden mit ihren Instrumenten langsam und traurig in den Alleen.

Dies schreibe ich auf ein Blatt, während ich mich in einem Boote längs des Ufers hin rudern lasse.

Das Ufer ist mild und grün. Einfache Landhäuser mit Gärten; in den Gärten gleich am Wasser Bänke; hinter den Häusern die schmale, weiße Straße, jenseits der Straße der Wald. Der dehnt sich ins Land, weit, leicht ansteigend, und dort, wo er aufhört, steht die Sonne. Auf der schmalen und langgestreckten gelben Insel drüben liegt ihr Abendglanz. Der Ruderer sagt, man kann in zwei Stunden dort sein. Ich möchte wohl einmal hin. Aber hier ist man seltsam festgehalten; immer bin ich im nächsten Umkreis des kleinen Orts; am liebsten gleich am Ufer oder auf meiner Terrasse.

Ich liege unter den Buchen. Der schwere Nachmittag drückt die Zweige nieder; ab und zu hör' ich nahe Schritte von Menschen, die über den Waldweg kommen; aber ich kann sie nicht sehen, denn ich rühre mich nicht, und meine Augen tauchen in die Höhe. Ich höre auch das helle Lachen von Kindern, aber die große Stille um mich trinkt alles Geräusch rasch auf, und ist es kaum eine Sekunde lang verklungen, so scheint es längst vorbei. Wenn ich die Augen schließe und gleich wieder öffne, so erwache ich wie aus einer langen Nacht. So entgleite ich mir selbst und verschwebe wie ein Stück Natur in die große Ruhe um mich.

Mit der schönen Ruhe ist es aus. Nicht im Ruderboot und nicht unter den Buchen wird sie wiederkommen. Alles scheint mit einem Male verändert. Die Melodien der Kapelle klingen sehr heiß und lustig; die Leute, die an einem vorbeigehen, reden viel; die Kinder lachen und schreien. Sogar das liebe Meer, das so schweigend schien, schlägt nachts lärmend an das Ufer. Das Leben ist wieder laut für mich geworden. Nie war ich so leicht vom Hause abgereist; ich hatte nichts Unvollendetes zurückgelassen. Ich hatte mein Doktorat gemacht; eine künstlerische Illusion, die mich eine Jugend hindurch begleitet, hatte ich endgiltig begraben, und Fräulein Jenny war die Gattin eines Uhrmachers geworden. So hatte ich das seltene Glück gehabt, eine Reise anzutreten, ohne eine Geliebte zu Hause zu lassen und ohne eine Illusion mitzunehmen. In der Empfindung eines abgeschlossenen Lebensabschnittes hatte ich mich sicher und wohl gefühlt. Und nun ist alles wieder aus; – denn Frau Friederike ist da.

Spät abends auf meiner Terrasse; ich hab' ein Licht auf meinen Tisch gestellt und schreibe. Es ist die Zeit, über alles ins klare zu kommen. Ich zeichne mir das Gespräch auf, das erste mit ihr nach sieben Jahren, das erste nach jener Stunde…

Es war am Strand, um die Mittagszeit. Ich saß auf einer Bank. Zuweilen gingen Leute an mir vorüber. Eine Frau mit einem kleinen Jungen stand auf der Landungsbrücke, zu weit, als daß ich die Gesichtszüge hätte ausnehmen können. Sie war mir übrigens durchaus nicht aufgefallen; ich wußte nur, daß sie schon lange dort gestanden war, als sie endlich die Brücke verließ und mir immer näher kam. Sie führte den Knaben an der Hand. Nun sah ich, daß sie jung und schlank war. Das Gesicht kam mir bekannt vor. Sie war noch zehn Schritte von mir; da erhob ich mich rasch und ging ihr entgegen. Sie hatte gelächelt, und ich wußte, wer sie war.

»Ja, ich bin es«, sagte sie und reichte mir die Hand.

»Ich habe Sie gleich erkannt«, sagte ich.

»Ich hoffe, das ist nicht zu schwer gewesen«, erwiderte sie. »Und Sie haben sich eigentlich auch gar nicht verändert.«

»Sieben Jahre…« sagte ich.

Sie nickte. »Sieben Jahre.«…

Wir schwiegen beide. Sie war sehr schön. Jetzt glitt ein Lächeln über ihr Gesicht, sie wandte sich zu dem Jungen, den sie noch immer an der Hand hielt, und sagte: »Gib dem Herrn die Hand.«

Der Kleine reichte sie mir, schaute mich aber dabei nicht an.

»Das ist mein Sohn«, sagte sie.

Es war ein hübscher brauner Bub mit hellen Augen.

»Es ist doch schön, daß man einander wieder begegnet im Leben«, begann sie, »ich hätte nicht gedacht…«

»Es ist auch sonderbar«, sagte ich.

»Warum?« fragte sie, indem sie mir lächelnd und das

erste Mal ganz voll in die Augen sah. »Es ist Sommer... alle Leute reisen, nicht wahr?«

Jetzt lag mir die Frage nach ihrem Mann auf den Lippen; aber ich vermochte es nicht, sie auszusprechen.

»Wie lange werden Sie hier bleiben?« fragte ich.

»Vierzehn Tage. Dann treffe ich mit meinem Manne in Kopenhagen zusammen.«

Ich sah sie mit einem raschen Blick an; der ihre antwortete unbefangen: ›Wundert dich das vielleicht?‹

Ich fühlte mich unsicher, unruhig beinahe. Wie etwas Unbegreifliches erschien es mir plötzlich, daß man Dinge so völlig vergessen kann. Denn nun merkte ich erst: an jene Stunde vor sieben Jahren hatte ich seit lange so wenig gedacht, als wäre sie nie erlebt worden.

»Sie werden mir aber viel erzählen müssen«, begann sie aufs neue, »sehr, sehr viel. Gewiß sind Sie schon lange Doktor?«

»Nicht so lange – seit einem Monat.«

»Sie haben aber noch immer Ihr Kindergesicht«, sagte sie. »Ihr Schnurrbart sieht aus, als wenn er aufgeklebt wäre.«

Vom Hotel her, überlaut, tönte die Glocke, die zum Essen rief.

»Adieu«, sagte sie jetzt, als hätte sie nur darauf gewartet.

»Können wir nicht zusammen gehen?« fragte ich.

»Ich speise mit dem Buben auf meinem Zimmer, ich bin nicht gern unter so vielen Menschen.«

»Wann sehen wir uns wieder?«

Sie wies lächelnd mit den Augen auf die kleine Strandpromenade. »Hier muß man einander doch immer begegnen«, sagte sie – und als sie merkte, daß ich von ihrer Antwort unangenehm berührt war, setzte sie hinzu: »Besonders, wenn man Lust dazu hat. – Auf Wiedersehen.«

Sie reichte mir die Hand, und ohne sich noch einmal umzusehen, entfernte sie sich. Der kleine Junge blickte aber noch einmal nach mir zurück.

Ich bin den ganzen Nachmittag und den ganzen Abend auf der Promenade hin und her gegangen, und sie ist nicht gekommen. Am Ende ist sie schon wieder fort? Ich dürfte eigentlich nicht darüber staunen.

Ein Tag ist vergangen, ohne daß ich sie gesehen. Den ganzen Vormittag hat es geregnet, und außer mir war fast niemand auf der Promenade. Ein paar Mal bin ich an dem Haus vorbei, in dem sie wohnt, ich weiß aber nicht, welches ihre Fenster sind. Nachmittag ließ der Regen nach, und ich machte einen langen Spaziergang auf der Straße längs des Meeres bis zum nächsten Orte. Es war trüb und schwül.

Auf dem Wege habe ich an nichts anderes denken können als an jene Zeit. Alles habe ich deutlich wieder vor mir gesehen. Das freundliche Haus, in dem ich gewohnt, und das Gärtchen mit den grünlackierten Stühlen und Tischen. Und die kleine Stadt mit ihren stillen weißen Straßen. Und die fernen, im Nebel verschwimmenden Hügel. Und über all dem lag ein Stück blaßblauer Himmel, der so dazugehörte, als wenn er auf der ganzen Welt nur dort so blaß und blau gewesen wäre. Auch die Menschen von damals sah ich alle wieder; meine Mitschüler, meine Lehrer, auch Friederikens Mann. Ich sah ihn anders, als er mir in jenem letzten Augenblick erschienen war; – ich sah ihn mit dem milden, etwas müden Ausdruck im Gesicht, wie er nach der Schule auf der Straße an uns Knaben freundlich grüßend vorüberzuschreiten pflegte, und wie er bei Tische zwischen Friederike und mir, meist schweigend, gesessen; ich sah ihn, wie ich ihn oft von meinem Fenster aus erblickt hatte: im Garten vor dem grünlackierten Tisch, die Arbeiten von uns Schülern korrigierend. Und ich erinnerte mich, wie Friederike in den Garten gekommen, ihm den Nachmittagskaffee gebracht und dabei zu meinem Fenster hinaufgeschaut, lächelnd, mit einem Blicke, den ich damals nicht verstanden... bis zu jener letzten Stunde. – Jetzt weiß ich auch, daß ich mich oft an all das erinnert habe. Aber nicht wie an etwas Lebendiges, sondern wie an ein Bild, das still und friedlich an einer Wand zu Hause hängt.

Wir sind heute am Strand nebeneinander gesessen und haben miteinander gesprochen wie Fremde. Der Bub spielte zu unseren Füßen mit Sand und Steinen. Es war nicht, als wenn irgend etwas auf uns lastete: wie Menschen, die einander nichts bedeuten, und die der Zufall des Badelebens auf kurze Zeit zusammengeführt, haben wir miteinander geplaudert; über das Wetter, über die Gegend, über die Leute, auch über Musik und über ein paar neue Bücher. Während ich neben ihr saß, empfand ich es nicht unangenehm; als sie aber aufstand und fortging, war es mir mit einemmal unerträglich. Ich hätte ihr nachrufen mögen: Laß mir doch etwas da; aber sie hätte es nicht einmal verstanden. Und wenn ich's überlege, was durfte ich anderes erwarten? Daß sie mir bei unserer ersten Begegnung so freundlich entgegengekommen, war offenbar nur in der Überraschung begründet; vielleicht auch in dem frohen Gefühl, an einem fremden Orte einen alten Bekannten wiederzufinden. Nun aber hat sie Zeit gehabt, sich an alles zu erinnern wie ich; und was sie auf immer vergessen zu haben hoffte, ist mächtig wieder aufgetaucht. Ich kann es ja gar nicht ermessen, was sie um meinetwillen hat erdulden müssen, und was sie vielleicht noch heute leiden muß. Daß sie mit ihm zusammengeblieben ist, seh' ich wohl; und daß sie sich wieder versöhnt haben, dafür ist der vierjährige Junge ein lebendiges Zeugnis; – aber man kann sich versöhnen, ohne zu verzeihen, und man kann verzeihen, ohne zu vergessen. – – Ich sollte fort, es wäre besser für uns beide.

In einer seltsamen, wehmütigen Schönheit steigt jenes ganze Jahr vor mir auf, und ich durchlebe alles aufs neue. Einzelheiten fallen mir wieder ein. Ich erinnere mich an den Herbstmorgen, an dem ich, von meinem Vater begleitet, in der kleinen Stadt ankam, wo ich das letzte Gymnasialjahr zubringen sollte. Ich sehe das Schulgebäude deutlich wieder vor mir, mitten in dem Park mit seinen hohen Bäumen. Ich erinnere mich an mein ruhiges Arbeiten in dem schönen geräumigen Zimmer, an die freundlichen Gespräche über meine Zukunft, die ich bei Tisch mit dem Professor führte und denen Friederike lächelnd lauschte; an die Spaziergänge mit Kollegen auf die Landstraße hinaus bis zum nächsten Dorf; und alle Nichtigkeiten ergreifen mich so tief, als wenn sie meine Jugend zu bedeuten hätten. Wahrscheinlich würden alle diese Tage im tiefen Schatten des Vergessens liegen, wenn nicht von jener letzten Stunde ein geheimnisvoller Glanz auf sie zurückfiele. Und das Merkwürdigste ist: seit Friederike in meiner Nähe weilt, scheinen mir jene Tage sogar näher als die vom heurigen Mai, in welchen ich das Fräulein liebte, das im Juni den Uhrmacher geheiratet hat.

Als ich heute frühmorgens an mein Fenster trat und auf die große Terrasse hinunterblickte, sah ich Friederike mit ihrem Buben an einem der Tische sitzen; sie waren die ersten Frühstücksgäste. Ihr Tisch war grade unter meinem Fenster, und ich rief ihr einen guten Morgen zu. Sie schaute auf. »So früh schon wach?« sagte sie. »Wollen Sie nicht zu uns kommen?«

In der nächsten Minute saß ich an ihrem Tisch. Es war ein wunderbarer Morgen, kühl und sonnig. Wir plauderten wieder über so gleichgiltige Dinge als das letztemal, und doch war alles anders. Hinter unseren Worten glühte die Erinnerung. Wir gingen in den Wald. Da fing sie an, von sich zu sprechen und von ihrem Heim.

»Bei uns ist alles noch gerade so wie damals«, sagte sie, »nur unser Garten ist schöner geworden; mein Mann verwendet jetzt viel Sorgfalt auf ihn, seit wir den Buben haben. Im nächsten Jahr bekommen wir sogar ein Glashaus.«

Sie plauderte weiter. »Seit zwei Jahren gibt es ein Theater bei uns, den ganzen Winter bis Palmsonntag wird gespielt. Ich gehe zwei-, dreimal in der Woche hinein, meistens mit meiner Mutter, der macht es großes Vergnügen.«

»Ich auch Theater!« rief der Kleine, den Friederike an der Hand führte.

»Freilich, du auch. Sonntag nachmittag«, wandte sie sich erklärend an mich, »spielen sie nämlich manchmal Stücke für die Kinder; da gehe ich mit dem Buben hin. Aber ich amüsiere mich auch sehr gut dabei.«

Von mir mußte ich ihr mancherlei erzählen. Nach meinem Beruf und anderen ernsten Dingen fragte sie wenig; sie wollte vielmehr wissen, wie ich meine freie Zeit verbrächte, und ließ sich gern über die geselligen Vergnügungen der großen Stadt berichten.

Die ganze Unterhaltung floß heiter fort; mit keinem Wort wurde jene gemeinschaftliche Erinnerung angedeutet – und doch war sie ihr gewiß ununterbrochen so gegenwärtig wie mir. Stundenlang spazierten wir herum, und ich fühlte mich beinahe glücklich. Manchmal ging der Kleine zwischen uns beiden, und da begegneten sich unsere Hände über seinen Locken. Aber wir taten beide, als wenn wir es nicht bemerkten, und redeten ganz unbefangen weiter.

Als ich wieder allein war, verflog mir die gute Stimmung

bald. Denn plötzlich fühlte ich wieder, daß ich nichts von Friederike wußte. Es war mir unbegreiflich, daß mich diese Ungewißheit nicht während unseres ganzen Gesprächs gequält, und es kam mir sonderbar vor, daß Friederike selbst nicht das Bedürfnis gehabt, davon zu sprechen. Denn selbst wenn ich annehmen wollte, daß zwischen ihr und ihrem Manne seit Jahren jener Stunde nicht mehr gedacht worden war – sie selbst konnte sie doch nicht vergessen haben. Irgend etwas Ernstes mußte damals meinem stummen Abschied gefolgt sein – wie hat sie es vermocht, nicht davon zu reden? Hat sie vielleicht erwartet, daß ich selbst beginne? Was hat mich davon zurückgehalten? Dieselbe Scheu vielleicht, die ihr eine Frage verbot? Fürchten wir uns beide, daran zu rühren? – Das ist wohl möglich. Und doch muß es endlich geschehen; denn bis dahin bleibt etwas zwischen uns, was uns trennt. Und daß uns etwas trennt, peinigt mich mehr als alles andere.

Nachmittag bin ich im Walde herumgeschlendert, dieselben Wege wie morgens mit ihr. Es war in mir eine Sehnsucht wie nach einer unendlich Geliebten. Am späten Abend ging ich an ihrem Haus vorbei, nachdem ich sie vergebens überall gesucht. Sie stand am Fenster. Ich rief hinauf, wie sie heute früh zu mir: »Kommen Sie nicht herunter?«

Sie sagte, kühl, wie mir vorkam: »Ich bin müd. Gute Nacht« – und schloß das Fenster.

In der Erinnerung erscheint mir Friederike in zwei verschiedenen Gestalten. Meist seh' ich sie als eine blasse, sanfte Frau, die, mit einem weißen Morgenkleid angetan, im Garten sitzt, wie eine Mutter zu mir ist und mir die Wangen streichelt. Hätte ich nur diese hier wiedergetroffen, so wäre meine Ruhe gewiß nicht gestört worden und ich läge nachmittags unter den schattigen Buchen wie in den ersten Tagen meines Hierseins.

Aber auch als eine völlig andere erscheint sie mir, wie ich sie doch nur einmal gesehen; und das war in der letzten Stunde, die ich in der kleinen Stadt verbrachte.

Es war der Tag, an dem ich mein Abiturientenzeugnis bekommen hatte. Wie alle Tage hatte ich mit dem Professor und seiner Frau zu Mittag gespeist, und, da ich nicht zur Bahn begleitet werden wollte, hatten wir einander gleich beim Aufstehen vom Tische Adieu gesagt. Ich empfand durchaus keine Rührung. Erst wie ich in meinem kahlgeräumten Zimmer auf dem Bette saß, den gepackten Koffer zu meinen Füßen, und zu dem weit offenen Fenster hinaus über das zarte Laub des Gärtchens zu den weißen Wolken sah, die regungslos über den Hügeln standen, kam leicht, beinahe schmeichelnd, die Wehmut des Abschiedes über mich. Plötzlich öffnete sich die Tür. Friederike trat herein. Ich erhob mich rasch. Sie trat näher, lehnte sich an den Tisch, stützte beide Hände nach rückwärts auf dessen Kante und sah mich ernst an. Ganz leise sagte sie: »Also heute?« Ich nickte nur und fühlte das erstemal sehr tief, wie traurig es eigentlich war, daß ich von hier fort mußte. Sie schaute eine Weile zu Boden und schwieg. Dann erhob sie den Kopf und kam näher auf mich zu. Sie legte beide Hände ganz leicht auf meine Haare, wie sie es ja schon früher oft getan, aber ich wußte in diesem Moment, daß es etwas anderes bedeutete als sonst. Dann ließ sie ihre Hände langsam über meine Wangen heruntergleiten, und ihr Blick ruhte mit unendlicher Innigkeit auf mir. Sie schüttelte den Kopf mit einem schmerzlichen Ausdruck, als könnte sie irgend etwas nicht fassen. »Mußt du denn schon heute weg?« fragte sie leise. – »Ja«, sagte ich. – »Auf immer?« rief sie aus. »Nein«, antwortete ich. – »O ja«, sagte sie mit schmerzlichem

Zucken der Lippen, »es ist auf immer. Wenn du uns auch einmal besuchen wirst... in zwei oder drei Jahren – heute gehst du doch für immer von uns fort.« – Sie sagte das mit einer Zärtlichkeit, die gar nichts Mütterliches mehr hatte. Mich durchschauerte es. Und plötzlich küßte sie mich. Zuerst dachte ich nur: das hat sie ja nie getan. Aber als ihre Lippen sich von den meinen gar nicht lösen wollten, verstand ich, was dieser Kuß zu bedeuten hatte. Ich war verwirrt und glücklich; ich hätte weinen mögen. Sie hatte die Arme um meinen Hals geschlungen, ich sank, als wenn sie mich hingedrängt hätte, in die Ecke des Divans; Friederike lag mir zu Füßen auf den Knieen und zog meinen Mund zu dem ihren herab. Dann nahm sie meine beiden Hände und vergrub ihr Gesicht darin. Ich flüsterte ihren Namen und staunte, wie schön er war. Der Duft von ihren Haaren stieg zu mir auf; ich atmete ihn mit Entzücken ein... In diesem Augenblicke – ich glaubte vor Schrecken starr zu werden – öffnet sich leise die Tür, die nur angelehnt war, und Friederikens Mann steht da. Ich will aufschreien, bringe aber keinen Laut hervor. Ich starre ihm ins Gesicht – ich kann nicht sehen, ob sich irgendwas in seinem Ausdruck verändert – denn noch im selben Augenblick ist er wieder verschwunden und die Tür geschlossen. Ich will mich erheben, meine Hände befreien, auf denen noch immer Friederikens Antlitz ruht, will sprechen, stoße mühsam wieder ihren Namen hervor – da springt sie selbst mit einem Male auf – totenbleich – flüstert mir beinahe gebieterisch zu: »Schweig!« und steht eine Sekunde lang regungslos da, das Gesicht der Türe zugewandt, als wolle sie lauschen. Dann öffnet sie leicht und blickt durch die Spalte hinaus. Ich stehe atemlos. Jetzt öffnet sie ganz, nimmt mich bei der Hand und flüstert: »Geh, geh, rasch.« Sie schiebt mich hinaus – ich schleiche rasch über den kleinen Gang bis zur Stiege, dann wende ich mich noch einmal um – und sehe sie an der Türe stehen, mit unsäglicher Angst in den Mienen, und mit einer heftigen Handbewegung, die mir andeutet: fort! fort! Und ich stürze davon.

An das, was zunächst geschah, denke ich wie an einen tollen Traum. Ich bin zum Bahnhof geeilt, von tödlicher Angst gepeinigt. Ich bin die Nacht durchgefahren und habe mich im Coupé schlaflos herumgewälzt. Ich bin zu Hause angekommen, habe erwartet, daß meine Eltern schon von allem unterrichtet seien, und bin beinahe erstaunt gewesen, als sie mich mit Freundlichkeit und Freude empfingen. Dann habe ich noch tagelang in heftiger Erregung hingebracht, auf irgend etwas Schreckliches gefaßt; und jedes Klingeln an der Türe, jeder Brief machte mich zittern. Endlich kam eine Nachricht, die mich beruhigte: es war eine Karte von einem Schulkameraden, der in der kleinen Stadt zu Hause war, und der mir harmlose Neuigkeiten und lustige Grüße sandte. Also, es war nichts Entsetzliches geschehen, zum mindesten war es zu keinem öffentlichen Skandal gekommen. Ich durfte glauben, daß sich zwischen Mann und Frau alles im stillen abgespielt, daß er ihr verziehen, daß sie bereut hatte.

Trotzdem lebte dieses erste Abenteuer in meiner Erinnerung anfangs als etwas Trauriges, beinahe Düsteres fort, und ich erschien mir wie einer, der ohne Schuld den Frieden eines Hauses vernichtet hat. Allmählich verschwand diese Empfindung, und später erst, als ich in neuen Erlebnissen jene Stunde besser und tiefer verstehen lernte, kam zuweilen eine seltsame Sehnsucht nach Friederike über mich – wie der Schmerz darüber, daß eine wunderbare Verheißung sich nicht erfüllt hätte. Aber auch diese Sehnsucht ging vorüber, und so war es geschehen, daß ich die junge Frau beinahe völlig vergessen hätte. – Nun aber ist mit einem Mal alles wieder da, was jenes Geschehnis damals zum Erlebnis machte; und alles ist heftiger als damals, denn ich liebe Friederike.

Heute scheint mir alles so klar, was mir noch in den letzten Tagen rätselhaft gewesen ist. Wir sind spät abends am Strand gesessen, wir zwei allein; der Junge war schon zu Bette gebracht. Ich hatte sie am Vormittag gebeten, zu kommen; ganz harmlos; nur von der nächtlichen Schönheit des Meeres hatte ich gesprochen, und wie wunderbar es wäre, wenn alles ganz still ringsum, am Ufer zu sein und in die große Dunkelheit hinauszublicken. Sie hatte nichts gesagt, aber ich wußte, daß sie kommen würde. Und nun sind wir am Strand gesessen, beinahe schweigend, unsere Hände ineinander geschlungen, und ich fühlte, daß Friederike mir gehören mußte, wann ich wollte. Wozu über das Vergangene reden, dachte ich – und ich wußte, daß s i e von unserem ersten Wiedersehen an so gedacht. Sind wir denn noch dieselben, die wir damals waren? Wir sind so leicht, so frei; die Erinnerungen flattern hoch über uns, wie ferne Sommervögel. Vielleicht hat sie noch manches andere erlebt während der sieben Jahre, wie ich; – was geht es mich an? Jetzt sind wir Menschen von heute und streben zu einander. Sie war gestern vielleicht eine Unglückliche, vielleicht eine Leichtsinnige; heute sitzt sie schweigend neben mir am Meer und hält meine Hand und sehnt sich, in meinen Armen zu sein.

Langsam begleitete ich sie die wenigen Schritte bis zu ihrem Hause. Lange schwarze Schatten warfen die Bäume längs der Straße.

»Wir wollen morgen früh eine Fahrt im Segelboot machen«, sagte ich.

»Ja«, erwiderte sie.

»Ich werde an der Brücke warten, um sieben Uhr...«

»Wohin?« fragte sie.

»Zu der Insel drüben... wo der Leuchtturm steht, sehen Sie ihn?«

»O ja, das rote Licht. Ist es weit?«

»Eine Stunde; – wir können sehr bald zurück sein.«

»Gute Nacht«, sagte sie und trat in die Hausflur.

Ich ging. – – In ein paar Tagen wirst du mich vielleicht wieder vergessen haben, dachte ich, aber morgen ist ein schöner Tag.

Ich war früher auf der Brücke als sie. Das kleine Boot wartete; der alte Jansen hatte die Segel aufgespannt und rauchte, am Steuer sitzend, seine Pfeife. Ich sprang zu ihm hinein und ließ mich von den Wellen schaukeln. Ich schlürfte die Minuten der Erwartung ein wie einen Morgentrunk. Die Straße, auf die ich meinen Blick gerichtet hatte, war noch ganz menschenleer. Nach einer Viertelstunde erschien Friederike. Schon von weitem sah ich sie, es schien mir, als ginge sie rascher als sonst: als sie die Brücke betrat, erhob ich mich; jetzt erst konnte sie mich sehen und grüßte mich mit einem Lächeln. Endlich war sie am Ende der Brücke, ich reichte ihr die Hand und half ihr ins Boot. Jansen machte das Tau los und unser Schiff glitt davon. Wir saßen eng beieinander; sie hing sich in meinen Arm. Sie war ganz weiß gekleidet und sah aus wie ein achtzehnjähriges Mädchen.

»Was gibts auf dieser Insel zu sehen?« fragte sie.

Ich mußte lächeln.

Sie errötete und sagte: »Der Leuchtturm jedenfalls?«

»Vielleicht auch die Kirche«, setzte ich hinzu.

»Fragen Sie doch den Mann...« Sie wies auf Jansen.

Ich fragte ihn. »Wie alt ist die Kirche auf der Insel?«

Aber er verstand kein Wort deutsch; und so konnten wir uns nach diesem Versuch noch einsamer miteinander fühlen als früher.

»Dort drüben«, sagte sie und wies mit den Augen hin – »ist das auch eine Insel?«

»Nein«, antwortete ich, »das ist Schweden selbst, das Festland.«

»Das wär noch schöner«, sagte sie.

»Ja«, erwiderte ich – »aber dort müßte man bleiben können... lang... immer –«

Wenn sie mir jetzt gesagt hätte: Komm, wir wollen zusammen in ein anderes Land und wollen nie wieder zurück – ich wäre darauf eingegangen. Wie wir so auf dem Boote hinglitten, von der reinen Luft umspielt, den hellen Himmel über uns und um uns das glitzernde Wasser, da schien es mir eine festliche Fahrt, wir selbst ein königliches Paar, und alle früheren Bedingungen unseres Daseins abgefallen.

Bald konnten wir die kleinen Häuser auf der Insel unterscheiden; die weiße Kirche auf dem Hügel, der sich, allmählich ansteigend, der ganzen Insel entlang hinzog, bot sich in schärferen Umrissen dar. Unser Boot flog geradewegs der Insel entgegen. In unserer Nähe zeigten sich kleine Fischerkähne; einige, an denen die Ruder eingezogen waren, trieben lässig auf dem Wasser hin. Friederike hatte den Blick meist auf die Insel gerichtet; aber sie schaute nicht. In weniger als einer Stunde fuhren wir in den Hafen ein, der rings von einer hölzernen Brücke umschlossen war, so daß man sich in einem kleinen Teich vermeinen konnte.

Ein paar Kinder standen auf der Brücke. Wir stiegen aus und gingen langsam ans Ufer; die Kinder hinter uns; aber die verloren sich bald. Das ganze Dorf lag vor uns; es bestand aus höchstens zwanzig Häusern, die rings verstreut waren. Wir sanken fast in den dünnen, braunen Sand ein, den das Wasser hier angeschwemmt hat. Auf einem sonnenbeglänzten freien Platz, der bis ans Meer hinunterreichte, hingen Netze, zum Trocknen ausgebreitet; ein paar Weiber saßen vor den Haustüren und flickten Netze. Nach hundert Schritten waren wir ganz allein. Wir waren auf einen schmalen Weg geraten, der uns von den Häusern fort dem Ende der Insel zuführte, wo der Leuchtturm stand. Zu unserer Linken, durch ärmliches Ackerland, das immer schmäler wurde, von uns getrennt, lag das Meer; zu unserer Rechten stieg der Hügel an, auf dessen Kamm wir den Weg zur Kirche laufen sahen, die in unserem Rükken lag. Über all dem lag schwer die Sonne und das Schweigen. – Friederike und ich hatten die ganze Zeit über nichts gesprochen. Ich fühlte auch kein Verlangen darnach; mir war unendlich wohl, so mit ihr in der großen Stille hinzuwandeln.

Aber sie begann zu sprechen.

»Heute vor acht Tagen«, sagte sie...

»Nun –?«

»Da hab ich noch nichts gewußt... noch nicht einmal, wohin ich reisen werde.«

Ich antwortete nichts.

»Ah, ist's da schön«, rief sie aus und ergriff meine Hand.

Ich fühlte mich zu ihr hingezogen; am liebsten hätte ich sie in meine Arme geschlossen und auf die Augen geküßt.

»Ja?« fragte ich leise.

Sie schwieg und wurde eher ernst.

Wir waren bis zu dem Häuschen gekommen, das an den Leuchtturm angebaut war; hier endete der Weg; wir mußten umkehren. Ein schmaler Feldweg führte ziemlich steil den Hügel hinan. Ich zögerte.

»Kommen Sie«, sagte sie.

Wie wir jetzt gingen, hatten wir die Kirche im Auge. Ihr näherten wir uns. Es war sehr warm. Ich legte meinen Arm um Friederikens Hals; sie mußte ganz nahe bei mir bleiben, wenn sie nicht abgleiten wollte. Ich berührte mit der Hand ihre heißen Wangen.

»Warum haben wir eigentlich die ganze Zeit nichts von Ihnen gehört?« fragte sie plötzlich. – »Ich wenigstens«, setzte sie hinzu, indem sie zu mir aufschaute.

»Warum«, wiederholte ich befremdet.

»Nun ja!«

»Wie konnte ich denn?«

»O *darum*«, sagte sie. »Waren Sie denn verletzt?«

Ich war zu sehr erstaunt, um etwas erwidern zu können.

»Nun, was haben Sie sich eigentlich gedacht?«

»Was ich mir –«

»Ja – – oder erinnern Sie sich gar nicht mehr?«

»Gewiß, ich erinnere mich. Warum sprechen Sie jetzt davon?«

»Ich wollte Sie schon lange fragen«, sagte sie.

»So sprechen Sie«, erwiderte ich tief bewegt.

»Sie haben es für eine Laune gehalten« – »o gewiß!« setzte sie lebhaft hinzu, als sie merkte, daß ich etwas entgegnen wollte – »aber ich sage Ihnen, es war keine. Ich habe mehr gelitten in jenem Jahre, als ein Mensch weiß.«

»In welchem?«

»Nun ... als Sie bei uns ... Warum fragen Sie das? – Anfangs habe ich mir selbst ... Aber warum erzähle ich Ihnen das?«

Ich faßte heftig ihren Arm. »Erzählen Sie ... ich bitte Sie ... ich habe Sie ja lieb.«

»Und ich dich«, rief sie plötzlich aus; nahm meine beiden Hände und küßte sie – »immer – immer.«

»Ich bitte dich, erzähle mir weiter«, sagte ich; »und alles, alles ...«

Sie sprach, während wir langsam den Feldweg in der Sonne weiterschritten.

»Anfangs habe ich mir selbst gesagt: er ist ein Kind ...

wie eine Mutter habe ich ihn gern. Aber je näher die Stunde kam, um die Sie abreisen sollten...«

Sie unterbrach sich eine Weile, dann sprach sie weiter:

»Und endlich war die Stunde da. – Ich habe nicht zu dir wollen – ich weiß nicht, was mich hinaufgetrieben hat. Und wie ich schon bei dir war, hab ich dich auch nicht küssen wollen – aber...«

»Weiter, weiter«, sagte ich.

»Und dann hab ich dir plötzlich gesagt, daß du gehen sollst – du hast wohl gemeint, das ganze war eine Komödie, nicht wahr?«

»Ich verstehe dich nicht.«

»Das habe ich die ganze Zeit gedacht. Ich habe dir sogar schreiben wollen... Aber wozu?... Also... der Grund, daß ich dich weggeschickt habe, war... Ich hatte mit einemmal Angst bekommen.«

»Das weiß ich.«

»Wenn du das weißt – warum hab ich nie wieder von dir gehört?« rief sie lebhaft aus.

»Warum hast du Angst bekommen?« fragte ich, allmählich verstehend.

»Weil ich glaubte, es wäre jemand in der Nähe.«

»Du glaubtest? Wie ist das?«

»Ich meinte Schritte auf dem Gang zu hören. Das wars. Schritte! Ich dachte, *er* wär es... Da hat mich die Furcht gepackt – denn es wäre entsetzlich gewesen, wenn er – oh, ich will gar nicht daran denken. – Aber niemand war da – niemand. Erst spät am Abend ist er nach Hause gekommen, du warst längst, längst fort.« –

Während sie das erzählte, fühlte ich, wie irgend etwas in meinem Innern erstarrte. Und als sie geendet hatte, schaute ich sie an, als müßte ich sie fragen: Wer bist du? – Ich wandte mich unwillkürlich nach dem Hafen, wo ich die Segel unseres Bootes glänzen sah, und ich dachte: Wie lange, wie unendlich lange ist es her, daß wir auf diese Insel gekommen sind? Denn ich bin mit einer Frau hier gelandet, die ich geliebt habe, und jetzt geht eine Fremde an meiner Seite. Es war mir unmöglich, auch nur ein Wort zu sprechen. Sie merkte es kaum; sie hatte sich in meinen Arm gehängt und hielt es wohl für zärtliches Schweigen. Ich dachte an ihn. Er hat es ihr also nie gesagt! Sie weiß es nicht, sie hat es nie gewußt, daß er sie zu meinen Füßen liegen sah. Er hat sich damals von der Tür wieder davongeschlichen und ist erst später... stundenlang später zurückgekommen und hat ihr nichts gesagt! Und er hat die ganzen Jahre an ihrer Seite weitergelebt, ohne sich mit einem Worte zu verraten! Er hat ihr verziehen – und sie hat es nicht gewußt!

Wir waren in der Nähe der Kirche angelangt; kaum zehn Schritte vor uns lag sie. Hier bog ein steiler Weg ab, der in wenigen Minuten ins Dorf führen mußte. Ich schlug ihn ein. Sie folgte mir.

»Gib mir die Hand«, sagte sie, »ich gleite aus.« Ich reichte sie ihr, ohne mich umzuwenden. »Was hast du denn?« fragte sie. Ich konnte nichts antworten und drückte ihr nur heftig die Hand, was sie zu beruhigen schien. Dann sagte ich, nur um etwas zu reden: »Es ist schade, wir hätten die Kirche besichtigen können.« – Sie lachte: »An der sind wir ja vorüber, ohne es zu merken!«

»Wollen Sie zurück?« fragte ich.

»O nein, ich freue mich, bald wieder im Boot zu sitzen. Einmal möchte ich mit Ihnen allein so eine Segelpartie machen, ohne diesen Mann.«

»Ich verstehe mich nicht auf Segeln.«

»O«, sagte sie und hielt inne, als wäre ihr plötzlich 'was eingefallen, was sie doch nicht sagen wollte. – Ich fragte nicht. Bald waren wir auf der Brücke. Das Boot lag bereit. Die Kinder waren wieder da, die uns beim Kommen begrüßt hatten. Sie sahen uns mit großen blauen Augen an. Wir segelten ab. Das Meer war ruhiger geworden; wenn man die Augen schloß, merkte man kaum, daß man sich in Bewegung befand.

»Zu meinen Füßen sollen Sie liegen«, sagte Friederike, und ich streckte mich am Boden des Kahnes aus, legte meinen Kopf auf den Schoß Friederikens. Es war mir recht, daß ich ihr nicht ins Gesicht sehen mußte. Sie sprach, und mir war, als klänge es aus weiter Ferne. Ich verstand alles und konnte doch zugleich meine Gedanken weiter denken.

Mich schauderte vor ihr.

»Heute abend fahren wir zusammen aufs Meer hinaus«, sagte sie.

Etwas Gespenstisches schien mir um sie zu gleiten.

»Heut abend aufs Meer«, wiederholte sie langsam, »auf einem Ruderboot. Rudern kannst du doch?«

»Ja«, sagte ich. Mich schauderte vor dem tiefen Verzeihen, das sie schweigend umhüllte, ohne daß sie es wußte.

Sie sprach weiter. »Wir werden uns ins Meer hinaustreiben lassen – und werden allein sein. – Warum redest du nicht?« fragte sie.

»Ich bin glücklich«, sagte ich.

Mir schauerte vor dem stummen Schicksal, das sie seit so vielen Jahren erlebt, ohne es zu ahnen.

Wir glitten hin.

Einen Augenblick fuhr es mir durch den Sinn: Sag es ihr. Nimm dieses Unheimliche von ihr; dann wird sie wieder ein Weib sein für dich wie andere, und du wirst sie begehren. Aber ich durfte es nicht. – Wir legten an.

Ich sprang aus dem Boot; half ihr beim Aussteigen.

»Der Bub wird sich schon nach mir sehnen. Ich muß rasch gehen. Lassen Sie mich jetzt allein.«

Es war lebhaft am Strand; ich merkte, daß wir von einigen Leuten beobachtet wurden.

»Und heute abend«, sagte sie, »um neun bin ich... aber was hast du denn?«

»Ich bin sehr glücklich«, sagte ich.

»Heute abend«, sagte sie, »um neun Uhr bin ich hier am Strand, bin ich bei dir. – Auf Wiedersehen!«

Und sie eilte davon.

»Auf Wiedersehen!« sagte auch ich und blieb stehen. – Aber ich werde sie nie wiedersehen.

Während ich diese Zeilen schreibe, bin ich schon weit fort – weiter mit jeder Sekunde; ich schreibe sie in einem Coupé des Eisenbahnzuges, der vor einer Stunde von Kopenhagen abgefahren ist. Eben ist es neun. Jetzt steht sie am Strande und wartet auf mich. Wenn ich die Augen schließe, sehe ich die Gestalt vor mir. Aber es ist nicht eine Frau, die dort am Ufer im Halbdunkel hin und her wandelt – ein Schatten gleitet auf und ab.

OTTO FLAKE

Das Bild

Durch grüne Ebene mit Hürden und Vieh fährt ein Zug so kurvenlos, daß er einem Pfeil gleicht, dessen Spitze das Ziel treffen wird. Nicht einmal die Landesgrenze beirrt ihn, er wird sie überfliegen.

Das Ziel ist eine Stadt am Meer. In ihr wartet eine junge Frau, jünger als die Frau des Mannes, der im Zug sitzt und das Gefühl hat, selber der Pfeil zu sein, den die Kraft des Verlangens vom Bogen abschnellt.

Ein Mann, der seine Frau zurückläßt, um allein in die Ferien zu fahren, wo er nicht allein sein wird, ist eine bürgerliche Angelegenheit. Der bürgerliche Mensch pflegt einer Familie anzugehören, die sich durchs Land verzweigt. Es ist durchaus natürlich, daß eine der Schwestern der Frau des Mannes in dem Grenzstädtchen wohnt, das für den Zug kein Hindernis ist.

Der Mann im Zug hat die Schwägerin und den Schwager noch nie besucht. Er hat versprochen, das zu tun, sobald er in die Gegend kommt. Dem größeren Konflikt, der ihn bewegt und seine Frau und sein Abenteuer betrifft, gesellt sich der kleinere zwischen der Unlust auszusteigen, und der, Versteck zu spielen. Wenn er den Verwandten aus dem Weg geht, spielt er Versteck. Er haßt es, sich selbst auszuweichen.

Es gibt ideale Reisetage, und dieser gehört dazu. Der Zug gleitet hin wie schwerelos, und keine Erschütterung stört seinen Gang. Auch ohne jeden andern Grund möchte man in ihm sitzen bleiben bis zum Ende. Kein lästiger Reisegenosse; Buch und Zigarette sind bessere Freunde. Es ist, als fahre man im eignen Wagen, in der Obhut aufmerksamen Personals, das sich diskret durch den Gang bewegt. Und der Himmel draußen ist silbergrau verhängt.

Er braucht seinen Wunsch nur auszusprechen und man wird alles erledigen, damit er sitzen bleiben kann. Aber er beginnt sein Gepäck zu ordnen. Er erlegt sich einen Abend auf, an dem sie ihn von seiner Frau unterhalten werden.

Da er sich nicht angemeldet hat, steht er einen Augenblick im Wohnzimmer des Schwagers allein. An der Wand hängen Familienbilder. Er erblickt eines, das er nicht kennt, aber sofort erkennt, denn es stellt seine Frau in jungen Jahren dar.

Noch während er die Erschütterung empfindet, tritt seine Schwägerin ein. Er wendet sich ihr zu; es ist jetzt nicht die Zeit, die verwickelten Gefühle zu ordnen, die das Bild an der Wand in ihm erregt. Er drängt sie zurück, wie man, wenn an die Tür geklopft wird, den Inhalt eines geöffneten Koffers zurückstopft. Aber er weiß, daß er nur auf den Augenblick wartet, wo der Koffer wieder aufspringt – später, wenn er allein ist.

Er kommt im Verlauf des Abends zwanzigmal an dem Bild vorüber und streift es jedes Mal mit einem Blick. So jung, wie sie auf dem Bild ist, hat er sie nicht gekannt. Sie mag darauf zwanzigjährig sein. Als er sie kennenlernte, war sie fünfundzwanzig.

Zuletzt, da er das ja wohl darf, nimmt er das Bild von der Wand und betrachtet es am Licht. Die glatte Stirn mit dem reizenden Haaransatz, die zart geschwellte Brust, die strahlende Wärme der Augen – er ist in die Zwanzigjährige verliebt, als er das Bild wieder an seinen Platz hängt.

Es ist ihm, als sei er bei Fremden zu Besuch, erblicke die Photographie eines Mädchens, das offenbar zur Familie gehört, und fühle den Wunsch, sie eintreten zu sehn. So stark ist diese Verzauberung, daß nicht viel fehlt und er hätte den Schwager gefragt, wie man in solchen Fällen zu tun pflegt: wer die junge Frau an der Wand sei.

Als er endlich auf seinem Zimmer allein ist, klopft es noch einmal. Die Schwägerin reicht ihm ein Album herein. Sie hat sein Interesse bemerkt. Er werde, erklärt sie, in dem Album das Bild an der Wand und eine Reihe andrer finden.

Er entdeckt unter den Bildern ein zweites, das er nicht kennt, wohl von einem Photographen aufgenommen, der für die erste Gesellschaft zu arbeiten gewohnt ist. Es stellt das junge Mädchen als junge Dame dar, in Hut und Schneiderkostüm, in schlanker Eleganz.

Er erinnert sich, wie tief es ihn befriedigte, als er in den Zeiten ihrer ersten Bekanntschaft sah, daß sie nicht nur im Hauskleid reizvoll war. Das Mollige hat seine Rechte. Aber das Gefühl für eine Frau vertieft sich, wenn sie sich mit dem Abstand umgeben kann, der der Dame bewilligt wird.

Unerwartet ist er von der Vergangenheit umfangen. In der Sofaecke eine Zigarette rauchend, verwandelt er sich in den Mann, der er vor fünfzehn Jahren gewesen war. Er hat sich dem Mädchen noch nicht erklärt, aber es füllt ihn aus. Er ahnt die Süße, die ihre Weiblichkeit verspricht; er ist von ihren Hüften, ihren Schultern benommen, beglückt.

Der Mann in ihm, der fünfzehn Jahre älter ist, weiß, daß sie, als sie seine Frau wurde, alles erfüllt hat, was er von ihr träumte. Der Mann, der die Photographien wie einer jener Könige in den morgenländischen Märchen betrachtet, die sich in das Bild einer fernen Prinzessin verlieben, träumt von der Erfüllung, die ihm zuteil werden könnte. Er löscht die fünfzehn Jahre aus, denn sie liegen noch vor ihm. Er begehrt, er ist in voller Entfaltung seiner ersten Jugend.

Er erhebt sich, um in der Reisemappe die Photographie seiner Frau zu suchen. Es ist ihre letzte Photographie, die sie ihm am fünfzehnten Jahrestag ihrer Hochzeit geschenkt hat. Er zögert; er hat Angst, daß dieses Bild sich nicht gegen das des jungen Mädchens behaupten kann.

Er findet das Zögern unwürdig und stellt dieses Bild vor sich. Die Züge sind verändert, die Jahre nicht spurlos vorübergegangen.

Er stellt die zwei Bilder nebeneinander. Die Liebe, die er für die Zwanzigjährige empfindet, setzt ihn instand, das junge Mädchen in den Zügen der Vierzigjährigen zu erkennen. Das Mädchen durchbricht das Gesicht der Frau, ein Sturm von Gefühlen geht durch ihn.

Er denkt: fünfzehn arme, kurze Jahre, und aus dem Zeichen der Jugend sind wir unter das des Alters getreten. So grausam ist das, daß nur Güte hilft, und Güte ist Wissen um diese Grausamkeit.

Die Güte verlangt, daß er seiner Gefährtin nicht weh tut. Also verlangt sie, daß er die Reise zum Meer nicht fortsetzt. In seiner Brieftasche ruht das Bild der Frau, die er am Meer treffen soll. Er legt die Brieftasche auf den Tisch neben die Bilder.

Wenn er sie öffnet, wird er ein drittes Bild in der Hand halten. Wenn er dieses Bild betrachtet, wird es mit seinem jungen, feurigen Reiz so zu ihm sprechen wie das Bild der Zwanzigjährigen, und es wird ihre Züge auslöschen.

Er nimmt das Bild aus der Brieftasche und legt es, die Rückseite nach oben, vor die beiden andern. Wird er den

Mut haben, es umzudrehen? Wird er den Mut haben, zu verzichten?

Mut ist beides – und in gewissen Augenblicken alles Symbol, selbst eine so unscheinbare Handlung, wie die, ein Bild nicht umzuwenden.

KATHERINE MANSFIELD

Der Fremde

Der kleinen Schar auf dem Pier schien es, als würde sich der Überseedampfer nie mehr von der Stelle rühren. Da lag er, riesig und unbeweglich, auf dem grauen, leicht aufgerauhten Wasser, einen Rauchring über sich und einen dichten Schwarm kreischender Möwen ums Heck, die nach Abfällen aus der Kombüse herabstießen. Man konnte gerade noch die promenierenden kleinen Paare erkennen, Fliegen, die an der Schüssel auf dem grauen, aufgerauhten Tischtuch hin und her liefen. Andere Fliegen scharten sich zusammen und schwärmten um die Reling. Dann ein weißer Fleck auf dem unteren Deck – vielleicht die Schürze des Kochs oder der Stewardeß. Und jetzt sauste eine winzige schwarze Spinne die Treppe zur Kommandobrücke hinauf.

Ganz vorn in der Menge marschierte ein kräftig aussehender Mann mittleren Alters auf und ab, sehr gut angezogen, in einem gut sitzenden grauen Mantel, mit grauem Seidenschal, warmen Handschuhen und dunklem Filzhut, und schwenkte seinen zusammengerollten Schirm. Er wirkte wie der Anführer der kleinen Schar auf dem Pier, schien sie aber gleichzeitig auch zusammenzuhalten. Er war wie ein Mittelding zwischen Schäferhund und Schäfer.

Doch was für ein Dummkopf, was für ein unglaublicher Dummkopf war er gewesen, kein Fernglas mitzubringen! Nicht einer von ihnen allen hatte ein Fernglas bei sich.

»Sonderbar, Mr. Scott, daß keiner von uns an ein Fernglas gedacht hat! Wir hätten sie ein bißchen aufmöbeln können! Hätten vielleicht einen kleinen Signaldienst zustande gebracht: *Zögert nicht mit der Landung. Eingeborene harmlos.* Oder: *Herzlicher Empfang erwartet euch. Alles verziehen!* Das wäre doch was! Wie?«

Mr. Hammonds lebhafter, aufmerksamer Blick, so unruhig und doch so freundlich und arglos, umfaßte alle auf dem Pier, und umschloß sogar die alten Burschen, die an den Laufstegen herumlungerten. Sie wußten alle bis auf den letzten Mann, daß Mrs. Hammond auf dem Schiff dort hinten war, und so furchtbar aufgeregt war er, daß es ihm gar nicht in den Sinn kam, Zweifel zu hegen, ob die wunderbare Tatsache auch ihnen etwas bedeute. Ihm wurde warm ums Herz, wenn er dachte, was für nette Leute es doch waren – auch die alten Knaben an den Laufstegen, wakkere, brave alte Knaben! Und was für Brustkästen – Donnerwetter! Gleich steckte er seinen eigenen Brustkorb heraus, versenkte die dick behandschuhten Hände in den Taschen und wippte von den Fersen auf die Fußspitzen.

»Ja, meine Frau ist die letzten zehn Monate in Europa gewesen. Hat unsre älteste Tochter besucht, die sich voriges Jahr verheiratet hat. Ich hatte sie selbst hergebracht, hierher nach Crawford, und darum fand ich, daß ich sie auch von hier abholen sollte. Ja, so ist das.« Die klugen grauen Augen blinzelten wieder und suchten hastig und besorgt das reglos daliegende Schiff ab. Wieder wurde der Mantel geöffnet, wieder kam die flache, buttergelbe Uhr zum Vorschein, und zum zwanzigsten-, fünfzigsten-, hundertstenmal stellte er seine Berechnungen an.

»Wollen mal sehen! Es war zwei Uhr fünfzehn, als die Barkasse des Doktors abfuhr. Jetzt ist es genau achtundzwanzig Minuten nach vier. Das bedeutet, daß der Doktor seit zwei Stunden und dreizehn Minuten an Bord ist. Zwei

Stunden und dreizehn Minuten! Uiiuuh!« Er stieß einen wunderlichen kleinen Pfiff aus und klappte seine Uhr wieder zu. »Ich finde aber, man hätte uns benachrichtigen sollen, wenn etwas passiert wäre – finden Sie nicht auch, Mr. Gaven?«

»Bestimmt, Mr. Hammond; ich glaube allerdings nicht, daß irgend etwas – hm – Besorgniserregendes passiert ist«, sagte Mr. Gaven und klopfte seine Pfeife am Schuhabsatz aus. »Andrerseits ...«

»Sehr richtig! Sehr richtig!« rief Mr. Hammond. »Verdammt unangenehm!« Er ging rasch auf und ab und kehrte dann wieder auf seinen alten Standplatz zwischen Mr. Gaven und Mr. und Mrs. Scott zurück. »Es wird auch schon ziemlich dunkel!« Er schwenkte seinen zusammengerollten Schirm, als hätte wenigstens die Dämmerung den Anstand besitzen können, sich noch ein Weilchen fernzuhalten. Aber sie kam, kam langsam und breitete sich wie ein träger dunkler Fleck auf dem Wasser aus. Die kleine Jean Scott zerrte ihre Mutter an der Hand.

»Ich will meinen Tee, Mammi!« quarrte sie.

»Ich glaub's dir gern«, sagte Mr. Hammond. »Ich glaube, all die Damen hier möchten gern ihren Tee haben.« Und sein freundlicher, aufgebrachter, fast mitleidiger Blick umfaßte sie wieder alle. Er fragte sich, ob Janey da draußen im Salon wohl eine letzte Tasse Tee tränke. Er hoffte es, aber er glaubte es nicht. Wie er sie kannte, würde sie das Deck nicht verlassen. In dem Falle würde ihr der Decksteward eine Tasse heraufbringen. Wenn er an Bord wäre, würde er sie ihr verschafft haben – irgendwie. Und für die Dauer eines Augenblicks sah er sich an Deck, über sie gebeugt, und sah ihr zu, wie sich ihre kleine Hand um die Tasse legte, wie sie es immer tat, während sie die einzige Tasse Tee trank, die an Bord aufzutreiben war... Doch jetzt war er wieder hier an Land, und Gott allein mochte wissen, wann der verflixte Kapitän aufhören würde, in der Fahrrinne herumzuzaudern. Er nahm seine Wanderung von neuem auf, hin und her, hin und her. Er ging bis zum Droschkenstand, um sich zu vergewissern, daß sein Kutscher noch da war, und kehrte wieder um, zurück zu der kleinen Schar, die sich im Schutz der Bananenharasse zusammendrängte. Die kleine Jean wollte noch immer ihren Tee haben. Das arme Würmchen! Er wünschte, er hätte ein bißchen Schokolade bei sich.

»Hör mal, Jean!« rief er. »Soll ich dich hochheben?« Und leicht und behutsam setzte er das kleine Mädchen auf ein hohes Faß. Sie dort festzuhalten und zu stützen, tat ihm wunderbar wohl und erleichterte ihm das Herz.

»Sitz schön still!« sagte er und legte den Arm um sie.

»Oh, bemühen Sie sich doch nicht um *Jean*, Mr. Hammond«, sagte Mrs. Scott.

»Ist schon recht, Mrs. Scott. Keine Mühe. Das reinste Vergnügen! Jean ist meine kleine Freundin, was, Jean?«

»Ja, Mr. Hammond«, sagte Jean und fuhr mit dem Finger in die Kerbe seines Filzhutes.

Aber auf einmal riß sie ihn am Ohr und stieß einen lauten Schrei aus. »Oh, Mr. Hammond! Jetzt bewegt es sich! Jetzt kommt es her!«

Tatsächlich, es stimmte! Endlich. Langsam, langsam drehte der Dampfer bei. Eine Glocke hallte weit übers Wasser hin, und ein dicker Dampfstrahl zischte in die Luft. Die Möwen flogen auf, und wie weiße Papierschnipsel flatterten sie davon. Und ob das dumpfe Pochen von den Schiffsmaschinen oder von seinem Herzen kam, konnte Mr. Hammond nicht sagen. Einerlei, was es war, er mußte sich zusammenreißen, um es zu ertragen. Im gleichen Augenblick kam Captain Johnson, der alte Hafenmeister, den Pier entlang, unter dem Arm eine lederne Aktentasche.

»Jean steht ganz gut«, sagte Mr. Scott. »Ich halte sie!« Gerade noch rechtzeitig! Mr. Hammond hatte Jean nämlich vergessen und stürzte vor, um den alten Captain Johnson zu begrüßen.

»Haben Sie endlich Mitleid mit uns bekommen, Captain?« rief die aufgeregte, besorgte Stimme.

»Mir können Sie keine Schuld geben, Mr. Hammond«, schnaufte der alte Captain Johnson und starrte auf den Ozeandampfer. »Sie haben Mrs. Hammond an Bord, was?«

»Ja«, erwiderte Hammond und hielt sich an der Seite des Hafenmeisters. »Meine Frau ist oben! Hal-lo! Jetzt kann's nicht mehr lange dauern!«

Das Schiffstelefon schrillte und schrillte, das Gebrumm der Schiffsschrauben pochte durch die Luft, und der große Ozeanriese hielt auf sie zu und schnitt scharf durch das dunkle Wasser, so daß es sich zu beiden Seiten wie weiße Späne aufwärts kräuselte. Hammond und der Hafenmeister gingen voraus. Hammond nahm den Hut ab; er musterte die Decks; sie waren überfüllt mit Passagieren. Er schwenkte seinen Hut und schrie ein lautes, seltsames ›Ha-llo!‹ übers Wasser, und dann drehte er sich um, lachte laut heraus und sagte etwas – oder nichts – zum alten Captain Johnson.

»Haben Sie sie gesehen?« fragte der Hafenmeister.

»Nein, noch nicht! Langsam – wart mal!« Und plötzlich – zwischen zwei großen, ungeschickten Idioten hindurch – »Geht doch aus dem Weg!« drohte er ihnen mit seinem Schirm –, sah er eine erhobene Hand und einen weißen Handschuh, der ein Taschentuch schwenkte. Noch ein Augenblick – und ja, Gott sei Dank, Gott sei Dank, sie war's! Da war Janey – da war Mrs. Hammond – ja, ja, ja! – stand an der Reling und lächelte und nickte und schwenkte ihr Taschentuch.

»Also das ist großartig – einfach großartig! Well, well, well!« Er stampfte fast mit den Füßen auf. Blitzschnell zog er sein Zigarrenetui und bot dem alten Captain Johnson davon an. »Nehmen Sie eine Zigarre, Captain. Sie sind nicht übel! Greifen Sie tüchtig zu! Hier!« – und er drängte dem Hafenmeister alle Zigarren auf, die im Etui waren. »Ich hab' noch ein paar Kistchen im Hotel oben!«

»Besten Dank, Mr. Hammond!« schnaufte der alte Captain. Hammond stopfte das Zigarrenetui weg. Seine Hände zitterten, aber er fing sich wieder. Er war fähig, Janey gegenüberzutreten. Dort stand sie, lehnte sich an die Reling, sprach mit einer Frau und schaute gleichzeitig zu ihm her, war für ihn da. Während die wässerige Kluft zwischen ihnen sich schloß, fiel ihm auf, wie klein sie auf dem Riesenkasten aussah. Sein Herz krampfte sich so zusammen, daß er hätte schreien können. Wie klein sie aussah – und hatte die ganze lange Reise hin und zurück allein gemacht! Aber das sah ihr ähnlich! Typisch Janey! Sie hatte die Courage eines... Und jetzt war die Schiffsmannschaft vorgetreten und drängte die Passagiere auf die Seite. Die Reling wurde beiseite geschoben, um Platz für die Laufstege zu schaffen.

Die Stimmen an Land und die Stimmen an Bord flogen hin und her, sich zu begrüßen.

»Alles wohlauf?«

»Alles wohlauf!«

»Wie geht's Mutter?«

»Viel besser!«

»Hallo, Jean!«

»Hallo, Tante Emily!«

»Gute Überfahrt gehabt?«

»Glänzend!«

»Jetzt dauert's nicht mehr lange.«

»Nein, nicht mehr lange!«

Die Schiffsmaschinen stoppten. Langsam rückte das Schiff längsseits an den Pier.

»Platz gemacht! – Platz gemacht! – Platz gemacht!« Die Hafenarbeiter schleppten in flottem Trab die schweren Laufstege an, Hammond machte Janey ein Zeichen zu bleiben, wo sie war. Der alte Hafenmeister ging als erster hinauf; Hammond folgte ihm. So etwas wie ›Ladies first‹ oder ähnlicher Mumpitz kam ihm gar nicht in den Sinn.

»Nach Ihnen, Captain!« rief er freundlich und schritt, dem alten Mann dicht auf den Fersen, den Laufsteg hinauf an Deck und schnurstracks zu Janey; er riß sie in seine Arme. »Na also! Na also! Da bist du ja endlich!« stammelte er. Das war alles, was er sagen konnte. Und Janey tauchte aus seiner Umarmung auf, und ihre kühle kleine Stimme – für ihn die einzige auf der Welt – sagte: »Ja, Liebster! Hast du lange warten müssen?«

Nein, nicht lange. Oder vielmehr: es war egal. Es war jetzt vorbei. Die Frage war nur – er hatte am Ende vom Pier eine Droschke warten lassen – war Janey fertig? Konnte sie gleich mitkommen? War ihr Gepäck bereit? In dem Fall konnten sie sich sofort mit ihren Kabinenkoffern auf den Weg machen und das große Gepäck auf morgen verschieben. Er beugte sich über sie, und sie blickte mit ihrem vertrauten halben Lächeln zu ihm auf. Sie war genau wie immer. Nicht um einen Tag gealtert. Genauso, wie er sie von jeher gekannt hatte. Sie legte ihre kleine Hand auf seinen Ärmel.

»Wie geht's den Kindern, John?«

(Zum Teufel mit den Kindern!) »Ausgezeichnet – es ist ihnen nie im Leben besser gegangen!«

»Haben sie dir keine Briefe für mich gegeben?«

»Doch, doch – natürlich! Ich hab' sie im Hotel gelassen, damit du sie später verdauen kannst!«

»Gar so schnell können wir nicht weggehen!« sagte sie.

»Ich muß mich von einigen Leuten verabschieden – auch vom Kapitän!« Als er ein langes Gesicht machte, drückte sie verständnisinnig seinen Arm. »Wenn der Kapitän von der Kommandobrücke herunterkommt, mußt du dich bei ihm bedanken, daß er sich so reizend um deine Frau gekümmert hat.« –

Na gut – jedenfalls hatte er sie. Wenn sie noch zehn Minuten brauchte... Als er beiseite trat, wurde sie umringt. Anscheinend wollte sich die ganze Erste Klasse von Janey verabschieden.

»Leben Sie wohl, liebe Mrs. Hammond! Und wenn Sie nächstesmal in Sydney sind, *erwarte* ich Sie!«

»Liebste Mrs. Hammond! Sie vergessen doch nicht, mir zu schreiben, nicht wahr?«

»Ach, Mrs. Hammond, was wäre das Schiff ohne Sie gewesen!«

Es war sonnenklar, daß sie die bei weitem beliebteste Frau an Bord war. Und sie nahm es alles hin – ganz wie immer. Unerschüttert. Ganz sie selbst – ganz seine kleine Janey, wie sie jetzt dastand und ihren Schleier zurückgeschlagen hatte. Hammond merkte nie, was für Kleider seine Frau anhatte. Ihm war es völlig egal, was sie trug. Doch heute fiel es ihm auf, daß sie ein schwarzes ›Kostüm‹ trug – so nannte man das doch? – mit weißen Rüschen, als Aufputz vermutlich, am Hals und an den Ärmeln. Er sah es alles, während Janey ihn ›herumreichte‹.

»John, bitte!« Und dann: »Ich möchte dich gern bekannt machen mit...«

Endlich konnten sie sich retten, und sie brachte ihn zu ihrer Kabine. Ganz seltsam kam es ihm vor, Janey durch den Gang zu folgen, den sie so gut kennen mußte, und nach ihr die grünen Vorhänge auseinanderzuschlagen und in die Kabine zu treten, in der sie geatmet hatte, überwältigte ihn fast vor Glück. Aber – zum Kuckuck! – da kauerte die Stewardeß auf dem Boden und schnallte die Plaidriemen um die Reisedecken.

»Das ist das letzte, Mrs. Hammond«, sagte die Stewardeß, stand auf und zog sich die Manschetten herunter.

Er wurde wieder vorgestellt, und dann verschwanden Janey und die Stewardeß im Gang. Er hörte Geflüster. Sie erledigte die Sache mit dem Trinkgeld, dachte er. Er setzte sich auf das gestreifte Sofa und nahm seinen Hut ab. Das waren die Reisedecken, die sie von hier mitgenommen hatte; sie sahen wie neu aus. Ihr ganzes Gepäck sah neu und tadellos aus. Die Anhänger waren mit ihrer schönen, zierlichen, deutlichen Handschrift beschrieben: ›Mrs. John Hammond‹.

›Mrs. John Hammond!‹ Er stieß einen langen, zufriedenen Seufzer aus, lehnte sich an und verschränkte die Arme. Die Anspannung war vorbei. Ihm war zumute, als hätte er ewig so sitzen und erleichtert seufzen können – erleichtert, weil er endlich das abscheuliche Ziehen und Zerren los war, das sein Herz umklammert hatte. Die Gefahr war überstanden. So ein Gefühl hatte er jetzt. Sie waren wieder auf festem Boden.

Aber in diesem Augenblick steckte Janey den Kopf um die Ecke.

»Liebster – macht's dir nichts aus? – Ich muß schnell noch zum Schiffsarzt und mich von ihm verabschieden.«

Hammond fuhr auf. »Ich komme mit!«

»Nein, nein«, sagte sie. »Mach dir nicht die Mühe. Es ist mir lieber so – ich bin gleich wieder da!«

Und noch ehe er antworten konnte, war sie verschwunden. Er wäre ihr ganz gern nachgelaufen; doch dann setzte er sich wieder.

Ob sie wirklich nicht lange wegbliebe? Wie spät war es jetzt? Die Uhr kam hervor: er starrte mit leerem Blick darauf. Eigentlich war es sehr seltsam von Janey, was? Weshalb hatte sie nicht die Stewardeß beauftragt, es für sie zu erledigen? Warum lief sie dem Schiffsarzt nach? Sie hätte ihm auch vom Hotel aus ein paar Zeilen schicken können, falls es so wichtig war! Wichtig? Bedeutete es – konnte es etwa bedeuten, daß sie während der Überfahrt krank gewesen war? Daß sie ihm etwas verheimlichte? Das mußte es sein! Er griff nach seinem Hut. Er würde sich den Menschen suchen und um jeden Preis die Wahrheit aus ihm herausquetschen. Er meinte, doch *irgend* etwas bemerkt zu haben. Sie war einfach eine Spur zu ruhig, zu gefaßt. Ja, vom ersten Augenblick an...

Die Vorhänge sirrten. Janey war wieder da. Er sprang auf. »Janey, bist du unterwegs krank gewesen? Sicher warst du krank!«

»Krank?« Ihre unbeschwerte kleine Stimme verspottete ihn. Sie stieg über die Reisedecken, kam nah an ihn heran, legte ihm die Hand auf die Brust und blickte zu ihm auf.

»Liebster«, sagte sie, »jag mir keinen Schreck ein! Natürlich war ich nicht krank! Wie kommst du nur auf solche Gedanken? Seh' ich etwa krank aus?«

Aber Hammond sah es nicht. Er spürte nur, daß sie zu ihm aufblickte und daß es nicht nötig war, sich auch nur irgendwie Gedanken zu machen. Sie war da und würde sich um alles kümmern. Alles war in Ordnung. Alles war gut.

Der leise Druck ihrer Hand war so beruhigend, daß er seine Hand darüberlegte, um sie dort festzuhalten. Und sie sagte: »Steh still! Ich muß dich anschauen! Ich hab' dich noch nicht richtig angesehen! Du hast dir deinen Bart wunderbar stutzen lassen, und du siehst – warte mal, ja, du siehst jünger aus, und bestimmt auch schlanker! Das Junggesellenleben bekommt dir!«

»Bekommt mir?« Er stöhnte verliebt und umarmte sie wieder. Und wieder, wie jedesmal, hatte er das Gefühl, als hielte er etwas, das nie gänzlich ihm gehörte. Nie ganz und gar. Etwas zu Zartes, zu Kostbares, das wegfliegen würde, wenn er es losließe.

»Laß uns um Gottes willen zum Hotel fahren, damit wir für uns sind!« Und er drückte ungestüm auf die Klingel, damit jemand sofort das Gepäck abholte...

Als sie den Pier entlanggingen, nahm sie seinen Arm. Er hatte sie wieder am Arm! Und wie anders das jetzt war – hinter Janey in die Droschke zu steigen, die rot und gelb gestreifte Decke über sie beide zu breiten und dem Kutscher zu sagen, er solle sich beeilen, weil sie beide noch keinen Tee gehabt hatten. Kein Tag mehr ohne seinen Tee – nie mehr ihn sich selbst einschenken müssen! Sie war wieder da! Er wandte sich ihr zu, drückte ihr die Hand und fragte zärtlich und neckend in dem ›besonderen‹ Tonfall, den er nur für sie hatte: »Bist du froh, wieder zu Haus zu sein, Liebste?« Sie lächelte; sie bemühte sich gar nicht erst, zu antworten. Doch als sie in die heller erleuchteten Straßen kamen, schob sie seine Hand sanft beiseite.

»Wir haben das beste Zimmer vom Hotel«, sagte er. »Mit einem andern habe ich mich nicht abspeisen lassen. Und ich habe das Zimmermädchen gebeten, ein kleines Feuerchen im Kamin zu machen, falls dir fröstelig ist. Sie ist eine nette, aufmerksame Person. Und ich dachte, wo wir nun mal hier sind, brauchten wir nicht gleich morgen nach Hause zu fahren, sondern sollten einen Tag hier verbringen und uns umschauen und erst übermorgen aufbrechen. Paßt dir das? Es eilt ja wirklich nicht. Die Kinder haben dich noch früh genug. Ich fand, ein Tag mit dem Anschauen von Sehenswürdigkeiten wäre mal eine Abwechslung für dich nach der Fahrt, Janey?«

»Hast du schon die Fahrkarten für übermorgen?« fragte sie.

»Das wollt' ich meinen!« Er knöpfte seinen Mantel auf und nahm seine dicke Brieftasche heraus. »Da haben wir sie! Ich habe ein Erste-Klasse-Abteil nach Salisbury reserviert. Da sieh: Mr. *und* Mrs. John Hammond! Ich fand, wir könnten's uns behaglich machen – wollen doch nicht, daß dauernd fremde Leute reinplatzen, nicht? Aber falls du noch länger bleiben möchtest?«

»O nein!« rief Janey rasch. »Keinen einzigen Tag länger! Also dann übermorgen. Und die Kinder...«

Aber da waren sie vor dem Hotel angelangt. Der Direktor stand im breiten, strahlend erleuchteten Eingang. Er ging hinunter, um sie zu begrüßen. Ein Hausbursche kam aus der Halle herbei und bemächtigte sich des Gepäcks.

»Hier ist also Mrs. Hammond endlich, Mr. Arnold!«

Der Direktor führte sie persönlich durch die Halle und drückte auf den Klingelknopf am Lift. Hammond wußte, daß Geschäftsfreunde von ihm an den kleinen Tischchen in der Halle saßen und vor dem Abendessen einen Drink nahmen. Doch er wollte es nicht auf eine Unterbrechung ankommen lassen; er sah weder nach rechts noch nach links. Mochten sie denken, was sie wollten! Wenn sie's nicht begriffen, waren sie schön dumm – und er stieg aus dem Lift, schloß die Tür zu ihrem Zimmer auf und ließ Janey eintreten. Die Tür war zu! Endlich waren sie jetzt beide allein! Er schaltete das Licht an. Die Vorhänge waren zugezogen; im Kamin brannte das Feuer mit heller Flamme. Er schleuderte seinen Hut aufs Bett und trat auf sie zu.

Aber sollte man es für möglich halten? Sie wurden wieder unterbrochen! Diesmal war es der Hausbursche mit dem Gepäck. Er mußte zweimal gehen, ließ zwischendurch die Tür offenstehen, pfiff auf dem Korridor durch die Zähne und nahm sich Zeit. Hammond ging im Zimmer auf und ab, riß sich die Handschuhe von den Fingern und den Schal vom Hals. Zu guter Letzt schleuderte er seinen Mantel aufs Bett. Endlich war der Tropf gegangen. Die Tür klickte ins Schloß. Jetzt waren sie wirklich allein. Hammond sagte: »Mir ist, als hätte ich dich nie mehr für mich allein! Diese verdammten Leute! Janey –« Aufgeregt und ungeduldig blickte er sie an. »Laß uns hier oben essen! Wenn wir ins Restaurant hinuntergehen, werden wir belästigt, und dann ist da auch noch die verdammte Musik« (die Musik, die er gestern abend bis in den siebenten Himmel gelobt und so laut beklatscht hatte!). »Wir würden unser eigenes Wort nicht verstehen! Laß uns hier am Kamin etwas essen! Für den Tee ist's ohnehin zu spät. Ich werde ein kleines Souper bestellen, ja? Wie gefällt dir der Vorschlag?«

»Tu's, Liebster. Und während du weg bist – die Briefe von den Kindern...«

»Ach, das hat doch Zeit bis später!« sagte Hammond.

»Dann haben wir's hinter uns«, sagte Janey. »Und zuerst möchte ich genug Zeit haben, um...«

»Oh, ich brauche nicht nach unten zu gehen«, erklärte Hammond. »Ich läute einfach und bestelle... Oder willst du mich wegschicken?«

Janey schüttelte den Kopf und lächelte.

»Aber du denkst an etwas anderes! Du sorgst dich um etwas«, sagte Hammond. »Was ist es? Komm und setz dich her – komm ans Feuer und setz dich auf meine Knie!«

»Ich will nur noch meinen Hut abnehmen!« sagte Janey und ging zum Frisiertisch. »Oh!« schrie sie auf.

»Was gibt's?«

»Nichts weiter, Liebster. Ich habe die Briefe von den Kindern gefunden. Dann ist's ja gut. Sie bleiben uns. Jetzt eilt es nicht mehr!« Sie drehte sich, die Briefe in der Hand, zu ihm um und steckte sie in ihre rüschenbesetzte Bluse. Hastig und heiter rief sie: »Wie bezeichnend der Frisiertisch für dich ist!«

»Warum? Was ist denn dran?«

»Wenn er frei durch die Ewigkeit schwebte, würde ich ›John‹ sagen«, lachte sie und blickte auf die große Flasche Haarwasser, den umflochtenen Flakon Eau de Cologne, die zwei Haarbürsten und ein Dutzend neue, mit rosa Bändchen zusammengebundene Kragen. »Ist das dein ganzes Gepäck?«

»Ach, hol der Kuckuck mein Gepäck!« sagte Hammond. Aber er ließ sich trotzdem gern von Janey auslachen. »Erzählen wir uns was! Sprechen wir von der Hauptsache! Sag mir«, fragte er die auf seinen Knien sitzende Janey, lehnte sich zurück und zog sie mit sich in den häßlichen, tiefen Sessel hinein, »sag mir, ob du dich wirklich freust, wieder hier zu sein, Janey!«

»Ja, Liebster, ich freue mich«, sagte Janey.

Aber so, wie Hammond, wenn er sie umarmte, das unsichere Gefühl hatte, sie könne ihm davonfliegen, so hatte er jetzt das unsichere Gefühl, nicht zu wissen, ob sie sich genauso freue wie er. Er konnte es nicht mit völliger Gewißheit wissen. Würde er es jemals wissen? Würde er immer dieses Verlangen spüren – diesen Drang, der irgendwie dem Hunger glich –, Janey so sehr zu einem Teil seiner selbst zu machen, daß nichts von ihr bliebe, was entfliehen könnte? Er wollte jeden beseitigen – jeden und alles! Er wünschte, er hätte das Licht ausgeschaltet – dadurch wäre sie ihm vielleicht näher gewesen. Und nun noch die Briefe von den Kindern, die in ihrer Bluse knisterten. Er hätte sie ins Feuer werfen mögen.

»Janey!« flüsterte er.

»Ja, Liebster?« Sie lag an seiner Brust, aber so schwerelos, so fern. Nur ihre Atemzüge fielen zusammen.

»Janey?«

»Was ist?«

»Schau mich an!« flüsterte er. Eine tiefe Röte breitete

sich allmählich auf seiner Stirn aus. »Küß mich, Janey! Küß *du* mich!«

Er glaubte, eine winzige Pause feststellen zu können – die aber lang genug war, daß er Qualen ausstand –, bevor ihre Lippen die seinen berührten, entschlossen und leicht, wie sie ihn immer geküßt hatte: als sollte der Kuß – wie konnte er es nur beschreiben – einfach das bestätigen, was die Lippen gesagt hatten: einen Vertrag besiegeln! Aber das war es nicht, was er wollte, das war keineswegs, wonach ihn dürstete. Er fühlte sich auf einmal furchtbar müde.

»Wenn du wüßtest«, sagte er und schlug die Augen auf, »wie das heute für mich gewesen ist – die ganze Warterei! Ich dachte, das Schiff würde niemals einlaufen! Wir standen da und lungerten herum. Was hat euch nur so lange aufgehalten?«

Sie gab ihm keine Antwort. Sie blickte an ihm vorbei ins Feuer. Die Flammen züngelten, züngelten eilig über die Kohlen, flackerten und sanken in sich zusammen.

»Du schläfst doch nicht?« fragte er und ließ sie auf und ab hopsen.

»Nein«, sagte sie. Und dann: »Laß das, Liebster! Nein, ich habe nur an etwas gedacht. Letzte Nacht ist nämlich ein Passagier gestorben«, sagte sie, »ein Mann. Das hat uns aufgehalten. Wir haben ihn mit hergebracht... ich meine, er wurde nicht auf See bestattet. Und deshalb mußten natürlich der Schiffsarzt und der Hafenarzt...«

»Woran ist er gestorben?« fragte Hammond unruhig. Es war ihm verhaßt, vom Tod zu hören. Es war ihm gräßlich, daß es hatte geschehen müssen. Auf eine schrullige Art war es etwa so, als wären er und Janey auf ihrer Fahrt zum Hotel einem Leichenzug begegnet.

»Oh, es war überhaupt nichts Ansteckendes!« sagte Janey. Ihr Geflüster war wie ein Hauch. »Es war das *Herz*!«

Sie verstummte. »Der arme Mensch!« sagte sie dann. »Er war noch so jung!« Und sie starrte in das Spiel der Flammen. »Er ist in meinen Armen gestorben«, sagte Janey.

Der Schlag kam so unerwartet, daß Hammond sich einer Ohnmacht nahe fühlte. Er konnte sich nicht bewegen; er konnte nicht atmen. Er hatte das Gefühl, als flösse all seine Kraft fort, als flösse sie in den großen dunklen Sessel, und der große dunkle Sessel hielt ihn fest, hielt ihn eisern fest und zwang ihn, es zu ertragen.

»Was?« fragte er dumpf. »Was hast du da gesagt?«

»Das Ende war ganz friedlich«, sagte die kleine Stimme. »Zuletzt hat er einfach« – und Hammond sah sie sacht die Hand heben – »sein Leben ausgehaucht.« Und ihre Hand sank.

»Wer war – sonst noch dabei?« würgte er hervor.

»Niemand. Ich war allein mit ihm.«

Großer Gott, was sagte sie da? Was tat sie ihm an? Das würde er nicht überleben! Und dabei sprach sie immer weiter: »Ich sah, wie die Veränderung über ihn kam, und schickte den Steward zum Arzt. Aber der Arzt kam zu spät. Er hätte ohnehin nichts tun können.«

»Aber warum *du*, warum *du*?« ächzte Hammond.

Darauf drehte sich Janey rasch um und forschte rasch in seinem Gesicht.

»Es trifft dich doch nicht, John, nicht wahr?« fragte sie. »Du kannst nicht – es hat nichts mit dir und mir zu tun!«

Irgendwie gelang es ihm, den Kopf zu schütteln und zu lächeln. Irgendwie konnte er hervorstottern: »Nein. Aber weiter – erzähl weiter! Ich möchte, daß du's mir erzählst!«

»So hör doch, Liebster...«

»Erzähle, Janey!«

»Es gibt nichts zu erzählen«, sagte sie verwundert. »Er war einer von den Passagieren der Ersten Klasse. Als er an Bord kam, sah ich schon, daß er sehr krank war... Doch es schien ihm immer besserzugehen – bis gestern. Am Nachmittag hatte er einen schweren Anfall – von der Aufregung oder aus Nervosität, vermute ich, wegen der Ankunft. Und davon hat er sich nicht mehr erholt.«

»Aber warum hat nicht die Stewardeß...«

»Nein, Liebster – die Stewardeß!« sagte Janey. »Wie wäre ihm da zumute gewesen? Und vielleicht... hätte er eine Nachricht hinterlassen wollen... für...«

»Hat er?« stammelte Hammond. »Hat er etwas gesagt?«

»Nein, Liebster, nicht ein Wort!« Sie schüttelte leise den Kopf. »Die ganze Zeit, die ich bei ihm war, war er zu schwach... Er war zu schwach, auch nur einen Finger zu rühren...«

Janey schwieg. Aber ihre Worte, die leichten, leisen, kühlen Worte, schienen in der Luft zu schweben und wie Schnee in sein Herz zu sinken.

Das Feuer war nur noch rote Glut. Jetzt fiel es mit einem jähen Geräusch in sich zusammen, und das Zimmer wurde kühl. Die Kälte kroch ihm die Arme hinauf. Das Zimmer war riesig, grenzenlos, unfaßbar. Es füllte seine ganze Welt. Dort war das große blinde Bett mit seinem daraufgeschleuderten Mantel, der wie ein Mann ohne Kopf seine Gebete hersagte. Dort war das Gepäck, bereit, weggetragen zu werden, irgendwohin, in Züge geworfen, auf Schiffe gekarrt zu werden.

»... Er war zu schwach. Er war zu schwach, auch nur einen Finger zu rühren...« Und doch war er in Janeys Armen gestorben. Sie, die nie – niemals in all den Jahren – nie bei der kleinsten, geringsten Gelegenheit...

Nein! Er durfte nicht daran denken. Daran denken führte zum Wahnsinn. Nein, er wollte sich nicht damit auseinandersetzen. Er konnte es nicht aushalten. Es ging über seine Kräfte!

Und jetzt berührte Janey seinen Querbinder mit ihren Fingern. Sie drückte die beiden Enden der Schleife zusammen. »Du bist – es tut dir doch nicht leid, daß ich's dir erzählt habe, liebster John? Es hat dich doch nicht traurig gemacht? Es hat doch nicht unseren Abend verdorben – unser Alleinsein?«

Da mußte er sein Gesicht verstecken. Er vergrub es an ihrer Brust, und seine Arme umschlangen sie.

Den Abend verdorben? Das Alleinsein verdorben? Nie wieder wären sie miteinander allein.

FRANK O'CONNOR

Eine unmögliche Ehe

Erst als er beinah dreißig war, begriff Jim Grahame, welchen Streich ihm das Leben gespielt hatte. Bis dahin hatte er so ungefähr wie jeder andere junge Mann gelebt, ohne auf den Gedanken zu kommen, daß er geprellt worden war. Sein Vater war vor zehn Jahren gestorben. Jim, Buchhalter in einem Lebensmittelgeschäft, hatte seines Vaters Verpflichtungen übernommen, und seine Mutter, eine lebhafte, gutherzige kleine Frau, hatte ihm, wie es nur Mütter tun können, den Haushalt geführt. Sie wohnten auch weiterhin in dem Haus, in das sie eingeheiratet hatte. Es war ein großes, geräumiges, unpraktisches Gebäude am Stadtrand, wo die Miete, die sie zahlten, kaum für die dringendsten Ausbesserungsarbeiten ausreichte.

Jim war den Mädchen gegenüber nie besonders zurückhaltend gewesen, doch er hatte keine einzige kennengelernt, die auch nur halb an seine Mutter herangereicht hätte, und ohne es zu ahnen, war er auf dem besten Wege, der Typ eines gemütlichen alten Junggesellen zu werden, der sich vielleicht – oder vielleicht auch nicht – mit fünfundvierzig Jahren entscheiden würde, ob er eine eigene Familie gründen wollte. Seine Mutter verwöhnte ihn natürlich, und er hatte, wie es bei einem einzigen Kind eben ist, ein schlechtes Gewissen, weil er sich's gefallen ließ. Aber Verwöhnung ist eine Bürde, von der sich die meisten Männer ein gut Teil aufladen können, ohne daß es ihnen übermäßig sauer fiele.

Doch dann ging er eines Sonntags am Strand von Crosshaven mit Eileen Clery spazieren, einem jungen Mädchen, das im gleichen Viertel von Cork wohnte wie er, obwohl sie ihm vorher nie aufgefallen war. Sie gehörte nicht zu der Sorte Mädchen, die absichtlich die Aufmerksamkeit der Leute auf sich ziehen, obwohl sie bestimmt gut aussah. Sie hatte ein schmales Gesicht, das wunderbar aufleuchtete, wenn sie lächelte, und helles Haar mit goldenen Lichtern. Er versuchte mit ihr zu flirten und war überrascht und ein wenig gekränkt wegen ihrer schnellen, ja fast heftigen Ablehnung. Nicht etwa, daß er sie irrtümlicherweise für ein leichtsinniges Ding gehalten hätte – aber er hatte auch nicht erwartet, auf ein Kräutchen Rührmichnichtan zu stoßen.

Das Merkwürdige an der Sache war nämlich, daß sie ihn gern zu haben schien und sogar einverstanden war, sich wieder mit ihm zu treffen. Diesmal saßen sie in einem Versteck in den Klippen, und Jim wurde etwas deutlicher. Zu seinem größten Erstaunen begann sie zu weinen. Er ärgerte sich, tat aber sehr besorgt, auch wenn ihm keineswegs danach zumute war, und als sie ihn anscheinend so bekümmert sah, fand sie ihre Fassung wieder und lächelte, obwohl ihre Tränen immer noch flossen. »Ich habe ja gar nichts dagegen, Jim«, sagte sie, trocknete sich die Augen und putzte sich mit einem lächerlich kleinen Fetzen von Taschentuch die Nase, »aber ich kann's mir nicht erlauben, auch nur daran zu denken.«

»Warum denn nicht, um Himmels willen?« fragte er belustigt.

»Ach, verstehst du, ich bin das einzige Kind, und ich muß für meine Mutter sorgen«, sagte sie und schluchzte noch ein bißchen.

»Und ich? Ich bin auch das einzige Kind und muß für meine Mutter sorgen«, erwiderte Jim triumphierend und mußte über den närrischen Zufall hell auflachen. »Wir sind ja ein schönes Pärchen!« grinste er trübselig.

»Ja, wirklich«, nickte Eileen und lachte und weinte gleichzeitig. Dann lehnte sie den Kopf an seine Schulter und machte keinerlei Schwierigkeiten mehr, als er wieder zu schmusen begann.

Nun ist die gegenseitige Anziehung ein Thema, das die Bücher immer mit den gleichen Ausdrücken beschreiben: ein sonnengebräunter Brustkasten und üppige Formen, die im Grunde sehr wenig damit zu tun haben. Was sie sehr selten erwähnen, was aber am allerstärksten ist, das ist die Einsamkeit. Es ist eine Situation, der die Frauen eher begegnen als die Männer, und Eileen war ihr bereits begegnet. Jim war ihr nicht im gleichen Sinne begegnet, war jedoch scharfsinnig genug, um zu sehen, wie sie auf ihn lauerte, die Einsamkeit. Und da oben auf den Klippen, wo sie über den Hafen von Cork blickten und all die kleinen Segelboote beobachteten, die auf Currabinny zuhielten, spürten sie beide, daß sie sich liebten und ganz besonders deshalb liebten, weil ihre Lage so offensichtlich hoffnungslos war.

Von da an trafen sie sich regelmäßig jede Woche in Cork, um spazierenzugehen oder sich, wenn es regnete, einen Film anzusehen. Sie machten es genauso, wie es einzige Kinder immer tun, nämlich so verstohlen, daß jeder, der sie kannte, darüber lachte. Als zum Beispiel ein Mädchen eines Abends über die New Bridge ging, sah sie dort Jim Grahame stehen, als sie zur zweiten Brücke kam, mußte sie lachen, weil sie dort Eileen stehen sah. »Verzeihen Sie, daß ich mich aufdränge, Miss Clery«, sagte sie, »aber falls Sie auf Mr. Grahame warten, der wartet nämlich bei der andern Brücke auf Sie.« Eileen wußte nicht, wohin sie blicken sollte; sie wurde rot, sie lachte, und schließlich schlug sie die Hände zusammen, rief: »O danke, danke vielmals!« und rannte wie der Wind davon.

Es sah ihnen ähnlich, sich so weit weg von ihrem Elternhaus zu treffen, denn beide litten unter einem Schuldgefühl. Sie hatten mehr Mitleid mit ihren Müttern als mit sich selbst und bemühten sich nach Möglichkeit, ihr furchtbares Geheimnis zu verbergen – alles aus dem instinktiven Verständnis für die Angst und die Einsamkeit, unter der alle Frauen leiden, deren Kinder ihnen entwachsen und deren Männer gestorben sind. Vielleicht verstanden sie es sogar zu gut, so daß sie mehr Angst vermuteten, als wirklich vorhanden war.

Mrs. Grahames Nachrichtendienst funktionierte besser als der von Mrs. Clery. Sie war die erste, die darüber sprach.

»Wie ich höre, bist du sehr befreundet mit Miss Clery«, sagte sie eines Abends in leicht vorwurfsvollem Ton. Jim stand an der Küchentür und rasierte sich. Er zuckte zusammen und drehte sich dann mit amüsierter Miene zu ihr um, aber sie war ganz in ihre Strickarbeit vertieft – wie immer, wenn sie ihm nicht ins Gesicht sehen wollte.

»Nein, so etwas!« sagte er. »Wer hat dir denn das erzählt?«

»Wie sollte ich's nicht gehört haben, wenn es schon unsre ganze Straße weiß?« erwiderte sie, seiner Frage ausweichend. Sie hatte gern ihre kleinen Geheimnisse. »Möchtest du sie nicht eines Abends mal herbringen?«

»Wenn's dir nichts ausmacht?«

»Was soll's mir denn ausmachen, Kind? Wir haben doch so selten Besuch.«

Das war auch so eine ihrer beliebten Erfindungen: daß sie niemals jemanden sah oder sprach, obwohl Jim kaum etwas tun konnte, über das sie nicht früher oder später gehört hatte.

Eines Abends brachte er Eileen zum Tee mit nach Hause, und obwohl Eileen vor Nervosität kicherte, merkte er, daß seine Mutter sofort von ihr eingenommen war. Mrs. Grahame betete ihren Sohn an, doch sie hatte sich immer eine Tochter gewünscht, jemanden, mit dem sie so reden konnte, wie sie's zu einem Mann nicht konnte. Im Verlauf des Abends, als Eileen begriff, daß sie wirklich willkommen war, begann sie sich zu entspannen, und sie und Jims Mutter tauschten nach Herzenslust Klatschgeschichten aus.

»Oh, Dinny Murphy war scheußlich zu ihr«, sagte Jims Mutter geheimnisvoll und spielte damit auf eine bedauernswerte Nachbarin an.

»Nein, ach nein!« widersprach Eileen hastig und legte vor lauter Eifer ihre Hand auf Mrs. Grahames Arm. »Der arme Dinny war gar nicht so schlimm!«

»Was Sie nicht sagen!« rief Mrs. Grahame, ließ ihr Strickzeug sinken und heftete ihren tragischen Blick auf Eileen. »Und wenn man bedenkt, was alles über ihn geredet wurde! Was für spitze Zungen die Leute haben, nicht wahr, Eileen?«

»Ja, er war nicht so schlimm, wirklich nicht«, wiederholte Eileen und schüttelte energisch den Kopf. »Er hat natürlich meistens zu tief ins Glas geschaut, aber wer tut das nicht, frage ich Sie?«

Und Jim, der sich nicht am Gespräch beteiligte, stellte lächelnd fest, daß sich Eileens junge, eifrige und intelligente Stimme mit der seiner Mutter in schönster Eintracht zusammenfand – im Klatsch. Mrs. Grahame ließ Eileen nicht weg, ohne taktvoll auf ihre traurige Lage – ihre Einsamkeit – hinzuweisen, die es ihr unmöglich mache, über irgendwelche Ereignisse die Wahrheit zu erfahren, und nahm ihr das Versprechen ab, bald wiederzukommen. Eileens Besuche wurden ihr so zur Gewohnheit, daß sie gekränkt war, wenn einmal eine Woche verging, in der Eileen nicht erschien. Sie bemerkte sogar ganz resigniert, für ein so lebhaftes junges Mädchen sei sie natürlich nicht der rechte Umgang.

Dann kam Mrs. Clery an die Reihe. Sie hätte von Eileens Besuchen bei den Grahames erfahren und sich aufregen können, aber andrerseits hätte ein unerwarteter Besuch Jims sie ebenso aufregen können. Deshalb mußte Eileen sie vorbereiten, indem sie ihr zuerst klarmachte, in welchem Verhältnis Jim zu seiner Mutter stand, damit sie nicht glaubte, er habe irgendwelche Absichten auf Eileen. Sie lebten ja von dem, was Eileen verdiente, und von den paar Shilling Pension, die ihre Mutter erhielt.

Sie wohnten in einem winzigen Haus in einer kleinen Seitenstraße und hatten dort eine gute Stube, eine Küche, die als Aufenthaltsraum diente, und zwei Schlafkammern im Dachstock. Mrs. Clery war eine schlaue alte Frau mit einem verschrumpelten, humorvollen Gesicht. Sie litt an den verschiedensten Beschwerden, und da sie etwas schwerhörig war, beklagte sie sich mit lauter, einschüchternder Stimme. Sie konnte zum Beispiel, während sie mit jemand sprach, ihre Hand fest auf dessen Knie legen, um ganz sicher zu sein, daß er ihr nicht entwische, und ausdruckslos auf einen Punkt im Kaminfeuer starren.

»Und dann hab ich also obendrein die andern Schmerzen bekommen, Jim, die ich vorhin erwähnt habe, und ließ Doktor O'Mahoney kommen, und er hat gesagt – was hat Doktor O'Mahoney doch noch mal über die andern Schmerzen gesagt, Eileen?«

»Er hat gesagt, du schwindelst!« kreischte Eileen.

»Doktor O'Mahoney?« wunderte sich ihre Mutter. »Stimmt ja gar nicht! Ach, du Racker, du!«

Zu Hause redete Eileen hastig und aus vollem Halse: sie unterbrach ihre Mutter, widersprach ihr und foppte sie, bis sich das Gesicht der alten Frau lustig in tausend Falten verzog und sie Jim zublinzelte und ächzte: »Hab ich Ihnen nicht gesagt, daß sie ein Racker ist, Jim? Haben Sie schon mal gehört, daß ein Mädchen so zu seiner Mutter spricht? Ich könnte wetten, daß Sie nicht so mit Ihrer armen Mutter reden!«

»Seine Mutter meckert jedenfalls nicht immerzu!« rief Eileen fröhlich vom Hof her.

»O Jim, mein lieber Junge, ich hab eine Heidenangst vor ihr, so ein Mundwerk hat sie! Und wie sie lügt! Ich und meckern?«

Immerhin war es nett für Jim und Eileen, daß sie an regnerischen Abenden, wenn sie nicht ins Kino wollten, stets wußten, wohin sie gehen konnten. Meistens gingen sie zu Jims Mutter. Mrs. Grahame war eifersüchtiger als Eileens Mutter. Schon die leiseste Vernachlässigung von seiten Jims oder Eileens vermochte ihr rebellische Tränen zu entlocken. Doch wenn sie eine halbe Stunde bei ihr saßen, stand sie auf und verließ das Zimmer auf Zehenspitzen, so behutsam, als glaubte sie, daß sie schliefen. Ihre Eifersucht war nur der Maßstab für ihre Großzügigkeit.

»*Wisha*, Jim«, fragte sie eines Abends schelmisch und ließ ihr Strickzeug sinken, »hast du noch nie an eine Heirat mit Eileen gedacht?«

»Eine Heirat? Du willst mich wohl loswerden?« sagte Jim neckend und blickte von seinem Buch auf.

Jims Mutter konnte oft durch eine Fopperei vom Thema abgelenkt werden: sie faßte alles wörtlich auf, auch wenn es nie lange anhielt.

»Wie sollte ich wohl«, erwiderte sie beleidigt und fuhr mit ihrer Strickerei fort, von kindischem Zorn erfüllt, weil ihr großzügiger Vorschlag so aufgenommen worden war. Doch es dauerte natürlich nicht lange. Nach zehn Minuten hatte sie ihren Ärger vergessen und sagte, diesmal wie im Selbstgespräch: »Eine bessere Frau könntest du so leicht nicht finden!«

»Und wo sollten wir wohnen?« fragte er mit sanftem Spott.

»Meine Güte, habt ihr denn nicht das ganze Haus zu eurer Verfügung?« fragte sie und blickte ihn streng über die Brille hinweg an. »Du glaubst doch nicht etwa, ich würde euch im Wege sein?«

»Ach so, du willst ins Armenhaus ziehen, damit Mrs. Clery herkommen kann?«

»*Wisha*, es ist wirklich eine schwierige Situation«, wich sie aus. Er wußte, daß sie über die Umstände nachsann, die ihn ausgerechnet mit Eileen zusammengeführt hatten. Seiner Mutter und ihm war die Situation vertraut, die in Irland in ihrer einfachsten Form etwas Alltägliches ist: sie hätten eine Reihe Familien aufzählen können, wo ein junger Mann oder ein junges Mädchen jahrelang ›mit jemand ging‹, ehe er oder sie in der Lage waren, sich zu verheiraten – und oft genug meinten sie dann, sie wären zu alt oder zu müde.

»Wir denken überhaupt nicht dran – aber trotzdem besten Dank, Mutter!« lächelte er gütig. »Entweder ein Doppelmord oder gar nichts!«

Trotz ihrer Eifersucht ärgerte sich Mrs. Grahame, daß ihrem Jim ein solches Schicksal auferlegt war, das wußte er genau. Mrs. Clery dagegen behauptete fröhlich, sie müßten für ihr Los dankbar sein.

»Ihr wißt nicht, wie gut ihr's habt«, krähte sie. »Ihr seid jung und gesund, was habt ihr groß zu klagen? Heutzutage können sie alle gar nicht früh genug heiraten, aber bald ist's ihnen verleidet, und dann, o jemine, hängen sie sich gegenseitig das Schlimmste an.«

»Du bist also gegen das Heiraten, Mammi?« fragte Eileen ernst.

»Wer sagt denn, daß ich nicht dafür bin?« entgegnete ihre Mutter argwöhnisch, überzeugt, daß ›der Racker‹ sie mal wieder reinlegen wollte. »Geht's etwa darum, ob man dafür oder dagegen ist? Dadurch wird's nicht besser. Bleibt ihr nur jung, solange ihr's könnt, Jim«, riet sie ihm und legte ihre knochige Hand auf seine Knie. »Verheiratet seid ihr noch lange genug.«

Doch Jim und Eileen schlossen sich ihrer Ansicht natürlich nicht an. Während ihrer Abendspaziergänge bummelten sie meistens durch eine der neuen Siedlungen und blickten mit der gleichen Begeisterung in die halb fertigen Häuser, mit der die Kinder dort Cowboy und Indianer spielten; sie plauderten mit jungen Ehemännern, die ihr Fleckchen Gartenland umgruben, obwohl es gewöhnlich nur Bauschutt war, und ließen sich von jungen Ehepaaren, die von frohem Besitzerstolz erfüllt waren, zu einer Tasse Tee in ihr neues Haus bitten. Sie sahen nicht, wie häßlich es war. Sie sahen nur, daß alles neu war, neu wie das Leben selbst, wenn die Abendsonne die frische Farbe und das Weiß der Vorhänge und das zarte Grün im jungen Gras aufleuchten ließ. Im Laufe des Abends konnte Eileen wohl kopfschüttelnd sagen: »Aber die Vorhänge an den großen Erkerfenstern waren nicht so geeignet, nicht wahr, Jim?«, und Jim wußte dann, daß sie das Haus schon nach ihrem Geschmack eingerichtet hatte.

Im ersten Jahr schlug Jim vor, mit Eileen zusammen in die Ferien zu reisen. Das paßte Mrs. Clery ganz und gar nicht. Sie war überzeugt, daß es Eileens gutem Ruf schaden würde. Mrs. Clery war zwar sehr dafür, daß sie ihre Jugend genossen, vorausgesetzt, daß es unter ihren Augen geschah. Jim wußte, daß sie sich keine Gedanken um Eileens guten Ruf machte, sondern nur besorgt war, während der Ferien könne sich etwas anspinnen, das sie nicht mehr kontrollieren konnte. Er setzte seinen Willen durch; sie reisten in einen Badeort im Norden von Dublin, wo sie vierzehn Tage lang nach Herzenslust schwammen und sich sonnten und spazierengingen – und wenn es regnete, besichtigten sie die Großstadt.

Auf der Rückfahrt sagte er – und blickte dabei vom Abteilfenster auf die Galtee-Berge –: »Wenn wir das nächstemal solche Ferien machen, sollten wir verheiratet sein. Es ist nicht das gleiche.«

»Ja, Jim«, gab sie zu. »Das stimmt. Aber was tun?«

»Wer will uns dran hindern, daß wir heiraten?« sagte er lächelnd.

»Jetzt?« fragte sie bestürzt. »Was sollen wir denn mit unseren Müttern anfangen?«

»Was wir auch jetzt mit ihnen anfangen«, erwiderte er achselzuckend.

»Meinst du, wir sollten heiraten und doch so weiterleben wie bisher?«

»Warum nicht? Natürlich ist's nicht das, was wir wollen, aber es ist besser als gar nichts.«

»Aber wenn nun – ach, Jim, du kannst dir doch denken, daß wir vielleicht Kinder bekommen!«

»Das hoffe ich sehr«, entgegnete er. »Ein Problem, das wir lösen können, wenn es soweit ist. Übrigens ist es noch gar nicht gesagt, daß wir sofort Kinder bekommen.«

»Aber Jim«, wandte sie schüchtern ein, »werden die Leute nicht reden?«

»Glaubst du nicht, daß sie schon jetzt reden?«

So war Jim eben, und was er dachte, das dachte auch seine Mutter: ihr war es einerlei, was die Leute redeten. Sie hatte natürlich nichts Böses darin gefunden, daß sie zusammen in die Ferien reisen wollten, und Eileen, die zuerst Zweifel gehabt hatte, sah jetzt ein, wie sehr Jims Mutter im Recht war. Sie dachte, daß nun wahrscheinlich auch Jim recht hatte, aber sie war nicht ganz sicher.

Je mehr sie darüber nachdachte, um so mehr fand sie, daß er recht hatte, obwohl ihre Gründe anderer Art waren. Jim wollte nicht warten; er wollte nicht vor lauter Warten auf den Tag, an dem sie endlich heiraten konnten, alt und verdrießlich werden. Er ersehnte die Freuden der Ehe, so bescheiden sie sein mochten, und zwar jetzt, solange sie noch jung genug waren, um sie zu genießen. Eileen dachte in idealerem Sinne daran: als an ein Gelöbnis, das sie aneinander binden würde, einerlei, was das Leben ihnen bringen mochte. Sie wagte nicht zu hoffen, daß Jim und sie beide gleichzeitig frei würden: einer von ihnen würde bestimmt lange vor dem andern frei werden, und dann würde die Versuchung groß sein.

Doch selbst das, was sie jetzt im Sinn hatten, würde nicht ohne Kampf mit ihrer Mutter abgehen. Mrs. Clery achtete streng auf das, was allgemein üblich war, und außerdem wußte sie, welchen Einfluß die Ehe hatte. Jetzt war Eileen sanft und lieb, aber Eileen als Ehefrau und Mutter – das war ein ganz anderes Problem, nämlich eins, das eine alte Frau vielleicht gar nicht bewältigen konnte.

»Was für eine Verrücktheit!« schalt Mrs. Clery und stemmte die Hände auf die Hüften. »Was für eine Ehe wäre das, wenn du hier wohnst und er bei sich? Die ganze Stadt würde über euch lachen!«

»Ich weiß nicht recht, was sie zu lachen hätten, Mammi«, erwiderte Eileen ernst. »Nicht mehr als jetzt jedenfalls.«

»Zieh nur ab mit ihm, zieh nur ab mit ihm!« entgegnete ihre Mutter gebrochen. »Lieber gehe ich ins Armenhaus, als daß ich die Schande mit ansehe.«

»Aber Mammi«, fuhr Eileen beharrlich fort und mußte gegen ihren Willen lachen, »wir machen dir doch keine Schande, und du brauchst auch gar nicht ins Armenhaus zu gehen!«

Mrs. Grahame war ebenfalls betroffen, denn sie fühlte

sich in ihrem Stolz verletzt. Was die Nachbarn sagen würden, machte ihr überhaupt keine Sorge, doch sie fand, daß Jim zu dieser Karikatur einer Ehe gezwungen wurde, weil sie von ihm abhängig war. Wenn sie es ihm dadurch hätte leichtermachen können, daß sie ihm aus dem Wege ging, dann wäre sie bereitwillig ins Armenhaus gezogen. Aber als Jim ihr erklärte, daß es, selbst wenn *er* damit einverstanden wäre, doch nichts an Eileens Verhältnis zu ihrer Mutter ändern würde, sah sie ein, daß er recht hatte. Als Eileen das nächstemal zu Besuch kam, schloß Mrs. Grahame sie in die Arme und seufzte: »Ihr armen Kinder! Ihr armen, verrückten Kinder!«

»Sie finden doch nicht, daß wir unrecht handeln, nicht wahr, Mrs. Grahame?« fragte Eileen, die nun selber den Tränen nahe war.

»Aber nein, wieso denn, Kind Gottes?« rief Mrs. Grahame ärgerlich. »Warum sollt ihr euch etwas draus machen, was die Leute denken? Leute, die nie im Leben ein Opfer gebracht haben!«

Mrs. Clery verbohrte sich in ihre schlechte Laune. Wenn Jim kam, sprach sie nicht mit ihm, und schließlich weigerte sie sich sogar, an der ›Scheintrauung‹ teilzunehmen, wie sie es nannte. Mrs. Clery hatte in diesen Dingen wenig Erfahrung, aber sie wußte, wann sie hinters Licht geführt wurde, und Jim hatte sie nun mal hinters Licht geführt. Er war als Freund ins Haus gekommen und hatte ihr die Tochter gestohlen, vor ihren eigenen Augen! Auf all seine Sprüche, wie hoch er sie schätze, gab sie gar nichts. Ein Mann, der so etwas fertigbrachte, würde ihr kaltblütig Arsenik in die Teetasse schütten.

Bevor Eileen am Morgen zur Kirche aufbrach, ging sie zu ihrer Mutter und bat sie sanft: »Mammi, willst du mir nicht wenigstens Glück wünschen?« Aber ihre Mutter sagte weiter nichts als: »Geh weg, du dreistes Ding!«

»Morgen abend bin ich rechtzeitig wieder da und koche dir dein Essen, Mammi«, sagte Eileen unterwürfig.

»Du brauchst überhaupt nicht wiederzukommen«, entgegnete ihre Mutter.

Eileen war ganz fassungslos, aber Mrs. Grahame spottete darüber, als sie sich nach der Kirche voneinander verabschiedeten.

»Pah, da kommt sie drüber weg, Kind!« sagte sie. »Alte Leute sind sich haargenau gleich. Mit mir ist's nicht viel besser, wenn man's bei Licht besieht. Ich will sie aber auf dem Rückweg besuchen und ihr die Meinung geigen.«

»Ach, und wenn Sie ihr einen Eierpunsch machen könnten, Mrs. Grahame«, bat Eileen ernst, »dann läßt sie leichter mit sich reden. Sie ist ganz versessen auf Eierpunsch, vor allem, wenn sehr viel Whisky drin ist!«

»Ja, ich mache ihr den Eierpunsch«, versprach Mrs. Grahame. Plötzlich war ihr viel wohler ums Herz, denn ihre eigene rasende Eifersucht verflog bei dem Gedanken, sie könne einer andern alten Frau über die schlechte Laune hinweghelfen. Sie hatte sich aber allerhand aufgeladen, selbst mit dem Eierpunsch.

»Erzählen Sie mir nichts, Ma'am!« rief Mrs. Clery. »Heutzutage sind die jungen Leute alle gleich: alle sind sie eigennützig und denken nur an ihr Vergnügen!«

»Wie können Sie nur so etwas behaupten!« sagte Mrs. Grahame empört. »In ganz Irland gibt's keine bessere Tochter als Ihre Eileen. Ich wäre die letzte, meinen Jim zu kritisieren, aber ich wünschte, ich hätte ein Kind wie Ihre Eileen!«

»Und wenn sie erst mal Kinder bekommen?« fragte Mrs. Clery und blickte sie an, als hätte sie eine Verrückte vor sich.

»Sie haben doch selbst ein Kleines aufgezogen!«

»Das ist nicht das gleiche, Ma'am«, erwiderte Mrs.

Clery und wollte sich durchaus nicht trösten lassen. Sie war viel zu schlau, um nicht zu begreifen, daß das Vorhandensein eines Babys im Haus sie der Aufmerksamkeit berauben könnte, zu der sie sich berechtigt fühlte, ja, sogar dazu führen könnte, daß sie ihrer Privilegien gänzlich verlustig ginge. Heutzutage waren die jungen Leute so selbstsüchtig!

Nach ihren Flitterwochen, die nur einen Tag dauerten, kehrten Jim und Eileen gehorsam zu ihren Pflichten zurück, als hätten sie nie geheiratet. Doch wenn man Eileen auf der Straße begegnete, war sie auffallend fröhlich und unbeschwert und liebäugelte wie jede junge Frau mit ihrem Ehering. Übrigens benötigte sie all die Freude, die ihre neue Situation ihr verlieh, denn ihre Mutter hatte sich nicht getäuscht, als sie die Einstellung der Nachbarn prophezeite. Ihre Ehe war zu einer Zielscheibe schandbarer Witze geworden und blieb es, solange sie währte. Sogar Eileens beste Freundinnen bedachten sie mit kleinen Spitzen, die sie an ihren unnormalen Frauenstand erinnern sollten. Die Nachbarn waren nicht ausgesprochen unbarmherzig, aber ihre Ansichten über die Ehe waren, wie ihre Ansichten über den Tod, von einer gewissen übertriebenen Härte, die sich auch in der Abneigung gegen eine zweite Heirat äußerte. Jims und Eileens Ehe, die am Kirchenportal zu enden schien, war eine Verhöhnung all dessen, was ihnen heilig war, deshalb rächten sie sich, wie es Menschen tun, deren teuerste Ideale mißachtet wurden.

Jim tat so, als bemerke er den Skandal nicht. Wie seine Mutter war er der öffentlichen Meinung gegenüber merkwürdig taub. Er besuchte Eileen, als könne nichts Besonderes gegen ihn vorgebracht werden. Doch noch häufiger besuchte Eileen ihn und seine Mutter, und im Sommer reisten sie und Jim für zwei Wochen nach Kerry oder Connemara. Es dauerte ein volles Jahr, ehe Mrs. Clery sich an alles gewöhnt hatte, und die ganze Zeit beobachtete sie Eileen aufmerksam, weil sie jede Woche Anzeichen einer beginnenden Schwangerschaft zu sehen befürchtete. Daß sie keine sah, war vielleicht ein Glück, denn weiß der Himmel, was sie da getan hätte!

Dann wurde Mrs. Grahame krank, und Jim pflegte sie tagsüber, während Eileen ihn in der Nacht ablöste. Sie lag im Sterben, und wenn sie zwischendurch einmal zur Besinnung kam, nahm sie Eileens Hand und drückte sie und sagte: »Ich habe mir immer eine Tochter gewünscht, und mein Wunsch ist mir erfüllt worden. Ja, mein Wunsch ist mir erfüllt worden! Jetzt werdet ihr glücklich sein, wenn ihr das Haus für euch allein habt. Nicht wahr, du sorgst für meinen Jim?«

»Ja, ich sorge für ihn«, versprach Eileen, und in der Nacht, als seine Mutter starb, riß sie ihn nicht aus dem Schlaf.

»Ich dachte, es sei besser, dich nicht zu wecken, Jim«, sagte sie, als sie ihn am nächsten Morgen wachrüttelte. »Du warst so müde, und Mutter ist so friedlich eingeschlafen... So hätte sie es selber gewünscht, Jim«, schloß sie, als sie seinen betroffenen Blick sah.

»Wirst wohl recht haben, Eileen«, gab er zu.

Doch damit waren ihre Sorgen noch nicht zu Ende. Als sie Mrs. Clery vorschlugen, in Jims Haus zu übersiedeln, stimmte die alte Frau ein noch größeres Zetermordio an als damals bei der Heirat.

»Was, unter wildfremden Menschen soll ich leben?« schrie sie entsetzt.

»Eine halbe Meile Entfernung, Mammi – da sind sie noch nicht wildfremd!« entgegnete Eileen und konnte sich kaum das Lachen verkneifen, weil ihre Mutter jedem neuen Vorschlag so erstaunliche Einwände entgegensetzte.

»Eine halbe Meile?« wiederholte ihre Mutter düster. »Mindestens eine Meile ist es!«

»Und du glaubst, daß deine alten Freundinnen sich dann nicht mehr um dich kümmern würden?« sagte Eileen.

»Ich würde sie gar nicht erst darum bitten«, erwiderte die alte Frau voller Stolz. »Ich könnte nicht in einem Stadtviertel wohnen, wo ich die Straßenbahn nicht höre. Jims Mutter starb in ihrem eigenen Haus. Ist es da nicht furchtbar seltsam, daß er mich nicht in meinem Haus sterben lassen will?«

Und wieder einmal mußten Jim und Eileen sich den widrigen Umständen fügen. Sie konnten Eileens Mutter keinen angemessenen Ersatz für das beruhigende Quietschen der Straßenbahnen bieten, die von der City bergauf klommen, und Eileen fand, es sei verrückt, Jims geräumiges Haus aufzugeben, das sie später einmal gut gebrauchen könnten, und statt dessen die winzige Hütte mit einer übellaunigen Schwiegermutter zu teilen.

Folglich spielten sie Verheiratetsein. An einigen Abenden der Woche tischte Eileen ihrer Mutter das Essen frühzeitig auf und ging dann zu Jims Haus, um das Abendbrot für ihn bereitzuhalten, wenn er aus dem Geschäft heimkehrte. Sowie sie seinen Schlüssel im Türschloß hörte, lief sie an die Haustür, um ihn in ihrer weißen Kittelschürze zu begrüßen, und er gab vor, mächtig erstaunt zu sein, daß sie da war. Wenn sie ins Wohnzimmer traten, zeigte sie stumm auf das große Feuer im Kamin, das sie angezündet hatte, und dann aßen sie zusammen Abendbrot und lasen oder plauderten, bis er sie gegen Mitternacht zum Haus ihrer Mutter begleitete. Trotz aller Mehrarbeit hatten beide einen unendlichen Spaß daran, das große Bett zu machen, in dem Eileen nur Gastrollen gab, und zusammen das Geschirr zu spülen oder, was das Schönste war, gemeinsame Freunde bei sich zu bewirten – als müßte Eileen nicht wie Aschenputtel um Mitternacht forteilen, zurück zu ihrer alten Rolle als Tochter und Pflegerin. Eines Tages würde ihnen das große Haus ständig gehören, dachten sie, und dann konnte Eileen dem Milchmann und dem Bäkkerjungen die Haustür öffnen.

Aber es kam anders. Jim zog sich eine schwere Krankheit zu, und um Eileen nicht in einen ewigen Konflikt zu stürzen, wann sie sich für ihre Pflichten ihm oder ihrer Mutter gegenüber entscheiden müsse, hielt er es für richtig, ins Krankenhaus zu gehen. Dort starb er, zwei Jahre nach dem Tode seiner Mutter.

Jetzt schien eine Veränderung mit Eileen vorzugehen, vor der sich sogar ihre Mutter fürchtete. Zu einer Besprechung, was getan werden solle, kam es überhaupt nicht: Eileen schloß die Hütte ab, und beide zogen in Jims Haus. Dort empfing Eileen Jims Verwandte. Die Leiche war in der Kirche aufgebahrt worden, und als Jims Angehörige eintrafen, hatte Eileen ein Mittagessen für sie bereit. Es gab nur Kaltes, und sie entschuldigte sich deshalb. Als sie sie bediente, plauderte sie mit ihnen, als sei der ganze Kummer auf deren Seite. Während die Verwandten am Grabe weinten, ließ Eileen keine Tränen sehen. Als sich das Grab über Jim und seine Mutter schloß, stand Eileen stumm und mit gesenktem Kopf da, und Jims Tante, eine imposante Gestalt, trat auf sie zu und drückte ihr beide Hände.

»Du bist ein prachtvolles kleines Frauchen«, flüsterte sie rauh. »Es soll dir nicht vergessen werden!«

»Aber Tanti«, erwiderte Eileen, »so hätte Jim es selber gewollt. Dadurch bin ich ihm nahe, und es dauert nicht mehr lange, bis wir wieder vereint sind. Wenn Mammi von mir geht, hält mich nichts.«

In ihren Worten und dem starren Ausdruck im tränenlosen, noch jugendlichen Gesicht lag etwas, das die andere Frau beunruhigend fand.

»Unsinn, Kind!« sagte sie leichthin. »So denkt jeder. Du wirst noch einmal glücklich werden, und du hast es auch verdient. Es wird nicht mehr lange dauern, dann hast du das Haus voller Kinder!«

»O nein, Tanti«, erwiderte Eileen mit einem lieben Lächeln, das merkwürdig wissend und sogar herablassend schien, als wäre Jims Tante ein zu großes Kind, um das alles zu verstehen. »Du weißt es selber, daß ich nie wieder einen Mann wie Jim finden kann. Man kann nicht ein zweitesmal so glücklich sein. Das wäre zuviel verlangt!«

Und die Verwandten und sogar die Nachbarn begriffen allmählich, daß Eileen die Wahrheit sprach: daß sie trotz allem unsagbar glücklich gewesen war, glücklich auf eine Art, die sie nicht begreifen konnten, und daß das, was ihnen als eine Verspottung der Ehe erschienen war, eine so harmonische und befriedigende Ehe gewesen sein mußte, daß daneben, selbst nach ihren Maßstäben, eine Frau alles andre in der Welt für einen bloßen Schatten halten mochte.

D. H. LAWRENCE

Neue Eva und alter Adam

I.

»Eigentlich«, sagte sie mit einem verhaltenen Lachen, »weiß ich gar nicht, was so großartig daran sein soll, daß du dich derart beeilt hast, wieder zu mir zu kommen, wenn du am Ende doch bloß mürrisch bist.«

»Hätte ich vielleicht noch bleiben sollen?« fragte er.

»Mir hätte es nichts ausgemacht.«

»Hätte ich vielleicht noch ein oder zwei Tage in Paris bleiben sollen – oder auch ein oder zwei Nächte.«

Lachend stieß sie ein höhnisches »Puh!« hervor.

»Du!« rief sie. »Du und das Pariser Nachtleben! Da würdest du schön dumm dastehen.«

»Trotzdem«, sagte er, »ich könnte es versuchen.«

»Aber sicher!« spottete sie. »Du würdest dich an ein Mädchen heranmachen. ›Bitte nimm mich mit – meine Frau ist so unfreundlich zu mir!‹«

Schweigend trank er seinen Tee. Sie waren seit einem Jahr verheiratet. Sie hatten schnell geheiratet, aus Liebe. Und während der vergangenen drei Monate hatte zwischen ihnen fast ununterbrochen jener Kampf getobt, den so viele Eheleute austragen, ohne daß sie wissen, warum. Jetzt hatte es wieder begonnen. Er spürte, wie die körperliche Übelkeit in ihm hochstieg. Irgendwo unten in seinem Bauch setzte das schwere, fiebrige Pochen ein – dort lag die Entzündung, deren Ursache ihre Auseinandersetzung war.

Sie war eine schöne Frau, ungefähr dreißig, blond, üppig, mit stolzen Schultern und einem Gesicht, auf dem die Spannung einer wilden, urwüchsigen Lebhaftigkeit lag. Ihre grünen Augen hatten sich jetzt in merkwürdiger Verwirrung verengt. Über den Tisch gegen das Teebrett gebeugt, saß sie da, gedankenverloren. Es war, als bekämpfe sie in ihrem Mann sich selbst. Ihr grünes Kleid spiegelte sich im Silber vor dem Rot des Kaminfeuers. Sie beugte sich vor, nahm zerstreut ein paar Primeln aus der Vase und steckte sie in Abständen in den Haarzopf, der sich nach Landmädchenart um ihren Kopf wand. Das schmale Sternenband aus Blumen verlieh ihr etwas von einem Gretchen. Doch in ihren Augen blieb die Andeutung eines seltsamen Lächelns.

Plötzlich verdunkelten sich ihre Züge. Sie ließ die schönen Arme auf den Tisch sinken und saß nun beinahe verstockt da, so, als wolle sie nicht nachgeben. Er hatte sich abgewandt, sah zum Fenster hinaus. Mit einem raschen Blick auf ihre Hände zog sie ihren Ehering vom Finger, nahm aus der Vase einen langen Blumenstengel und ließ den schimmernden Ring daran rotieren, betrachtete das wirbelnde Gold und ließ es kreisen, als würde sie es verschmähen. Doch sie glich dabei einem schmollenden, ungezogenen Kind.

Der Mann saß am Kamin, müde und dennoch gespannt. Sein Körper wirkte vollkommen reglos wegen der Anspannung, in der er ihn hielt. Arme und Beine hatte er versteift und fest aufgesetzt, als würde er auf etwas horchen, völlig reglos, aber jederzeit bereit, aufzuspringen. Seine Miene war starr und ausdruckslos. Die ganze Zeit über, ohne es eigentlich zu wollen, war sich die Frau seiner bewußt, als säße in der Wange, die sie ihm zugewandt hatte, ein Sinnesorgan, das ihn wahrnahm. Der Kampf und das Leiden hatten beide in elementare, unpersönliche Urkräfte verwandelt.

Sie erhob sich und trat ans Fenster. Ihre Wohnung lag im obersten, vierten Stockwerk eines großen Hauses. Über dem hohen First des hübschen roten Daches gegenüber ragte ein viereckiges, gedrungenes Gerüst in die Höhe, ein Knotenpunkt von Telegrafenleitungen, dem aus vier Richtungen ganze Bündel von Drähten zustrebten, die in dunklen, straffen Linien aus dem weißen Himmel eintrafen. Hoch darüber segelte eine Seemöwe. Von der Stadt jenseits des Hauses drang Verkehrslärm herauf.

Hinter dem First des Hausdaches drüben tauchte jetzt ein Mann auf, der in den Turm aus Drähten kletterte, sich inmitten des geäderten Himmels festschnallte und zu arbeiten anfing, konzentriert. Ein anderer Mann, vom Dachfirst halb verdeckt, streckte ihm einen Draht entgegen. Der Mann im Himmel griff nach unten und nahm ihn. Der andere verschwand aus dem Blickfeld. Der Mann vertiefte sich wieder in seine Arbeit. Doch dann schien ihn irgend etwas abzulenken. Fast verstohlen sah er sich von seiner einsamen Höhe aus um, über ihm der lastende Raum. Sein Blick begegnete dem der schönen Frau, die in ihrem Nachmittagskleid mit Blumen im Haar am Fenster stand.

»Ich mag dich«, sagte sie vor sich hin.

Ihr Mann, der mit ihr im Zimmer war, sah sich langsam um und fragte:

»Wen magst du?«

Er erhielt keine Antwort und verfiel wieder in gespannte Reglosigkeit.

Sie blieb am Fenster stehen und sah hinaus, über die kleine, ruhige Straße mit den großen Wohnhäusern hinweg. Der Mann, der dort im Himmel hing, sah zu ihr herüber und sie zu ihm. Das Stadtzentrum war weit weg. Ihr Blick und der seine trafen sich im hohen Raum. Dann kauerte er sich wieder in die eigene Vergeßlichkeit, duckte sich in seine Arbeit. Er sah nicht mehr herüber. Schließlich kletterte er herunter, und nun stand der Turm aus Drähten wieder leer vor dem Himmel.

Die Frau warf einen Blick auf den kleinen Park am Ende der leeren, grauen Straße. Man konnte sehen, wie sich zwischen den grünen Grasflächen die kleine, dunkelblaue Gestalt eines Soldaten bewegte. Die Sporen verliehen seinem Gang ein schwaches Funkeln.

Dann wandte sie sich zögernd vom Fenster ab, als würde sie zu ihrem Mann hingezogen. Er saß noch immer bewegungslos und unbeteiligt da, steif; absichtlich hielt er sich fern von ihr. Sie schwankte, ging dann zu ihm, hockte sich auf den Kaminvorleger zu seinen Füßen und legte ihren Kopf auf seine Knie.

»Sei nicht so gemein zu mir!« bat sie ihn mit schmeichelnder, träger, unpersönlicher Stimme. Er biß die Zähne zusammen, und seine Lippen öffneten sich ein wenig vor Schmerz.

»Du weißt, daß du mich liebst«, fuhr sie im gleichen schleppenden Singsang fort. Er atmete schwer, rührte sich aber nicht.

»Oder etwa nicht?« fragte sie langsam, legte ihm die Arme unter seiner Jacke um die Taille und zog ihn zu sich heran. Es war, als würden feurige Flammen unter seiner Haut züngeln.

»Ich habe es nie geleugnet«, sagte er steif.

»Doch«, wandte sie mit der gleichen schweren, tonlosen Stimme ein. »Doch. Du hast es immer zu leugnen versucht.« Sanft rieb sie ihre Wange an seinem Knie. Dann lachte sie kurz und schüttelte den Kopf. »Aber es hat keinen Zweck.« Sie sah zu ihm auf. Ein eigentümliches Licht, eine Andeutung von Siegesbewußtsein, lag in ihren Augen. »Es hat keinen Zweck, mein Lieber, nicht wahr?«

Sein Herz pochte heftig. Er wußte, es hatte keinen Zweck zu leugnen, daß er sie liebte. Aber er sah diese Augen, und sein Wille blieb starr. Sie wandte den Kopf ab und sah ins Feuer.

»Es ist dir zuwider, daß du mich lieben mußt«, sagte sie mit nachdenklicher Stimme, in der verhaltener Triumph mitschwang. »Es ist dir zuwider, daß du mich liebst – und das ist kleinlich und gemein von dir. Es ist dir zuwider, daß du dich so beeilen mußtest, von Paris wieder zu mir zu kommen.«

Ihre Stimme war erneut ganz unpersönlich geworden, als spräche sie mit sich selbst.

»Jedenfalls«, sagte er, »bist du es, die triumphiert.«

Sie brach in ein erbittertes, verächtliches Lachen aus.

»Ha!« rief sie. »Was habe ich von einem Triumph, du Dummkopf? Deinen Triumph kannst du haben. Den würde ich dir liebend gern überlassen.«

»Und ich würde ihn liebend gern nehmen.«

»Dann nimm ihn doch«, rief sie feindselig. »Ich biete ihn dir oft genug an.«

»Aber nie willst du ihn wirklich hergeben.«

»Das ist eine Lüge. Du, du bist es, der die Kraft nicht aufbringt, eine Frau zu nehmen. Wie oft werfe ich mich dir an den Hals –«

»Dann laß es – laß es bleiben.«

»Ha! – und wenn ich es lasse – dann bekomme ich gar nichts von dir. Du! Du! – du bist immer nur Du!«

Sein Gesicht blieb starr und ausdruckslos. Sie sah zu ihm hoch. Plötzlich zog sie ihn wieder an sich und verbarg ihr Gesicht an seinem Leib.

»Stoß mich nicht fort, Pietro, wenn ich zu dir komme«, flehte sie.

»Du kommst gar nicht zu mir«, erwiderte er eigensinnig.

Sie hob ihren Kopf ein paar Zentimeter und schien zu lauschen oder nachzudenken.

»Was tue ich denn dann?« fragte sie, zum erstenmal ganz ruhig.

»Du behandelst mich wie ein Stück Kuchen, das du verspeisen kannst, wann es dir paßt.«

Sie löste sich von ihm und erhob sich mit einem spöttischen Ausruf der Verachtung. Aber irgendwie klang er hohl.

»Also wie ein Stück Kuchen behandele ich dich!« rief sie. »Bei allem, was ich für dich getan habe!«

Es klopfte, und das Hausmädchen kam mit einem Telegramm herein. Er riß es auf.

»Keine Antwort«, sagte er, und das Mädchen schloß leise die Tür hinter sich.

»Ich vermute, es ist für dich«, sagte er bissig, stand auf und reichte ihr den Papierstreifen. Sie las ihn, lachte und las ihn dann noch einmal laut:

»›Erwarte mich Marble Arch 19.30 – Theater – Richard.‹ Wer ist Richard?« fragte sie und sah ihren Mann aufmerksam an. Der schüttelte den Kopf.

»Von meinen Bekannten keiner«, sagte er. »Wer ist es?«

»Keine Ahnung«, sagte sie schnoddrig.

»Aber«, seine Augen versuchten sie einzuschüchtern, »du *mußt* es wissen.«

Plötzlich wurde sie ganz ruhig und nahm seine Herausforderung höhnisch an.

»Warum muß ich es denn wissen?« fragte sie.

»Weil es nicht für mich ist, also muß es für dich sein.«

»Aber kann es nicht für jemand anderes sein?« meinte sie spöttisch.

»›Moest, 14 Merrillies Street‹ steht darauf«, sagte er mit bestimmtem Ton.

Eine Sekunde lang machte die Verwirrung sie ernst.

»Ach, du Dummkopf«, rief sie und wandte sich zur

Seite. »Denk lieber an deine eigenen Freunde«, und warf das Telegramm auf den Tisch.

»Es ist nicht für mich«, sagte er steif und endgültig.

»Dann ist es für den Mann im Mond – ich nehme an, er heißt Moest«, fügte sie unter höhnischem Lachen hinzu.

»Willst du damit etwa sagen, daß du nichts davon weißt?« fragte er.

»Willst du damit etwa sagen«, äffte sie ihn nach. »Ja, das will ich damit etwa sagen, du armer kleiner Mann.«

Plötzlich wurde er ganz starr vor Widerwille.

»Dann glaube ich dir eben nicht«, sagte er kalt.

»Oh – du glaubst mir nicht!« spöttelte sie und ahmte dabei den salbungsvollen Unterton in seiner Stimme nach. »Was für ein Unglück! Der arme Mann glaubt es nicht!«

»Es kann überhaupt kein Bekannter von mir sein«, sagte er langsam.

»Dann halt den Mund!« schrie sie. »Ich bin es leid.«

Er schwieg, und sie ging wenig später hinaus. Nach ein paar Minuten hörte er, wie sie im Salon wild improvisierte. Diese Klänge machten ihn wahnsinnig: ein Sehnen und Ringen lag in ihnen und auch eine Verderbtheit, die diesem Sehnen zuwiderlief. Immer wieder arbeitete sich ihre Musik zu einem Gipfel hinauf, aber sie erreichte ihn nie, sondern stürzte vorher in schrille Mißklänge ab. Wie er diese Musik haßte! Er zündete sich eine Zigarette an und ging hinüber zur Anrichte, um sich einen Whisky-Soda zu nehmen. Jetzt fing sie an zu singen. Sie hatte eine schöne Stimme, aber sie konnte den Takt nicht halten. Normalerweise ging ihm das Herz vor Zärtlichkeit über, wenn er sie so auf eigene Faust durch die Lieder schweifen hörte und wenn Brahms plötzlich so völlig anders klang, weil sie den Takt abänderte. Aber heute haßte er sie dafür. Warum zum Teufel konnte sie sich nicht an die natürlichen Gesetze dieser Stücke halten!

Nach einer Viertelstunde kam sie wieder herein, lachend. Sie lachte, als sie die Tür schloß und auf den Platz zukam, wo er sich niedergelassen hatte.

»Ach«, sagte sie, »du dummer, dummer Kerl! Was bist du bloß für ein komischer Clown?«

Sie ging zwischen seinen Knien in die Hocke und umarmte ihn. Sie lächelte ihn an, und die großen, grünen Augen, aus denen sie ihm in die Augen sah, strahlten. Aber irgendwo tief in ihnen erkannte er, als er den Blick erwiderte, einen winzigen Knoten, der sich ihm nicht lösen wollte, ein kleines Schielen, das wie eine Abkehr von ihm wirkte, eine Spur von Haß gegen ihn. Glutwellen fluteten durch seine Adern und seinen Körper, und es war, als würde sein Herz unter ihren Liebkosungen dahinschmelzen. Aber endlich, nach vielen Monaten, kannte er sie gut genug. Er kannte die seltsame winzige Spur in ihren Augen, die darauf wartete, daß er ihr nachgeben würde, nur um ihn dann aufs neue zurückzustoßen. Solange diese Spur da war, widersetzte er sich.

»Warum erlaubst du dir nicht, mich zu lieben?« fragte sie inständig, aber mit einem Anflug von Spott in der Stimme. Sein Unterkiefer spannte sich.

»Liegt es daran, daß du Angst hast?«

Er hörte die Beimischung von Hohn.

»Wovor?« fragte er.

»Angst vor der eigenen Courage?«

Es trat eine Stille ein. Es machte ihn wütend, daß sie dasitzen und ihn liebkosen und gleichzeitig verhöhnen konnte.

»Was habe ich bloß mit mir gemacht?« fragte er.

»Du hast es dir sorgfältig erspart, mir alles zu geben – aus Angst, du könntest etwas verlieren.«

»Warum sollte ich etwas verlieren?« fragte er.

Sie schwiegen nun beide. Endlich erhob sie sich und entfernte sich von ihm, um eine Zigarette zu holen. In ihren Händen blitzte das silberne Etui vom Kaminfeuer rot auf. Sie rieb ein Streichholz an, es zerbrach, sie warf es beiseite, entzündete ein neues.

»Wozu eigentlich bist du so rasch zurückgekommen?« fragte sie in aufsässigem Ton und hielt die Lippen halb geschlossen wegen der Zigarette. »Ich habe dir gesagt, daß ich Ruhe haben wollte. Seit einem Jahr habe ich keine Ruhe gehabt. Und in den letzten drei Monaten hast du immer nur versucht, mich kaputt zu machen.«

»Geschwächt hat es dich jedenfalls nicht«, antwortete er sarkastisch.

»Trotzdem«, sagte sie, »innerlich bin ich krank. Ich leide und bin dich leid – leid. Immer und ewig stellst du Ansprüche und gibst einem nichts dafür zurück. Bei dir geht man leer aus.« Damenhaft paffte sie an ihrer Zigarette und schlug sich dann plötzlich mit einer ungestümen Handbewegung vor die Stirn. »Ich habe ein abscheulich leeres Gefühl im Kopf«, sagte sie. »Ich spüre, daß ich einfach ausruhen muß – ich muß.«

Die Wut schoß ihm wie Feuer durch die Adern.

»Von deinem mühevollen Tagewerk?« fragte er sarkastisch, während er sich anstrengte, ruhig zu bleiben.

»Von dir – von dir?« rief sie und reckte ihm den Kopf entgegen. »Von dir, der du mit deinem heruntergekommenen Leben die Seele einer Frau auszehrst. Vermutlich liegt es zum Teil auch an deiner Gesundheit, und du kannst nichts dafür«, fügte sie sanfter hinzu. »Aber ich halte es einfach nicht aus – ich kann einfach nicht mehr, das ist alles.«

Unachtsam klopfte sie ihre Zigarette in Richtung des Kamins ab. Die Asche fiel auf den schönen asiatischen Teppich. Sie sah es, kümmerte sich aber nicht darum. Starr vor Wut saß er da.

»Darf ich fragen, inwiefern ich dich auszehre, wie du es nennst?«

Einen Moment lang schwieg sie und versuchte, ihr Empfinden in Worte zu fassen. Leidenschaftlich schleuderte sie ihm die ausgestreckte Hand entgegen und nahm mit der anderen die Zigarette aus dem Mund.

»Indem – indem du mir nachläufst – indem du mich nie allein läßt. Du läßt mir keine Ruhe – ich weiß nicht, was du tust, aber es ist abscheulich.«

Wieder schoß die Wut durch seinen Kopf.

»Das klingt sehr unbestimmt«, sagte er.

»Ich weiß«, rief sie. »Ich kann es nicht ausdrücken – aber es ist da. Du – du liebst nicht. Ich verströme mich für dich, und dann – nichts – du bist einfach nicht da.«

Er schwieg eine Weile. Sein Unterkiefer hatte sich in Wut und Haß verkrampft.

»Womit wir beim unbegreiflichen Teil der Angelegenheit angelangt wären«, sagte er. »Und was ist nun mit Richard?«

Im Zimmer war es jetzt fast dunkel. Einen Moment lang saß sie schweigend da. Dann nahm sie die Zigarette aus dem Mund und betrachtete sie.

»Ich werde mich mit ihm treffen«, gab ihre Stimme aus dem Zwielicht spöttisch zur Antwort.

In seinem Schädel glühte es. Er konnte kaum atmen.

»Wer ist er?« fragte er, obwohl er nicht glaubte, daß an dieser Sache irgend etwas dran war, selbst wenn es einen Richard gab.

»Ich werde dich mit ihm bekannt machen, wenn ich ihn ein bißchen besser kenne«, sagte sie. Er wartete.

»Aber wer ist er?«

»Ich sage doch, ich werde dich später mit ihm bekannt machen.«

Es entstand eine Pause.

»Soll ich mitkommen?«

»So siehst du aus!« entgegnete sie höhnisch.

Das Mädchen trat leise ein, um die Vorhänge zu schließen und das Licht anzustellen. Mann und Frau saßen da und schwiegen.

»Ich vermute«, sagte er, als die Tür sich wieder geschlossen hatte, »du willst einen Richard zum Ausruhen?«

Sie nahm seinen Sarkasmus einfach als Feststellung.

»Genau«, sagte sie. »Einen einfachen, leidenschaftlichen Mann, der mich liebt, ohne alle diese Vorbehalte und Schwierigkeiten. Genau das will ich.«

»Nun, du bist ja unabhängig«, sagte er.

»Ha«, lachte sie. »Das brauchst du mir nicht zu sagen. Da müßte ein anderer kommen, mir meine Unabhängigkeit zu nehmen.«

»Ich meinte dein eigenes Einkommen«, antwortete er ruhig, während ihm das Herz sank vor Erbitterung und Wut.

»Also«, sagte sie, »ich gehe mich jetzt umziehen.«

Reglos verharrte er in seinem Sessel. Dieser Schmerz war fast unerträglich. Ein paar Augenblicke lang klopfte das Pochen der Entzündung durch seinen Körper. Dann ebbte es ab, und er ermattete. Er hatte sich in diesem Augenblick ihrer Verbindung nicht von ihr trennen wollen; wenn sie in einer solchen Krise auseinandergingen, würden sie wahrscheinlich nie wieder zusammenkommen. Aber wenn sie nicht nachgab, dann mußte es eben geschehen. Er würde für einen Monat fortgehen. Leicht konnte er sich in Italien Arbeit machen. Und wenn er zurückkäme, konnten sie irgendeine Regelung für ihre Verhältnisse finden; so mußten es die meisten anderen ja auch machen.

Er kam sich abgestumpft und schwer vor, ohne jede

Kraft. Der Gedanke, daß er packen und den Zug nach Mailand nehmen mußte, war ihm entsetzlich; es würde ihn so viel Willenskraft kosten. Aber es ging nicht anders. Es hatte keinen Zweck, daheim zu warten. Eine Nacht konnte er noch in der Stadt bleiben, bei seinem Schwager, und dann am nächsten Tag fahren. Besser ihr etwas Zeit lassen, wieder zu sich zu kommen. Sie war immer so impulsiv. Und eigentlich wollte er doch gar nicht von ihr weg.

Er saß immer noch da und dachte nach, als sie wieder herunterkam. Sie hatte ein Kostüm angezogen, dazu den Pelz und die Toque. Etwas Sehnsüchtiges und zugleich Abartiges umstrahlte sie. Sie war eine schöne Frau, schwarzer Pelz umgab ihr waches, helles Gesicht.

»Würdest du mir etwas Geld geben?« sagte sie. »Drüben ist nichts.«

Er gab ihr zwei Sovereigns, die sie in ihre kleine schwarze Handtasche steckte. Sie schickte sich an, ohne ein Wort der Versöhnung zu gehen. Wieder krampfte sich sein Herz zusammen.

»Willst du, daß ich für einen Monat weggehe«, fragte er ruhig.

»Ja«, antwortete sie eigensinnig.

»Nun gut, dann werde ich gehen. Bis morgen muß ich noch in der Stadt bleiben, aber ich schlafe bei Edmund.«

»So könntest du es machen, oder?« sagte sie und nahm seinen Vorschlag ein wenig zögernd an.

»Wenn du es willst.«

»Ich bin so müde«, jammerte sie.

Aber es lag auch Wut und Haß in diesem letzten Wort.

»Sehr gut«, antwortete er.

Sie hatte ihre Handschuhe jetzt fertig geknöpft.

»Du gehst also?« sagte sie plötzlich munter, und wandte sich zum Gehen. »Lebwohl.«

Er haßte sie wegen der beleidigenden Leichtfertigkeit, mit der sie Abschied nahm.

»Ich werde morgen bei Edmund sein«, sagte er.

»Du schreibst mir doch aus Italien, oder?«

Er antwortete nicht auf diese unnötige Frage.

»Hast du dir die verwelkten Primeln aus dem Haar genommen?« fragte er.

»Nein«, sagte sie.

Und sie zog die Nadel aus ihrem Hut und setzte ihn ab.

»Richard würde mich für verrückt halten«, sagte sie, während sie sich die verschrumpelten, schlaffen Pflanzenreste aus dem Haar zog. Sie streute die verwelkten Blumen achtlos auf den Tisch und setzte den Hut wieder auf.

»Willst du, daß ich gehe?« fragte er noch einmal, ziemlich sehnsüchtig.

Sie zog die Augenbrauen zusammen. Es machte sie verdrießlich, diesem Appell zu widerstehen. Doch sie trug in ihrer Brust ein Gefühl starrer Abweisung gegen ihn. Auch sie hatte ihn geliebt. Von ganzem Herzen hatte sie ihn geliebt. Aber – er schien sie gar nicht zu bemerken. Und deshalb wollte sie jetzt für eine Zeitlang frei von ihm sein. Wohl haftete die Liebe, die Leidenschaft, die sie für ihn empfunden hatte, noch an ihr. Aber zuerst und vor allem wollte sie wieder frei von ihm sein.

»Ja«, sagte sie, halb flehend.

»Also gut«, antwortete er.

Sie kam auf ihn zu und legte ihm die Arme um den Hals. Ihre Hutnadel stieß gegen seinen Kopf, und er zog ihn weg, aber sie bemerkte es gar nicht.

»Es macht dir doch nicht allzuviel aus, mein Lieber?« sagte sie zärtlich.

»Es macht mir sehr viel aus, alles!« sagte er.

Sie löste sich von ihm, gereizt, niedergeschlagen und doch entschlossen.

»Ich muß einfach etwas Ruhe finden«, wiederholte sie.

Er kannte diese Parole. Seit zwei Monaten hatte sie sie von Zeit zu Zeit verlautbart. Er hatte sie dafür verwünscht und sich geweigert, selbst zu gehen oder sie gehen zu lassen. Jetzt hatte es keinen Zweck mehr, das wußte er.

»Na schön«, sagte er. »Geh und hol sie dir bei Richard.«

»Ja.« Sie zögerte. »Lebwohl«, rief sie und war fort.

Er hörte ihr Taxi davonrauschen. Er hatte keine Ahnung, wohin sie fahren würde – wahrscheinlich zu ihrer Freundin Madge.

Er ging nach oben, um zu packen. Der Anblick des Schlafzimmers versetzte ihm einen Stich. Zu Anfang hatte sie immer gesagt, alles würde sie aufgeben können, nur nicht, mit ihm zu schlafen. Und noch heute waren sie immer zusammen. Eine Art blinder Hilflosigkeit trieb sie zueinander, auch wenn sich, nachdem er sie genommen hatte, in ihnen das Gefühl ausbreitete, sie seien weiter voneinander entfernt denn je. Ihr war es vorgekommen, als würde er mechanisch und phantasielos mit ihr umgehen. Tief in ihrem Inneren empfand sie eine abscheuliche Abneigung gegen ihn, noch während sie ihn körperlich begehrte. Sein Leib hatte für sie immer eine große Faszination besessen. Aber der ihre auch für ihn? Wenn er sie liebte, war es oft, als wäre er ihr nur zu Diensten, oder als würde er irgendeinem unpersönlichen Drang gehorchen, für den sie das einzige Ventil war. So erhob sie sich zuletzt gegen ihn, um ihn abzuschütteln. Immerzu schien er ihr zu folgen, ihr Leben in sich aufzusaugen. Sie hatte das Gefühl, es werde sie verrückt machen. Denn er schien es einfach blindlings zu tun, ohne an sie auch nur zu denken. Es war, als würde sie von einer nichtmenschlichen Kraft ausgesaugt. Und er, er wirkte wie ein bloßes Werkzeug, ein Arbeitsgerät, gar nicht wie ein Mensch. Manchmal kam er ihr vor wie ein gewaltiger Füllfederhalter, der ihr das Blut als Tinte abzapfte.

Er konnte das alles nicht verstehen. Er liebte sie – er konnte es nicht ertragen, von ihr entfernt zu sein. Er versuchte, sie zu erkennen und ihr zu geben, was sie verlangte. Aber er konnte nicht verstehen. Er konnte die Vorwürfe nicht verstehen, die sie gegen ihn erhob. Körperlich, das wußte er, liebte sie ihn oder hatte ihn geliebt und wurde von ihm befriedigt. Er wußte auch, daß sie einen anderen Mann fast ebensogut geliebt hätte. Und im übrigen war er eben nur er selbst. Er konnte nicht verstehen, was sie meinte, wenn sie von Ausnutzen sprach und daß er ihr nichts zurückgab. Vielleicht dachte er nicht genug daran, daß sie eine andere Person war, von ihm getrennt. Aber er sah auch nicht, konnte nicht sehen, daß sie ein eigenes, persönliches, von ihm gesondertes Leben hatte. Er versuchte, sie sich auf alle möglichen Weisen vorzustellen und ihr zu geben, wonach sie verlangte. Aber es hatte keinen Zweck; sie kam nie zur Ruhe. Und zuletzt hatte sich eine Kluft zwischen ihnen aufgetan. Danach waren sie nie mehr zusammengekommen, ohne daß er diese Kluft nicht bemerkt hätte. Jetzt mußte er nachgeben und fortgehen.

Ihr gesteppter Morgenrock – er war ein bißchen verschlissen wie die meisten ihrer Sachen – und ihr mit Perlen besetzter Spiegel, an dem eine Perle fehlte, alle ihre unordentlichen, fadenscheinigen, liebenswerten Dinge taten ihm, während er in diesem Schlafzimmer umherging, weh und machten ihm das Herz inmitten seiner Liebe starr vor Haß.

2.

Statt bei seinem Schwager übernachtete er dann doch in einem Hotel. Erst als er im Fahrstuhl stand, neben ihm der Bedienungsmann, wurde ihm klar, daß er nur ungefähr eine Meile von seinem eigenen Zuhause entfernt war, und dennoch weiter weg, als man sich in Meilen je von ihm entfernen konnte. Es ging auf neun Uhr zu. Er haßte sein Zimmer. Es war komfortabel, ohne zu protzen; der einzige Mangel war die bei einem Hotelzimmer notwendige Neutralität. Er sah sich um. Über dem Bett hing ein halbwegs erotisches florentinisches Bild: eine vornehme Dame mit Katzenaugen. Es war nicht schlecht. Der einzige sonstige Wandschmuck war der Hinweiszettel mit den Uhrzeiten und Preisen für die Mahlzeiten und das Zimmer. Die Couch stand korrekt vor dem korrekten Tischchen mit den unvermeidlichen Schreibutensilien und dem Tintenfaß. Die Straße unten war in schwaches Licht getaucht, ein paar Leute gingen vorbei, wie verkrüppelte Schatten. Und es war erst Viertel nach neun. Er überlegte, ob er zu Bett gehen sollte. Da fiel sein Blick auf die weiße verglaste Tür, die ihn vom Bad trennte. Er würde baden, um sich die Zeit zu vertreiben. Im Badezimmer war alles so komfortabel, so weiß und warm – zu warm; die gleichbleibende Hitze, der man nirgendwo entkommen konnte, war so schauderhaft hotelgemäß; diese Zentralheizung nötigte dem großen Haus eine unerträgliche Einheitlichkeit auf und verwandelte es mehr als alles andere in eine riesige Schachtel aus lauter Brutkästen. Es ekelte ihn an. Aber das Bad war jedenfalls menschlich, weiß und praktisch und luxuriös.

Mit dem wollüstigen warmen Wasser und dem erregenden Kitzel der Dusche versuchte er seinen betäubten Körper zu beleben. Seit sie angefangen hatte, ihn zu hassen, hatte er den physischen Stolz und die Lust an der eigenen Körperlichkeit verloren, den ihm die ersten Monate des Ehelebens geschenkt hatten. Sein Körper war für ihn wieder bedeutungslos geworden, fast so, als wäre er gar nicht da. Damals war er erwacht, er hatte die körperliche Glut und die Freude an den eigenen Bewegungen gespürt, wie ein Lebewesen, das sich selbst genießt; eine Glut, wie sie in dem Mann aufsteigt, der leidenschaftlich und erfolgreich liebt und geliebt wird. Jetzt war sie wieder verschwunden. Alle Lebendigkeit sammelte sich in seinem Gedankenbewußtsein, während ihm der Körper wie ein Stück Abfall vorkam. Er war sich dessen nicht bewußt. Es war der Instinkt, der ihm den Wunsch zu baden eingab. Aber auch das wurde ein Mißerfolg. Er trat unter die Brause, den Kopf voll mit geschäftlichen Dingen und Vorgängen, nahm das Prickeln des Wassers kaum wahr und trat wieder hervor, wie jemand, der eine langweilige Routineangelegenheit erledigt hat. Jetzt war er wieder trocken, sah aus dem Fenster und hatte während der vergangenen Stunde nichts empfunden.

Da fiel ihm ein, daß sie seine Adresse nicht wußte. Er kritzelte eine kurze Nachricht und klingelte, um sie aufgeben zu lassen.

Sobald er das Licht ausgeschaltet hatte und nichts mehr da war, worin sich sein Gedankenbewußtsein ergehen konnte, verlöschte es, und in seinem Inneren wurde es so dunkel wie draußen. Nun erhob sich in ihm sein Blut und das elementar Männliche darin; unbekannte Instinkte erstickten ihn, und er konnte nicht ertragen, daß er in diesem großen, überhitzten Gebäude eingeschlossen war. Er wollte draußen sein, Raum um sich spüren. Aber das vernünftige Wesen in ihm wußte, daß dies lächerlich war, also starrte er weiter in die Dunkelheit und hatte das schauderhafte Gefühl, tief über ihm hänge eine riesige Decke; während sich gleichzeitig das dunkle, unbekannte Wesen, das unter seinem Bewußtsein im ewigen Dämmer seines Blutes lebte, aufbäumte und blindlings gegen ihn wütete.

Es waren nicht seine Gedanken, die ihn verkörperten. Sie trudelten wie Strohhalme oder trieben wie schillernde Ölspuren auf einem dunklen Strom. Undeutlich sah er seine Frau im Geiste vor sich, wie sie mit dem symbolischen Richard einen unbeschwerten, amüsanten Abend verbrachte. Das machte ihm nicht viel aus. Eigentlich machte er sich über Richard keine großen Gedanken. Aber stark und dunkel spürte er sie, wie sie sich von ihm lösen wollte, aus der tiefen, untergründigen Nähe, die sich im Laufe der Zeit zwischen ihnen eingestellt hatte, zurück in den seichten Alltag, wo man von untergründiger Tiefe nichts weiß, so daß sie sich von dort ihren Weg am Bewußtsein vorbei bahnt. Sie wollte nicht, daß ihre Tiefe in direkte Berührung mit einem anderen Innenwesen käme oder unter dessen Einfluß geriete. Sie wollte im tiefsten Sinne frei von ihm sein. Sie konnte die enge, elementare Nähe nicht ertragen, in die sie geraten war. Sie wollte ihr eigenes Leben leben. Gewiß, früher war es ihr stärkstes Verlangen gewesen, durch ihr ganzes Wesen die Berührung mit dem tiefsten Unten kennenzulernen. Jetzt peinigte es sie. Sie wollte sich von seinen Wurzeln losmachen. Oben, im Freien würde sie geben. Aber dazu mußte sie vollkommen frei und für sich leben, durfte nicht in der Tiefe ihrer Wurzeln mit irgendwem verbunden sein. Sie benutzte diesen symbolischen Richard als einen Spaten, um ihr Wurzelgeflecht von dem seinen zu trennen. Und er kam sich vor wie ein Ding, das sich mit all seinen Wurzeln festklammert und dessen elementare Lebendigkeit, die blinde Quelle von allem, im Dunkel, in einem Chaos auf- und niederwogt, wie etwas, das im nächsten Augenblick aus seinem ureigensten Behältnis verschüttet zu werden droht.

Dieses gewaltige Wogen seines Innersten währte stundenlang fort und erfüllte sein Wesen, während er auf der Oberfläche an die bevorstehende Reise dachte, an das Italienisch, das er sprechen würde, daran, wie er einmal seinen Mantel im Zug vergessen hatte, und an den amtlichen Dolmetscher, diesen Schurken, der versucht hatte, ihm gegen einen Sovereign zwanzig Lire zu wechseln, und wie ihm der Mann in dem Hutgeschäft am Strand beim Bezahlen falsch herausgegeben hatte – und so weiter. Unter alledem wogte, wie das Meer unter einem Vergnügungs-Pier, seine elementare Körperseele in mächtigen Wellen durch sein Blut und sein Gewebe, das Aufschluchzen, das lautlose Ansteigen, das sanfte Abgleiten danach. So geschah es, daß sich sein Blut, aus dessen Dunkelheit alles erwuchs, aufbäumte und, bis ins Tiefste von ihrer Abkehr getroffen, pochend seiner eigenen Ruhe zudrängte, blindlings seiner Besänftigung entgegenwogte.

Ohne es zu bemerken, litt er in dieser Nacht fast mehr, als er je im Leben gelitten hatte. Aber das alles trug sich unterhalb seines Bewußtseins zu. Sein Leben selbst war in einen Sturm geraten, sein Verstand und sein Wille waren daran überhaupt nicht beteiligt.

Am Morgen erhob er sich, ein wenig benommen und ruhig, ohne daß sich in ihm viel regte, da war nur die Klarheit nach dem Sturm. Sein Körper kam ihm vor wie eine leere, saubere Muschel. Sein Kopf war völlig klar. Mit einer gewissen Sorgfalt besorgte er seine Toilette, und beim Frühstück im Restaurant umgab ihn jene neutrale Korrektheit, die Männer manchmal so unwirklich erscheinen läßt.

Gegen Mittag kam ein Telegramm für ihn. Zu telegrafieren – das sah ihr ähnlich.

»Komm zum Tee, mein geliebter Mann.«

Während er dies las, wallte heftiger Widerstand in ihm

auf. Aber dann geriet er ins Schwanken. Seinem Bewußtsein fiel ein, wie spontan und voller Eifer sie gewesen war, als sie ihr Telegramm auf den Weg brachte, und er entkrampfte sich. Selbstverständlich würde er kommen.

3.

Als er im Aufzug stand und zu seiner eigenen Wohnung hinauffuhr, machte ihn der Schmerz, den ihm dies alles bereitete, fast blind. Sie hatten einander in seinem ersten Zuhause so sehr geliebt. Das Hausmädchen öffnete ihm, und er lächelte ihr freundlich zu. In dem in Goldbraun und Creme gehaltenen Vestibül – Paula mochte nichts Schweres, Düsteres um sich haben – strahlte ein Busch von rosa Azaleen, und harmlos zwinkerte daneben ein kleiner Kübel mit Lilien.

Sie kam nicht heraus, um ihn zu begrüßen.

»Tee ist im Salon serviert«, sagte das Mädchen, und er trat ein, während sie seinen Mantel aufhängte. Der Salon war geräumig, man spürte die Tiefe. Ein heller Teppich, etwa in der Farbe von unpoliertem Mamor mit einem Rand in Grau und Rosa, bedeckte den Boden. Rosafarbene Rosen auf großen weißen Kissen, hübsches Dresdner Porzellan und tiefe, mit Chintz bezogene Sessel und Sofas, die aussahen, als würden sie häufig benutzt. Ein Raum, in dem man sich in weiche, frische Behaglichkeit hüllen konnte, der nicht viel Zerbrechliches enthielt und der in der Dämmerung dieses Frühlingsabends noch heller wirkte als die Straßen draußen.

Paula erhob sich, wie eine Königin dreinblickend und strahlend, als sie ihm ihre Hand entgegenstreckte. Auf der anderen Seite des Kamins richtete sich ein junger Mann auf, den Peter noch gar nicht wahrgenommen hatte.

»Ich habe dich schon vor einer Stunde erwartet«, sagte sie und sah ihrem Mann in die Augen. Aber obwohl sie ihn anblickte, sah sie ihn nicht. Und er senkte den Kopf.

»Hier ist noch ein Moest«, sagte sie und stellte den Fremden vor. »Er kennt Richard auch.«

Der junge Mann, ein Deutscher von etwa dreißig Jahren mit einem sauber rasierten Ästhetengesicht unter langem, schwarzen Haar, das in der Erschöpfung oder Verblüffung aus der Stirn gestrichen war und in unordentlichen, lockeren Strähnen wieder herabzufallen drohte, so daß er es mit seiner schmalen Hand nervös zurückschob, sah Moest an und verbeugte sich. Er hatte ein fein geschnittenes Gesicht, aber seine dunkelblauen Augen blickten angespannt drein, so als wüßte er nicht recht, wo er sich befand. Er setzte sich wieder, und seine angenehme Gestalt nahm die selbstbewußte Haltung eines Menschen ein, zu dessen Geschäften es gehört, Dinge zu sagen, denen andere zuhören sollen. Er war nicht eingebildet oder eitel, sondern auf eine natürliche Weise sensibel und unbefangen; bewegen konnte er sich jedoch nur in einer Atmosphäre, die von Literatur und literarischen Gedanken erfüllt war; allerdings schien er zu ahnen, daß es auch noch etwas anderes gab, und fühlte sich deshalb ein wenig hilflos. Unbewegt wie ein Insekt, das die Sonne erwartet, um sich zum Flug aufzuschwingen, wartete er, bis das Gespräch eine ihm gemäße Wendung nahm.

»Noch ein Moest«, sagte Paula mit Nachdruck. »Tatsächlich noch ein Moest, von dem wir noch nie gehört haben, und er wohnt unter demselben Dache wie wir.«

Der Fremde lachte, nervös spannten sich dabei seine Lippen über den Zähnen.

»Sie wohnen hier im Haus?« fragte Peter überrascht.

Der Mann rückte in seinem Sessel, senkte den Kopf und sah wieder auf.

»Ja«, sagte er und sah Moest wie geblendet an. »Ich wohne bei den Lauriers, im zweiten Stock.«

Er sprach ein langsames Englisch, mit einer seltsamen Musikalität und einer gewissen Rhythmik in der Stimme.

»Ich verstehe; und das Telegramm war für Sie?« fragte der Gastgeber.

»Ja«, entgegnete der Fremde mit einem kurzen, nervösen Lachen.

»Mein Mann«, schaltete sich Paula ein und wiederholte, damit Peter es hören konnte, was sie dem Deutschen offenbar schon vorher erzählt hatte, »war nämlich überzeugt, ich hätte eine *affaire*« – sie sprach das Wort französisch aus – »mit diesem schrecklichen Richard.«

Der Deutsche gab noch einmal sein kurzes Lachen von sich und rückte verlegen in seinem Sessel herum.

»Ja«, sagte er und warf einen Blick zu Moest hinüber.

»Hast du die Nacht in tugendhafter Empörung verbracht?« fragte Paula ihren Mann lachend, »und dir meine Treulosigkeit ausgemalt?«

»Das habe ich nicht«, sagte ihr Mann. »Warst du bei Madge?«

»Nein«, sagte sie. Dann wandte sie sich ihrem Gast zu: »Wer ist dieser Richard, Mr. Moest?«

»Richard«, begann der Deutsche, ein Wort vom anderen absetzend, »ist mein Vetter.« Er warf einen raschen Blick zu Paula hinüber, um zu prüfen, ob sie ihn verstand. Sie raschelte mit ihrem Rock und setzte sich bequem hin, zurückgelehnt oder vielmehr hingehockt, auf dem Sofa am Kamin. »Er wohnt in Hampstead.«

»Und wie ist er?« fragte sie mit gespanntem Interesse.

Der Deutsche ließ sein kurzes Lachen ertönen. Dann fuhr er sich, immer noch wie geblendet, mit den Fingern über die Stirn und sah aus seinen schönen Augen seine schöne Gastgeberin an.

»Ich –« Wieder lachte er nervös. »Er ist ein Mann, dessen einzelne Teile – ich nicht viel – mir nicht sehr gut bekannt sind. Verstehen Sie mich bitte«, unterbrach er sich, und es war offensichtlich, daß er jetzt zu einem imaginären Publikum sprach – »es fällt mir nicht leicht, mich im Englischen auszudrücken. Ich – ich habe es nie gesprochen. Ich werde, weil ich über das moderne England nichts weiß, eine Art Renaissance-Englisch sprechen.«

»Wie entzückend!« rief Paula. »Aber Sie können ruhig deutsch sprechen. Wir verstehen es recht gut.«

»Ich möchte lieber ein bißchen Renaissance-Englisch hören«, sagte Moest.

Paula war ganz beglückt über den neuen Fremden. Sie lauschte seinen Beschreibungen von Richard und rückte angeregt auf ihrem Sofa hin und her. Sie trug ein neues Kleid in sattem Ziegelrot, glänzend, lang, weich, und in ihren geflochtenen Zopf hatte sie Gänseblümchen wie kleine Knöpfe gewunden. Ihr Mann haßte sie wegen dieser Ungezwungenheit. Gewiß, sie war auch schön und warmherzig. Doch hinter all ihrer Wärme und Freundlichkeit, so sagte er sich, lag eine katzenhafte Selbstgefälligkeit, eine Kälte.

Spielerisch ließ sie sich auf den Fremden ein – nein, es war kein Spiel, er beschäftigte sie wirklich. Der junge Mann war der Lieblingsschüler des berühmtesten deutschen Dichters und »Meisters« der Zeit. Er selbst beschäftigte sich mit Shakespeare-Übersetzungen. Da er immer ein Dichterschüler gewesen war, war er mit dem Leben immer nur durch die Literatur in Berührung gekommen, und darin lag, denn er war ein feinsinniger junger Mann mit einem menschlichen Drang zum Leben, seine Tragik. Es dauerte nicht lange, bis Paula herausgefunden hatte, was ihm fehlte, und sie war erpicht darauf, ihm zu Hilfe zu kommen.

Aber es machte ihr dennoch Vergnügen, daß ihr Mann daneben saß und ihr zusah. Sie vergaß, Tee auszuschenken. Moest und der Deutsche bedienten sich selbst, und Moest füllte auch die Tasse seiner Frau. Er hielt sich im Hintergrund, zuhörend, abwartend. Sie hatte ihn lächerlich gemacht, indem sie mit diesem Fremden über »Richard« sprach; leichtfertig witzelnd hatte sie ihn lächerlich gemacht. Es paßte ihm nicht, aber er war daran gewöhnt. Und nun konzentrierte sie sich auf diesen geblendeten, ausgehungerten, von der Literatur verstörten jungen Deutschen, der auch noch tatsächlich liebenswert war, offenbar ein Gentleman. In ihm erblickte sie ihre Aufgabe – »genauso«, sagte sich Moest verbittert, »wie sie vor einem Jahr ihre Aufgabe in mir gesehen hat. Sie ist keine Frau. Sie hat ein großes Herz für jeden, aber darin muß es aussehen wie in einem Gemeinschaftsraum; sie hat kein inniges, heimliches Herz, außer vielleicht für sich selbst, und darin ist kein Platz für einen Mann.«

Endlich verabschiedete sich der Fremde – mit dem Versprechen, wiederzukommen.

»Ist er nicht allerliebst?« rief Paula, als ihr Mann in den Salon zurückkehrte. »Ich finde ihn einfach allerliebst.«

»Jawohl!« sagte Moest.

»Er kam heute morgen vorbei, um nach dem Telegramm zu fragen. Der arme Kerl, ist es nicht eine Schande, was sie aus ihm gemacht haben?«

»Was wer aus ihm gemacht hat?« fragte ihr Mann kühl, eifersüchtig.

»Diese Literaturmenschen. Die nehmen sich einfach einen jungen Burschen und stellen ihn zwischen die literarischen Götter, wie Nippes auf den Kaminsims, und da muß er dann stehen, als ein Schnörkel unter vielen, und hat nichts von seiner Jugend. Ein Verbrechen!«

»Dann sollte er eben vom Kaminsims heruntersteigen«, sagte Moest.

Aber in seinem Herzen war es schwarz vor Wut auf sie. Was hatte sie sich mit diesem jungen Mann abzugeben, wenn er selbst von ihr fast zerschmettert wurde? Er verabscheute ihr Mitleid und ihre Freundlichkeit, die nach einer Wohltätigkeitsveranstaltung schmeckten. Diese Frau hatte kein Herz. Sie war voller Edelmut und Größe und Freundlichkeit, aber in ihr war kein Herz, keine Zuflucht, kein Platz für einen einzelnen Mann. Er fing an, die Sirenen und Sphinxen und die anderen weiblichen Fabelwesen der Griechen zu verstehen. Sie waren nicht der Phantasie entsprungen, sondern dem bitteren Ausdrucksverlangen des männlichen Herzens.

»Ha!« lachte sie mit halb verächtlichem Ton. »Bist du etwa von selbst aus deiner elenden, ausgehungerten Isolation herausgekommen? – das bist du nicht! Man mußte dich herausholen, ich mußte es tun.«

»Mit deiner üblichen Nächstenliebe«, sagte er.

»Aber über die Schwierigkeiten eines anderen Mannes, da kannst du dich lustig machen«, sagte sie.

»Als Allheilmittel, das du bist, solltest du nicht Paula heißen, sondern Panazea«, erwiderte er.

Er war wütend auf sie, und zugleich empfand er eine Taubheit ihr gegenüber. Er konnte sie sogar ansehen, ohne daß Zärtlichkeit ihn überkam. Und er war froh darüber. Er haßte sie. Sie schien es nicht zu bemerken. Gut so; sollte sie ruhig so bleiben.

»Oh, aber mir wird ganz elend zumute, wenn ich ihn so sehe!« rief sie. »Diese Verlegenheit, er schafft es nicht, auf jemanden zuzugehen, lebt ein falsches literarisches Leben, wie ein Mensch, der die Dichtung als Droge benutzt. – Man sollte ihm helfen.«

Sie meinte es wirklich ernst und war ganz betrübt.

»Warum in die Bratpfanne, wenn es Feuer gibt?« sagte er.

»Ich wäre jederzeit lieber im Feuer als in der Bratpfanne«, sagte sie abwesend mit einem leichten Schaudern. Nie manchte sie sich die Mühe, den Sinn seiner sarkastischen Bemerkungen zu begreifen.

Sie schwiegen. Das Mädchen kam herein, um das Tablett zu holen und zu fragen, ob er zum Dinner da sein werde. Er wartete darauf, daß seine Frau antworten werde. Sie saß da, das Kinn in die Hand gestützt, grübelte über den jungen Deutschen nach und hörte nicht zu. Wut loderte in ihm auf. Am liebsten hätte er sie mit einem Schlag ins Gesicht aus dieser falschen Geistesabwesenheit gerissen.

»Nein«, sagte er zu dem Mädchen. »Ich glaube nicht. Bist du zum Dinner zu Hause, Paula?«

»Ja«, sagte sie.

Und er erkannte an dem leichten, gedankenverlorenen Ton ihrer Stimme, daß sie wünschte, auch er möge bleiben. Aber sie ließ sich nicht herbei, etwas zu sagen.

Nach einer Weile fragte sie endlich:

»Was hast du gemacht?«

»Nichts – habe mich zeitig hingelegt«, erwiderte er.

»Hast du gut geschlafen?«

»Ja, danke.«

Er bemerkte das Groteske an den Höflichkeiten von Eheleuten und wollte fort von hier. Sie schwieg eine Zeitlang. Dann fragte sie ihn, und ihre Stimme war ruhig und ernst geworden:

»Warum fragst du mich nicht, was ich gemacht habe?«

»Weil es mir gleichgültig ist – du wirst irgend jemanden zum Dinner besucht haben.«

»Warum ist es dir gleichgültig, was ich tue? Ist es nicht deine Sache, dich zu kümmern?«

»Um Dinge, die du tust, um mir eins auszuwischen? – nein!«

»Ha!« rief sie spöttisch. »Ich habe nichts getan, um dir eins auszuwischen. Es war mir todernst.«

»Auch mit deinem Richard?«

»Ja«, rief sie. »Es hätte einen Richard geben können. Aber dir ist das gleichgültig.«

»In dem Falle wärst du eine Lügnerin gewesen oder noch etwas Schlimmeres, warum sollte ich mich da um dich kümmern?«

»Ich bin dir *wirklich* gleichgültig«, sagte sie verdrießlich.

»Du redest, wie es dir in den Kram paßt«, antwortete er.

Sie schwieg einige Zeit.

»Und hast du gestern abend überhaupt nichts gemacht?« fragte sie.

»Ich habe gebadet und bin zu Bett gegangen.«

Sie überlegte.

»Nein«, sagte sie, »ich bin dir gleichgültig.«

Er antwortete gar nicht darauf. Eine kleine Porzellanuhr schlug leise sechs.

»Ich fahre morgen nach Italien«, sagte er.

»Ja.«

»Und«, sagte er langsam und preßte jedes Wort hervor, »ich werde in Aquila Nera bei Mailand wohnen – du kennst meine Adresse.«

»Ja«, antwortete sie.

»Ich werde einen Monat wegbleiben. Inzwischen kannst du ausruhen.«

»Ja«, sagte sie mit kehliger Stimme und einem Anflug von Verachtung für ihn und seine steife Art. Ohne es zu wollen, atmete er sehr heftig. Er wußte, daß seine Abreise die wirkliche Trennung ihrer Seelen bedeutete, daß sie jenen Punkt bezeichnete, über den sie nicht hinausgehen konnten, und daß sich ihre Ehe damit endgültig als Fehlschlag erwies. Dabei hatte er sein ganzes Leben auf diese Ehe gegründet. Und nun warf sie ihm vor, er würde sie nicht lieben. Er klammerte sich an die Lehnen seines Sessels. War etwas daran? Wollte er nur das Drumherum, das sich mit ihr verband, den inneren Frieden, der sich beim Mann einstellt, wenn er sich einer einzigen Frau schenkt, auch wenn die Liebe zwischen ihnen nicht vollkommen ist; die Einzigkeit und Einheit in seinem Leben, die dieses Leben leicht machten; die feste Stellung, die er als verheirateter Mann mit einem Hausstand einnahm; das Gefühl, daß er irgendwo hingehörte und daß da eine Frau war – nicht *bezahlt wurde*, sondern *da war* –, die sich wirklich um ihn kümmerte; wollte er diese Dinge und nicht sie selbst? Aber aus all diesen Gründen wollte er gerade sie – sie und keine andere. Doch ihr war das vielleicht nicht genug? Vielleicht tat er ihr Unrecht – möglich war es. Was sie gegen ihn sagte, war ernst gemeint. Und was sie ernst meinte, das mußte er letzten Endes glauben, denn es war eine Äußerung ihres Wesens. Ihm war elend zumute, er fühlte sich erschöpft.

Als er durch das Zwielicht, das den Raum immer mehr füllte, zu ihr hinübersah, starrte sie in das Feuer und kaute an ihren Fingernägeln, ruhelos, ruhelos, ohne es zu bemerken. Plötzlich wurde ihm in allen Gliedern ganz schwach, und er erkannte, daß auch sie litt, daß etwas an ihr nagte. Irgend etwas in ihrer Miene, dieser geduckte, verbissene, fragende Blick machte ihn ganz schwach vor Zärtlichkeit für sie.

»Kau nicht an deinen Fingernägeln«, sagte er ruhig, und gehorsam nahm sie die Hand vom Mund. Sein Herz schlug sehr schnell. Er konnte spüren, wie sich die Atmosphäre im Raum verwandelte. Er war weit weg gewesen, dieser Raum, etwas, das ihn wie eine große Schachtel umgab. Jetzt breitete sich eine Art von Sanftheit darin aus, als würde auch der Raum von jener Atmosphäre zehren, an der er, Peter, teilhatte, und alles wurde eins.

Seine Gedanken kehrten zu den Vorwürfen zurück, die sie gegen ihn erhoben hatte, und, als wäre es in einen Käfig gesperrt, pochte sein Herz gegen das, was er nicht verstehen konnte. Sie sagte, er liebe sie nicht. Aber er wußte, daß er es auf seine Weise tat. Auf seine Weise – aber war seine Weise die falsche? Seine Weise bestand darin, daß er, wie er meinte, kämpfte. Stimmte irgend etwas nicht mit ihm, fehlte ihm etwas, daß er nicht lieben konnte? Er kämpfte wie verrückt, als hätte er sich in einem Netz verwickelt und könnte sich nicht mehr daraus befreien. Er wollte nicht glauben, daß es seiner Natur an irgend etwas fehlte. Woran fehlte es bei ihm? Es war nichts Körperliches. Sie sagte, er komme nicht aus sich heraus, es habe für sie keinen Zweck mit ihm, weil er nicht aus sich herauskommen könne. Was meinte sie damit? Nicht aus sich heraus! Es klang, als ginge es um ein akrobatisches Kunststück, den Trick eines geschmeidigen Schlagenmenschen. Nein, er konnte es nicht verstehen. Ärger flammte in ihm auf. Immer suchte sie bei ihm nur nach Fehlern. Was bedeutete er ihr denn wirklich, wenn sie ihn damit aufziehen konnte, daß er unfähig sei, sich ein leichtes Mädchen zu nehmen, wenn er in Paris war? Obwohl er – soviel Gerechtigkeit mußte er ihr widerfahren lassen – im Grunde seines Herzens wußte, daß sie ihn deswegen liebte, wirklich liebte.

Aber es war zu kompliziert und zu schwierig, und schon als sie sich nachdenklich gesetzt hatten, war etwas schief gegangen zwischen ihnen, und alles schien verwickelt, furchtbar verwickelt, so daß er keine Luft mehr bekam. Er mußte gehen. Er konnte im Hotel zu Abend essen und dann ins Theater gehen.

»Also«, sagte er beiläufig, »ich muß gehen. Ich glaube, ich sehe mir ›Das Schwarze Schaf‹ an.«

Sie antwortete nicht. Dann wandte sie sich um und sah ihn mit einem seltsamen, verblüfften und zugleich verworfenen Lächeln an, in dem ein Bewußtsein von Schmerz mitschwang. Aus glänzenden, weit aufgerissenen Augen warf sie ihm einen triumphierenden Blick zu, aus dem zugleich ein heftiges Sehnen sprach. Er konnte nicht verstehen, und es kam ihm vor, als würde ihm zwischen ihrer Lockung und ihrem trotzigen Triumph die Brust zermalmt, so daß er keine Luft mehr bekam.

»Mein Lieber«, sagte sie ein wenig singend, abwesend, während ihre Lippen ihm irgendwie entgegenstrebten und ihre weit offenen Augen glänzten; und doch hatte er das Gefühl, als sei er nicht selbst gemeint.

Sein Herz war eine Flamme, die ihn am Atmen hinderte. Er klammerte sich an den Sessel wie ein Mann, der gefoltert werden soll.

»Was?« sagte er und starrte sie an.

»Ach, mein Lieber!« sagte sie sanft, mit einem kleinen innigen Lachen, das ihm den Atem verschlug. Und sie glitt von ihrem Sofa herab, kam rasch zu ihm hinüber und legte ihm zögernd die Hand auf das Haar. Wie Glut schoß ihm das Blut durch das Bewußtsein, und der Schmerz war grell wie Freude, es war wie eine Befreiung von etwas Schmerzendem, wenn der Druck nachläßt und Bewegung wieder möglich ist, bevor sich die Ruhe einstellt. Angstvoll berührten seine Finger ihre Hand, und sie sank rasch zwischen seine Knie und schmiegte ihr Gesicht an seine Brust. Er drückte ihren Kopf gegen seine Brust, wieder und wieder schoß ihm die Glut durch die Adern, während er ihren runden, kleinen Kopf zwischen seinen Händen an die Brust preßte, dort, wo sich der Schmerz so tief hineingezwängt hatte. Seine Handgelenke flogen, während er ihren Kopf an sich drückte und er spürte, wie ihn die Taubheit verließ und das wirkliche Leben, endlich befreit, in seinen Körper zurückströmte. Wie sehr hatte er dieses Leben ausgeschlossen, gegen sie, als sie ihn haßte. Er atmete schwer vor Erleichterung und drückte ihren Kopf blindlings an sich. Er glaubte wieder an sie.

Sie sah zu ihm auf, lachend, kindlich, mit Lippen, die ihn einluden. Er beugte sich vor, um sie zu küssen, und als er die Augen schließen wollte, sah er, daß sie die ihren geschlossen hatte. Das Gefühl der Gesundung war fast unerträglich.

»Liebst du mich?« flüsterte sie, dem Taumel nah.

Er antwortete nur, indem er seine Arme enger um sie schloß und sie noch stärker an sich drückte. Und er liebte ihr seidiges Haar und dessen natürlichen Duft. Es schmerzte ihn, daß die Gänseblümchen, die sie hineingeflochten hatte, bald zu welken beginnen würden. Er nahm ihnen übel, daß sie ihr wehtun würden, indem sie welkten.

Er hatte nicht begriffen. Aber die Last war gewichen. Er war ruhig, und er beobachtete sie aus seiner empfänglichen Erstarrung, sah sie ein wenig verschwommen, unfähig, ganz zu sich zu kommen. Sie liebte ihn, beschützend und strahlend, auch lachend wie ein glückliches Kind.

»Wir müssen Maud sagen, daß ich zum Dinner da sein werde«, meinte er.

Das sah ihm ähnlich – immer die praktische Seite der Dinge im Auge und den äußeren Schein wahren. Sie lachte ironisch. Warum sollte sie ihre Umarmung lösen, bloß um Maud zu sagen, daß er zum Dinner bleiben würde?

»Ich gehe«, sagte sie.

Er zog die Vorhänge zu und schaltete das Licht in der großen Lampe an, die in einer Ecke stand. Sie verbreitete sanftes Licht in der blassen Wärme des Raumes. Er liebte diesen Raum aus ganzem Herzen.

Als seine Frau zurückkam und kaum die Tür geschlossen hatte, da breitete sie, einem Taumel nah, die Arme aus und kam auf ihn zu. Sie umklammerten einander noch fester, Körper an Körper. Und so heftig waren die Gefühle, die ihn überkamen, daß es ihm erschien, als würde er zwischen ihren Händen verschwimmen, sich in etwas Weiches, Formbares auflösen. Und diese Verbindung mit ihr war mehr als das Leben und mehr als der Tod. Am Grunde seines Herzens regte sich ein Schluchzen.

Beim Dinner war sie fröhlich und voller Liebreiz. Wie Liebende genossen sie es, einfach auf die anbrechende Nacht zu warten. Aber die ganze Zeit über hielt sich in ihm jenes schwache Gefühl von Gebrochenheit, das die vorige Nacht hinterlassen hatte.

»Und nach Italien fährst du nicht«, sagte sie, als wäre das schon ausgemacht.

Sie gab ihm die besten Sachen zu essen und war eifrig um sein Wohlergehen bemüht – wie es sonst nicht ihre Art war. Es bereitete ihm ein tiefes, verlegenes Vergnügen. Ihm fiel ein Gedicht ein, das sie oft aufsagte, weil sie es so mochte. Er hatte es vorher nicht gekannt:

> »An meinen Brüsten wärm ich deine Sohlen;
> Schenke den Wein und würze, was du speist;
> Voller Demut in duftende Laken
> Leg ich mich zu ihm, wenn mein Herr es mich heißt.«

Sie hatte es ihm machmal gesagt, wenn sie aus den Kissen zu ihm aufblickte. Aber nie hatte es Wirklichkeit für ihn erlangt. Sie mochte aus einer plötzlichen leidenschaftlichen Regung heraus zuweilen seine Füße zwischen ihre Brüste legen. Aber nie war er sich dabei wie der Herr vorgekommen, nie fühlte er sich mehr gepeinigt und unwichtiger als in diesen Augenblicken. Als kleines Mädchen mußte sie es mit ihren Puppen ähnlich gemacht haben. Und nun war er ihr prachtvollstes Spielzeug. Auch das gefiel ihm. Wenn nur...

Dann sah er, wie sie ihm einen kurzen angstvollen Blick zuwarf, und es kehrte der reine Schmerz zurück. Er liebte sie, und Frieden würde es zwischen ihnen nie geben; nie würde sie ihm angehören, als Frau. Wie eine Gebieterin nahm sie ihn zu sich und stieß ihn zurück. Und vielleicht liebte er sie deshalb nur um so mehr; es konnte so sein.

Doch dann vergaß er wieder. Was auch immer war oder nicht war – in diesem Augenblick liebte sie ihn. Und gleichgültig, was nachher kam, an diesem Abend war er der Herr. Was machte es schon, wenn er morgen wieder abgesetzt sein würde und sie ihn haßte!

Ihre Augen, weit geöffnet und freimütig, blickten ihn irgendwie fragend und irgendwie hilflos an. Sie erkannte, daß er eigentlich nicht zurückgekommen war. Er drückte sie fest an sich.

»Mein Lieber«, murmelte sie tröstend. »Mein Lieber.«

Und sie fuhr ihm mit den Fingern durchs Haar, legte es in kleine, lockere Rundungen, spielte damit und vergaß alles andere. Er liebte sie aus ganzem Herzen, wie sie mit tastenden Fingerspitzen seine Haarsträhnen anhob und zurechtlegte und ihm, wie sie sagte, den Anblick eines Apolls verlieh. Sie hob sein Gesicht, um zu prüfen, wie er aussah, und küßte ihn mit einem kleinen Lachen voller Liebe. Und er liebte es, daß sie etwas aus ihm machte. Aber zugleich hatte er das undeutliche, peinigende Gefühl, daß sie ihn morgen nicht mehr lieben würde, daß es nur ihr großer Drang zu lieben, überhaupt zu lieben, war, der ihn an diesem Abend emporhob. Er wußte, daß er kein König war; er fühlte sich nicht wie ein König, auch wenn sie ihn krönte und küßte.

»Liebst du mich?« fragte sie, scherzhaft flüsternd.

Er hielt sie umfaßt und küßte sie, während das Blut in seinen Herzkammern schmerzte.

»Du weißt es«, sagte er, sich sträubend.

Später, als sie dalagen und er sie mit einer Leidenschaft, heftig wie Schmerz, umklammert hielt, da stieß er diese Worte aus:

»Fleisch von meinem Fleisch. Paula! – Wirst du –?«

»Ja, Lieber«, antwortete sie tröstend.

Er biß sich vor Schmerz in die Lippe. Für ihn war die Lockung fast unerträglich.

»Aber, Paula – ich meine es ernst – Fleisch von meinem Fleisch – meine Frau?«

Sie zog ihn enger an sich, ohne zu antworten. Und er wußte, und sie wußte, daß sie ihm auf diese Weise die Antwort schuldig blieb.

4.

Zwei Monate später schrieb sie ihm nach Italien: »In deiner Vorstellung ist deine Frau eine Erweiterung, nein, eine Rippe von dir, ohne eigenes Dasein. Daß ich ein selbständiges Wesen bin, ist mehr, als du begreifen kannst. Ich wollte, ich könnte mich vollkommen in einen Mann versenken – und ich tue es auch. Immer habe ich dich geliebt...

Du wirst sagen ›Ich war geduldig‹. Nennst du es geduldig, nie von deinen Bedürfnissen abzulassen, wie du es getan hast? Von mir bekamst du immer mein Innerstes, doch du hieltest dich immer fern, weil du Angst hattest.

Unverzeihlich war, daß du mir gesagt hast, du würdest mich lieben. – Deine Gefühle haben mich während dieser drei Monate gehaßt, was dich nicht daran hinderte, mir meine Liebe und jeden Atemzug zu rauben. – Hinterrücks hast du mich untergraben, auf eine subtile, hinterhältige

Art und Weise, die ich nicht durchschaute, weil ich dir geglaubt habe, als du mir sagtest, du würdest mich lieben…

Die Beleidigung, die in der Art lag, wie du mich während dieser letzten drei Monate genommen hast, werde ich dir nie verzeihen. Ich habe mich dir immer aufrichtig hingegeben, aber immer vergebens, und immer wurde ich abgewiesen. Die Anspannung, die das alles kostet, hat mich fast verrückt gemacht.

Du sagst, ich sei eine *tragédienne*, aber ich benutze keine solchen hinterhältigen Tricks wie du. Immerzu lockst du einen ins Freie, wie ein schlauer Feind, aber du selbst bleibst die ganze Zeit über in Deckung.

Praktisch bedeutet das für mich, daß das Leben vorbei ist, mein Glaube an das Leben ist erschöpft – ich hoffe, daß ich wieder zu mir komme, aber zusammen mit dir würde es niemals geschehen…«

Worauf er antwortete: »Es wäre komisch, wenn man in Deckung bleiben könnte, denn es gibt gar keine Deckung mehr. – Und du kannst ohne weiteres getrennt von mir auf Gesundung hoffen. Was mich angeht, so bin ich ohne dich erledigt… Aber du belügst dich selbst. Du würdest mich nicht lieben, und du bist nicht imstande, irgendeinen anderen zu lieben – außer dich selbst.«

KATHERINE ANNE PORTER

Ein Tagewerk

Ein dumpfes Scharren wie von einer riesigen Ratte in der Wand kündete an, daß die Hausmeisterin unten am Seil zog und der Speiseaufzug auf dem Weg nach oben war. Mrs. Halloran hielt inne, knallte das Bügeleisen aufs Brett und sagte: »Na endlich. Spät genug. Du hättest dir weiß Gott Schuhe anziehen und den Schritt um die Ecke gehen und die Sachen schon vor einer Stunde holen können. Ich kann schließlich nicht alles machen.«

Mr. Halloran rappelte sich aus dem Sessel hoch; mit beiden Händen die Armlehnen umklammernd, stemmte er sich langsam auf die Füße und spähte um sich, als hoffte er, in der Nähe ein Paar Krücken zu finden. »Außerdem wetzt du deine Socken durch«, fuhr Mrs. Halloran fort. »Geh entweder gleich barfuß oder zieh dir Schuhe über die Socken, wie's vom Herrgott vorgesehen ist«, sagte sie. »Ewig in Strumpfsocken. Wozu soll das gut sein, kannst du mir das verraten? Nichts Halbes und nichts Ganzes.«

Sie entrollte ein lachsfarbenes Chiffonnachthemd mit cremefarbener Spitze und breiten Bändern, schüttelte es mit einem kleinen Schlenker aus und breitete es über das Bügelbrett. »Du meine Güte, da seh sich einer diesen unanständigen Fummel an«, sagte sie. Und wieder knallte sie das Bügeleisen aufs Brett und fuhr damit auf dem zerknitterten Stoff hin und her. »Du könntest die Sachen ja auch in den Schrank räumen, statt sie auf dem Boden herumliegen zu lassen«, sagte sie. »Vielleicht hättest du die Güte.«

Mr. Halloran nahm einen Sack Kartoffeln aus dem Aufzug und ging damit zum Speiseschrank, der in der Ecke neben dem Eiskasten stand. »Du kannst ruhig etwas mehr auf einmal nehmen«, sagte Mrs. Halloran. »Es ist doch nun wirklich nicht nötig, ein halbdutzendmal hin- und herzupilgern. Man sollte meinen, selbst der größte Schwächling könnte mehr als fünf Pfund Kartoffeln auf einmal tragen. Aber offenbar doch nicht.«

Ihre Stimme drang an Mr. Hallorans Ohr, wie wenn Holz auf Holz trifft. »Kümmer' du dich um deine eigenen Angelegenheiten, ja?« meinte er, ohne sie direkt anzusprechen. Er führte die Auseinandersetzung mit sich selbst weiter. »O nein, mein Goldstück, das könnte ich niemals«, antwortete er mit leiernder Fistelstimme. »Verlang nur das nicht von mir, kein dran Denken. Es wäre nicht recht«, leierte er, während er mit gebeugten Knien stehen blieb und einen bitterbösen Blick über den Kartoffelsack zu der spindeldürren fremden Frau hinüberschickte, die er nie gemocht hatte, zu dieser Person, die da stand und mit einem hinterhältigen Ausdruck auf dem Gesicht Wäsche bügelte wie eine leidende Heilige. »Mag sein, daß ich nicht mehr allzuviel tauge«, sagte er nun wieder mit seiner eigenen Stimme, »aber ich habe immer noch Verstand genug, um Einkäufe aus einem Speiseaufzug auszuladen, daß du's nur weißt.«

»Ein wahres Wunder«, sagte Mrs. Halloran. »Seien wir wenigstens dafür dankbar.«

»Das Telefon klingelt«, sagte Mr. Halloran, der inzwischen wieder im Sessel saß und seine Pfeife aus der Hemdtasche holte.

»Ich hab's gehört«, bemerkte Mrs. Halloran und ließ das Eisen auf dem lachsfarbenen Chiffon hin- und hergleiten.

»Das ist für dich, ich hab auf dieser Welt eh nichts mehr

zu bestellen«, sagte Mr. Halloran. Seine grünlichen Äuglein glitzerten; er grinste und zeigte dabei zwei spitze Hundszähne.

»Du könntest wenigstens drangehen. Es könnte wieder einer sein, der die falsche Nummer gewählt hat, oder es ist für jemand von unten«, sagte Mrs. Halloran, und ihre ausdruckslose Stimme wurde noch eine Spur ausdrucksloser.

»Was auch immer, lassen wir's läuten«, beschloß Mr. Halloran, »ich für meinen Teil jedenfalls.« Er riß ein Streichholz an der Armlehne seines Sessels an, setzte seine Pfeife in Brand und machte einen ersten tiefen Zug, während das Telefon draußen keine Ruhe gab.

»Das könnte noch einmal Maggie sein«, sagte Mrs. Halloran.

»Dann laß sie eben klingeln«, meinte Mr. Halloran, setzte sich zurück und schlug die Beine übereinander.

»Gott steh einem Mann bei, der nicht einmal ans Telefon geht, wenn seine eigene Tochter anruft und etwas sagen will«, tat Mrs. Halloran der Zimmerdecke kund. »Noch dazu, wo sie solche Sorgen hat mit ihrem Mann, der sie wie einen Hund behandelt, wenn es ums Geld geht, und nächtelang in Kneipen rumsitzt mit der ganzen Meute vom Kleinen Tammany-Verein. Und mit der Clique von McCorkery gerät er jetzt auch noch an die Politik. Das wird kein gutes Ende nehmen, und das hab ich ihr auch gesagt.«

»Sie hat überhaupt keine Sorgen, ihr Mann ist ein schlauer Bursche, der es zu was bringen wird, wenn sie ihn nur machen läßt«, sagte Mr. Halloran. »Sie hat keinen Grund zu klagen, das könnte ich ihr gleich sagen. Aber was zählt schon ein Vater?« Mr. Halloran reckte den Kopf zum Fenster hin, das auf den ziegelgepflasterten Hinterhof hinausging, und krähte wie ein Hahn: »Was zählt schon ein Vater heutzutage, und wer hört noch auf seinen Rat?«

»Du brauchst es den Nachbarn nicht auch noch auf die Nase zu binden, wir haben schon genug Schande«, sagte Mrs. Halloran. Sie stellte das Eisen auf den Gasbrenner zurück und ging hinaus zum Telefon, das auf dem ersten Treppenabsatz stand. Mr. Halloran beugte sich vor, die mageren, rötlich behaarten Hände baumelten lose zwischen seinen Knien, und der gute, würzige Duft seiner glimmenden Pfeife stieg ihm direkt in die Nase. Die Frau haßte die Pfeife und ihren Geruch; sie war eine Frau, die jedem Mann nur das Leben vergällen konnte. Vor der Wirtschaftskrise damals, als er noch einen guten Posten hatte und jede Aussicht auf Gehaltserhöhung, damals, ehe er stempeln gehen mußte und ehe sie anfing, für feine Leute zu waschen und zu bügeln, ja, in der Guten Alten Zeit damals, Gott sei's geklagt, da konnte sie zwar nicht gerade ihren Mund halten, auf der ganzen weiten Welt gab es nichts, auf das sie keine Antwort gefunden hätte, aber sie wußte immer, wo die Butter auf ihrem Brot herkam, und fügte sich. Jetzt verdiente sie sich selbst die Butter aufs Brot, und sie vergaß es nicht einen Augenblick. Dabei ist sie selbst schuld, daß wir heute nicht in einer Limousine mit Aschenbechern, Radio und einer Kristallvase für Blumen herumkutschieren. Das hat ein Mann eben davon, wenn er eine von diesen heiligmäßigen Frauen heiratet. Das hatte ihm Gerald McCorkery von Anfang an gesagt.

»Das ist ein Mädchen, das dich zeitlebens nur unterbuttern wird«, hatte Gerald zu ihm gesagt. »Du steckst deinen Kopf in eine Schlinge, die dir die Luft abdrückt, bis du keinen Schnaufer mehr tust. Hör auf den Rat von einem, der's gut mit dir meint«, sagte Gerald McCorkery. Und das war an einem Sonntagmorgen in Coney Island, nachdem er kaum mehr als einen flüchtigen Blick auf Lacey

Mahaffy geworfen hatte. Das war typisch McCorkery, daß er so etwas blitzartig erfaßte, bei der angeborenen Menschenkenntnis, die er besaß. Er konnte einen Mann in Augenschein nehmen, ihn einschätzen, und damit war die Sache erledigt. Und wenn der Mann ihm nicht paßte, konnte McCorkery ihn so geschickt hinauskomplimentieren, daß der Mann nie wissen würde, wie es geschehen war. Das war das Geheimnis von McCorkerys Erfolg im Leben.

»Das ist Rosie höchstpersönlich«, sagte Gerald damals, an jenem Sonntag in Coney Island. »Ich darf euch die künftige Mrs. Gerald J. McCorkery vorstellen.« Lacey Mahaffys schmales Gesicht war unter ihrem Strohhut so sauer geworden wie frische Molke. Sie brachte kaum ein Kopfnicken für Rosie zustande, die Mr. Halloran einen Blick zuwarf, mit dem sie ihn an Ort und Stelle förmlich auszuziehen schien. Mr. Halloran hatte auch gefunden, daß McCorkery da eine sonderbare Wahl getroffen hatte; gutaussehend war sie ja schon, aber sie hatte etwas von einem ganz gewöhnlichen kleinen Flittchen aus der Vierzehnten Straße, wenn Halloran überhaupt etwas von Frauen verstand. »Kommt, Kinder, jetzt fahren wir alle Achterbahn«, sagte McCorkery, den Arm um Rosies Taille geschlungen. Aber Lacey wollte nicht. Sie meinte: »Nein, danke. Wir hatten nicht vor zu bleiben, wir müssen jetzt gehen.« Auf dem Heimweg sagte Mr. Halloran: »Du urteilst zu hart, Lacey. Vielleicht ist sie im Kern ein liebes Mädchen; hat bloß nicht die gleichen Möglichkeiten gehabt wie du.« Da hatte Lacey sich mit einem verzerrten Gesicht zu ihm gewandt, so häßlich wie das einer rabiaten Katze, und geantwortet: »Sie ist ein loses, ordinäres Frauenzimmer, und es war eine Beleidigung, sie mir vorzustellen.« Es dauerte eine ganze Weile, bis das hübsche, frische Gesicht, in das Mr. Halloran sich verliebt hatte, wieder an ihr zum Vorschein kam.

Am Tag darauf in Billys Bar hatte McCorkery nach den ersten drei Runden gemeint: »Paß auf, was du tust, Halloran; denk an deine Zukunft. Du hast da ein anständiges, gutes Mädchen, das will ich nicht bezweifeln, aber sie hat ganz und gar keine Begabung zur Geselligkeit. Ein Mann, der in die Politik will, braucht eine Frau, die es mit allen versteht. Ein Mann braucht eine Frau, die auch mal ihr Korsett aufknöpft und locker sein kann.«

Draußen im Treppenhaus war immer noch Mrs. Hallorans Stimme zu hören, ein gleichförmiges, trockenes Rascheln wie von alten Zeitungen auf einer Parkbank, in die der Wind fährt. »Ich hab dir doch gleich gesagt, daß es keinen Wert hat, wenn du mir jetzt mit deinen Sorgen kommst. Ich hab dich rechtzeitig gewarnt, aber du wolltest ja nicht hören... Ich hab dir genau gesagt, was kommen würde, ich hab alles versucht... Aber nein, du konntest ja nicht hören, du wußtest es immer besser als deine Mutter... Jetzt bleibt dir eben nichts anderes übrig, als zu deinem Ehegelöbnis zu stehen und das Beste draus zu machen... Also, jetzt hör mir einmal gut zu, wenn du willst, daß er anständig ist, mußt du zuerst Anstand beweisen. Die Frau muß zuerst recht handeln, und wenn der Mann dann nicht nachzieht, ist das nicht ihre Schuld. Tue du nur das Rechte, egal, was er tut, bloß weil er unrecht handelt, ist das noch lange keine Entschuldigung für dich.«

»Du mein Schreck, hör dir das an«, richtete Mr. Halloran in ehrfürchtigem Ton das Wort an den Hinterhof draußen. »Wenn das keine Heilige ist, daß einem angst und bange werden kann.«

»... die Frau muß zuerst recht handeln, laß dir das gesagt sein«, verkündete Mrs. Halloran ins Telefon, »und wenn er sich dann trotzdem wie ein Teufel benimmt, dann muß sie eben auch ohne sein Zutun allein auf dem rechten Weg weitergehen.« Sie hob die Stimme, damit die Nachbarn auch ihr Teil zu hören bekämen, wenn sie wollten. »Ich kenne dich doch noch von früher, du bist wie dein Vater. Du mußt selbst auch etwas falsch machen, sonst würdest du jetzt nicht so in der Klemme sitzen. Du tust ja schon jetzt, in diesem Augenblick, das Falsche, indem du hier herumtelefonierst, statt deine Arbeit zu tun, wie es sich gehört. Ich hab das Eisen auf dem Feuer stehen und bügle gerade die unanständigen Nachthemden von einer Sorte Frau, an der ich mir nicht einmal die Füße schmutzig machen würde, wenn ich einen Mann hätte, der für mich sorgte. Mach du jetzt also deine Hausarbeit zu Ende und dann zieh dich an und geh an die frische Luft...«

»Ein bißchen frische Luft hat noch keinem geschadet«, kommentierte Mr. Halloran laut durchs offene Fenster. »Das Gas ist es, was einen so fertigmacht.«

»Jetzt hör einmal zu, Maggie, so redet man einfach nicht über einen öffentlichen Fernsprecher. Du hörst jetzt sofort auf mit dem Weinen und gehst und tust deine Pflicht und kommst nicht mehr ewig mit deinen Sorgen zu mir gelaufen. Und hör auf mit dem Gerede, daß du deinen Mann verlassen willst, denn wo willst du überhaupt hin, zum einen? Willst du als Straßenmädchen gehen oder eine Wäscherei in deiner Küche aufmachen? Hierher kannst du nicht zurück, du wirst schön bei deinem Mann bleiben, wo du hingehörst. Sei doch nicht albern, Maggie. Du hast dein Auskommen, und das ist mehr, als manche andere Frau, die besser ist als du, von sich sagen kann. Ja, deinem Vater geht's gut. Nein, er sitzt hier bloß rum, wie immer. Gott allein weiß, was aus uns werden soll. Aber du kennst ihn ja, ihn kümmert das wenig... Jetzt denk dran, Maggie, wenn in deiner Ehe irgendwas schiefläuft, dann ist das deine eigene Schuld und du brauchst gar nicht erst zu meinen, daß du hier Mitleid findest... Ich kann jetzt nicht noch mehr Zeit damit vergeuden. Leb wohl.«

Mr. Halloran, der die Ohren gespitzt hatte, um sich ja kein Wort entgehen zu lassen, sann darüber nach, wie Gerald J. McCorkery mit seiner Rosie auf der Leiter des Erfolgs steil nach oben geklettert war; und für jeden Schritt, den die McCorkerys nach oben gemacht hatten, hatte er, Michael Halloran, mit Lacey Mahaffy einen nach unten gemacht. Angefangen hatten sie beide als Greenhorns mit denselben Chancen, zur selben Zeit und mit denselben Freunden, aber McCorkery hatte jede Gelegenheit genutzt, die sich ihm bot, war allmählich mit den hohen Tieren in der Bezirkspolitik ins Geschäft gekommen, und so kam dann eins zum anderen. Rosie hatte es verstanden, ihm den Rücken zu stärken und ihn anzufeuern. Jahrelang hatten die McCorkery ihn und Lacey eingeladen, zu den Geselligkeiten in ihrem Haus zu kommen und sich unters Volk zu mischen.

»Du kannst dich nicht mit dieser leichtlebigen Gesellschaft einlassen, saufen und dir die Nächte um die Ohren schlagen und gleichzeitig deine Stelle behalten«, sagte Lacey, »und du solltest eigentlich mehr Verstand haben, als von deiner Frau zu verlangen, mit diesem Weibsbild zu verkehren.« Mr. Halloran hatte es sich zur Gewohnheit gemacht, hin und wieder allein dort vorbeizuschauen, denn McCorkery hatte immer noch etwas für ihn übrig, war immer noch bereit, ihm an den richtigen Stellen den Einstieg zu verschaffen, bat ihn immer noch um Gefälligkeiten, wenn wieder einmal Wahlkampf war. Bei den McCorkerys fand sich immer ein ansehnliches, munteres Grüppchen ein, ganz gleich, wo sie gerade wohnten; sie zogen nämlich häufig um, in eine bessere Wohnung, mit immer noch mehr Möbeln. Rosie half beim Herumreichen der Drinks, trank auch selbst ein paar mit und hatte für jedermann ein gutes Wort. Das mechanische Klavier oder das Grammophon lief immer auf vollen Touren, die ganze

Gesellschaft tanzte, und alles sah nach barem Geld und einer rosigen Zukunft aus. An solchen Abenden kam er immer erst spät nach Hause, zurück in ewig dieselbe kleine Wohnung ohne Warmwasser und ohne Lift, weil Lacey nicht einen Dollar für den schönen Schein drangeben wollte. Das muß alles fürs Alter auf die hohe Kante gelegt werden, sagte sie immer. Wenn er dann so voll mit gutem Essen und Trinken nach Hause kam, fand er Lacey in ihrem Hauskittel am Herd, wie sie ihm verdrossen und in vorwurfsvollem Schweigen die Bratkartoffeln noch einmal aufwärmte und dabei den Kopf hängen ließ und ein böses Gesicht machte, weil er eine Fahne hatte. »Du könntest wenigstens die Kartoffeln essen, wenn ich sie schon gebraten hab und die ganze Zeit auf dich warte«, sagte sie dann immer. »Ach, iß sie doch selber, was soll ich mit deinen Kartoffeln«, knurrte er dann wütend, weil er so enttäuscht war über sie und das Leben, das er mit ihr führen mußte.

Er war jahrelang aus tiefster Seele davon überzeugt, daß er eines Tages Geschäftsführer von einem der Kolonialwarengeschäfte der G. & I. Ladenkette werden würde, für die er arbeitete, und als er diese Hoffnung begraben mußte, blieb ihm immer noch seine Rente, wenn er einmal pensioniert werden würde. Doch zwei Jahre, bevor sie fällig geworden wäre, setzten sie ihn vor die Tür, wegen der Wirtschaftskrise, wie sie sagten. Über Nacht stand er plötzlich auf der Straße und konnte mit der Schreckensnachricht nirgendwoanders hingehen als nach Hause. »Jesses Maria«, entfuhr es Mr. Halloran, so gut erinnerte er sich noch an jenen Tag, nach fast sieben Jahren des Nichtstuns.

Die Wirtschaftskrise hatte McCorkery nichts anhaben können. Er kletterte Sprosse für Sprosse weiter die Leiter des Erfolgs hinauf, spendierte den Jungens in Billys Bar

Steaks und große Gelage und Bierabende, stellte sich mit den richtigen Leuten gut und ließ alle seine Register spielen. Schließlich mietete der Gerald J. McCorkery-Club auch noch einen ganzen Dampfer für eine große Vergnügungsfahrt den Fluß hinauf. Ein herrlicher Tag war das, und Lacey saß zu Hasue und spielte die Beleidigte. Nach den Wahlen erschien ein Bild von Rosie in der Zeitung, wie sie McCorkery zulächelte; nicht eigentlich dick sah sie darauf aus, einfach eine schöne, frauliche Figur, mit angesteckten Blumen auf ihrem getigerten Pelzmantel, ihre Zähne so makellos wie eh und je. Mein Gott, ein Prachtmädel war das, so recht nach dem Herzen eines jeden Mannes. Aus dem Augenwinkel sah Mr. Halloran den knochigen, gebeugten Rücken von Lacey Mahaffy, die wie ein müder, alter Gaul auf einem Bein stand, um das andere auszuruhen, und sich schwer auf die Hände stützte, während sie darauf wartete, bis das Bügeleisen heiß war.

»Das war Maggie eben, mit ihren Kümmernissen«, sagte sie.

»Ich hoffe, du hast ihr einen guten Rat gegeben«, erwiderte Mr. Halloran. »Du hast ihr hoffentlich geraten, ihren Hut zu nehmen und ihn sitzenzulassen.«

Mrs. Halloran hielt das Plätteisen über einem rosa Satinhöschen in der Schwebe. »Ich hab ihr geraten, das Rechte zu tun und das Unrecht-Tun den Männern zu überlassen«, sagte sie in ihrem üblichen Tonfall, wie eine Grammophonplatte kurz vor dem Ablaufen. »Ich hab ihr gesagt, sie muß die Sorgen auf sich nehmen, die Gott ihr schickt, wie ihre Mutter es vor ihr getan hat.«

Mr. Halloran stöhnte laut und klopfte seine Pfeife an der Armlehne des Sessels aus. »Du würdest die Welt noch zugrunderichten, Frau, wenn du könntest, mit deiner schlechten Seele, ein jungverheiratetes Mädel so zu behandeln, als hätte sie kein Zuhause und keine Eltern mehr, zu denen sie kommen könnte. Aber meine Tochter kann sie nicht sein, wenn sie nur dasitzt und Kartoffeln schält und zuläßt, daß ein Mann ihr auf dem Kopf herumtrampelt. So etwas tut keine Tochter von mir, und das werd' ich ihr sagen, wenn sie –«

»Du weißt genau, daß sie deine Tochter ist, also halt gefälligst den Mund«, entgegnete Mrs. Halloran, »und wenn sie auf dich gehört hätte, wäre sie jetzt im Moment schon auf dem Strich. Ich hab sie als ehrbares Mädchen erzogen, und ehrbar bleibt sie mir auch als Frau, und wenn ich sie übers Knie legen muß wie damals, als sie klein war. Das laß dir gesagt sein, Halloran.«

Mr. Halloran lehnte sich in seinem Sessel weit zurück und tastete mit der Hand auf dem Regal über seinem Kopf entlang, bis er das Halbdollarstück unter den Fingern fühlte, das er zuvor dort erspäht hatte. Seine Hand schloß sich um die Münze, und gleich darauf erhob er sich und sah sich nach seinem Hut um.

»Du kannst deine Tochter behalten, Lacey Mahaffy«, sagte er, »sie ist nicht von mir, sondern die Frucht deiner fortwährenden Versündigung mit dem Heiligen Geist. Und jetzt geh ich noch auf eine kleine Runde und ein paar Bier, eh' ich hier vollends verblöde.«

»Den Dollar, den du gerade vom Regal gemopst hast, den kriegst du nicht«, keifte Mrs. Halloran. »Du glaubst wohl, ich bin obendrein noch blind? Leg ihn dahin zurück, wo du ihn gefunden hast. Der ist für unser täglich Brot.«

»Ich hab es satt, dein ewiges Brot täglich«, entgegnete Mr. Halloran, »ich brauche Bier. Es war auch kein Dollar, sondern nur ein halber, wie du sehr wohl weißt.«

»Was immer es war«, sagte Mrs. Halloran, »für mich ist's soviel wie ein Dollar. Rück ihn nur gleich wieder raus.«

»Das Kartoffelgeld für morgen hast du in diesem Augenblick schon sicher in deiner Tasche eingenäht, und weiß Gott, was für Unsummen du noch außer den Ersparnissen fürs Alter in dieser schwarzen Kassette hütest, die du irgendwo versteckt hast«, sagte Mr. Halloran. »Den halben Dollar hab ich von der Fürsorge, und ich werde ihn ausgeben, wie es sich gehört. Außerdem komme ich nicht zum Abendessen heim, da hast du gleich noch etwas gespart. Gehab dich wohl, Lacey Mahaffy, ich gehe jetzt.«

»Von mir aus brauchst du überhaupt nie wiederzukommen«, bemerkte Mrs. Halloran, ohne aufzublicken.

»Wenn ich mit den Taschen voll Geld heimkäme, wärst du bestimmt froh, mich zu sehen«, sagte Mr. Halloran.

»Das müßte schon eine gehörige Summe sein«, konterte Mrs. Halloran.

Mr. Halloran ließ die Tür mit einem ordentlichen Knall hinter sich ins Schloß fallen.

Er schlenderte hinaus in das klare Herbstwetter, eine späte Nachmittagssonne fiel ihm warm in den Nacken und ließ die alten roten Backsteinhäuser mit ihren hohen Giebeldächern gleich freundlicher wirken. Er würde nach all den Jahren wieder einmal zu Billys Bar gehen, vielleicht winkte ihm dort ein bißchen Glück. Doch er ließ sich Zeit und schwatzte unterwegs mit den Nachbarn. »Guten Tag, Mr. Halloran.« »Schönen guten Tag, Missis Caffery.« ... »Schönes Wetter haben wir für die Jahreszeit, Mr. Gogarty.« »Das kann man wohl sagen, Mr. Halloran.« Bei derlei Höflichkeiten blühte Mr. Halloran förmlich auf, er liebte es, schwungvoll seinen Hut zu ziehen und munter einen guten Tag zu wünschen, wie ein Mann, der keine Sorgen hat. Ah, dort war der junge Mann vom G. & I. Laden um die Ecke. Er wußte, was für eine Stellung Mr. Halloran dort einmal gehabt hatte. »Guten Tag, Mr. Halloran.« »Guten Tag, Mr. McInerny, wie gehen die Geschäfte so bei Ihnen?« »Für die Zeiten immer noch gut, Mr. Halloran, aber das ist leider auch alles, was sich darüber sagen läßt.« »Die Zeiten werden auch nicht besser, Mr. McInerny.« »Da haben Sie recht, wir pfeifen jetzt alle schon auf dem letzten Loch, Mr. Halloran.«

Getröstet durch dieses Eingeständnis geteilten menschlichen Mißgeschicks, grüßte Mr. Halloran den jungen Polizisten an der Straßenecke. Mit seinen scharfen Augen erhaschte der gerade die Nachrichten aus einer Zeitung am Kiosk auf der anderen Seite des Gehsteigs. »Wie geht's, wie steht's, junger O'Fallon?« fragte Mr. Halloran. »Ist viel Betrieb dieser Tage?«

»Eine Grabesruhe ist das hier auf diesem Block«, antwortete der junge O'Fallon. »Aber das mit Connolly ist wirklich eine traurige Sache.« Sein Blick deutet zur Zeitung.

»Ist er tot?« fragte Mr. Halloran; »ich war noch nicht vor der Tür heute, ich hab noch keine Zeitung gelesen.«

»O nein, noch nicht«, erwiderte der junge O'Fallon, »aber die Leute vom FBI sind hinter ihm her, sieht so aus, als würden sie ihn diesmal todsicher schnappen.«

»Die Leute vom FBI haben Connolly auf dem Korn? Heiliger Strohsack«, sagte Mr. Halloran, »hinter wem sind sie denn als nächstes her? Die mischen sich doch in alles ein.«

»Es ist wegen dieser Geschäfte mit dem Zahlenlotto«, erklärte der Polizist. »Wem soll das schon schaden, frag' ich mich. Irgendwoher muß sich ein Mann sein Geld doch beschaffen, wenn er in der Politik ist. Sie sollten ihm eine Chance geben.«

»Connolly ist ein prima Kerl, Gott segne ihn, ich hoffe,

er entwischt ihnen«, sagte Mr. Halloran. »Hoffentlich schlüpft er ihnen durch die Finger wie ein nasser Fisch.«

»Der ist schlau«, meinte der Polizist. »Der Connolly, das ist ein Aalglatter. Der kommt schon durch.«

Ach, ob das so sicher ist? fragte sich Mr. Halloran. Wer ist denn überhaupt noch sicher, wenn Connolly dran glauben muß? Ich kann's kaum erwarten, Lacey Mahaffy die Neuigkeit über Connolly zu erzählen, das erste Mal in zwanzig Jahren, daß ich mich auf ihr Gesicht freue. Lacey hat immer wieder gesagt: »Das muß schon ein rechter Dummkopf sein, wenn ein Mann krumme Touren machen muß, um reich zu werden. Schau dir die Connollys dagegen an, gute, treue Katholiken mit neun Kindern und, so Gott will, bald noch mehr, und alle Tage in der Messe, und dabei schwimmen sie in Geld, viel mehr noch als deine McCorkerys mit ihrer ganzen Schlechtigkeit.« Da hast du's, Lacey Mahaffy, wieder mal danebengetippt, und deine frommen Connollys kannst du dir an den Hut stecken. Aber trotz allem war es Connolly gewesen, der Gerald McCorkery aus dem Nichts geholt hatte; McCorkery war zuerst Pressechef und dann Wahlkampfmanager für Connolly gewesen, das war damals in den Tagen, als Connolly Tammany noch voll in der Hand hatte und seinem Aufstieg nach oben keine Grenzen gesetzt waren. Und McCorkery hatte weiß Gott von ganz unten angefangen. Er hatte zuerst ein kleines Kellerlokal, für ein Spottgeld gepachtet, wo die Jungens vom Connolly-Club und vom Kleinen Tammany-Verein, nur so eine winzige Randgruppe vom Bezirk, könnte man es nennen, sich auf einen gemütlichen Abend treffen konnten, um sich bei einem Spielchen und einem Drink zu unterhalten. Nichts Unehrenhaftes, alles ganz wie es üblich war: das Haus machte einen Schnitt bei den Gewinnen und einen hübschen Profit an den Getränken und hielt die Clique zusammen. Manch großer Plan, der dort ausgeheckt wurde, war für alle von Nutzen. Für alle, nur für mich nicht, und warum wohl? Und als McCorkery zu mir sagte: »Du kannst jetzt übernehmen und das Lokal für den McCorkery-Club führen«, mein Gott, das war die Chance für mich, und Lacey Mahaffy wollte nichts davon wissen, und weil Maggie gerade unterwegs war, dufte man sie nicht aufregen.

Mr. Halloran ging weiter, folgte mit gesenktem Kopf seinen Füßen, die den Weg zu Billys Bar von alleine fanden, und redete nicht mehr mit den Vorüberkommenden, sondern sprach alles noch einmal mit sich selbst durch, zum soundsovielten Mal. Was für ein Weg lag da hinter ihm, und wie klar erkannte er rückblickend jede einzelne Abzweigung, an der er eine andere Richtung hätte einschlagen und seinem Leben eine ganz neue Wendung geben können; aber nein, er hatte diese Richtung gewählt, und nun war es zu spät. Sie hatte immer nur gesagt: »Das ist nicht recht, und du weißt es genau, Halloran«, was konnte ein Mann da noch viel tun? Ach was, du hättest weiter deinen rechtschaffenen Geschäften nachgehen können, wie jeder andere Mann auch, Halloran, es ist nicht Sache der Frau, über solche Dinge zu entscheiden; sie hätte ihre Meinung schon geändert, wenn sie erst einmal das Geld gesehen hätte, oder sonst hätte ein ordentlicher Schlag aufs Hinterteil sie schon zur Vernunft gebracht. Keine Frau unter der Sonne hatte eine gute Tracht Prügel je nötiger gehabt als Lacey Mahaffy, aber er brachte es nie übers Herz, sie ihr zu ihrem eigenen Besten zu verpassen. Das war eben einer von deinen vielen Fehlern, Halloran. Aber ich hatte ja immer noch die Lebensstellung bei G. & I. und meinen Frieden zu Hause, mehr oder weniger jedenfalls. Damals hat mich manch einer beneidet, das weiß ich noch genau, und ich war ganz unbeschwert, weil ich doch die Ersparnisse hatte und dazu die

Gewißheit, daß ich mit ihnen und der Rente meinen Lebensabend in einem eigenen kleinen Geschäft würde beschließen können. »Was ist denn daraus geworden?« fragte Mr. Halloran leise und spähte um sich. Niemand antwortete. Du weißt sehr wohl, was daraus geworden ist, Halloran. Man hat dich gefeuert wie einen Laufburschen, und das zwei Jahre, bevor deine Zeit um gewesen wäre. Warum hast du tatenlos zugesehen, wie andere vor dir mit dem gleichen Trick hereingelegt wurden, wo du doch wußtest, daß es dir ebenso ergehen konnte, aber nie recht glauben wolltest, was du mit eigenen Augen gesehen hattest? G. & I. hat mir gleich zu Anfang auf die Sprünge geholfen, als ich in diesem Land noch ein Neuling war, und die Leute dort waren vom selben Schlag wie ich, oder das glaubte ich jedenfalls damals. Nun ja, geschehen ist geschehen. Ja, allerdings, aber bedenke doch die vielen Jahre, in denen du mit den besten Leuten beim Zahlenlotto hättest absahnen können; du hättest beim Kassieren der Protektionsgelder geholfen und deinen Anteil in die Tasche geschoben. Du könntest inzwischen auf Laceys Namen ein Vermögen sicher auf der Bank liegen haben. Ein hübscher, leichter Gewinn wäre da zu machen gewesen, und keiner hätte Lunte gerochen. Aber jetzt *haben* sie Lunte gerochen, Halloran, vergiß das nicht; natürlich ist das trotzdem eine ganze Portion Kummer und Enttäuschung, die du da zu schlucken hast. Bei Connolly ist das Spiel vielleicht schon aufgeflogen; Lacey Mahaffy hatte gesagt: »Das Zahlenlotto ist nur eine neue Form, die Armen zu bestehlen, und du bist nicht zum Dieb geboren wie dieser McCorkery.« Ach Gott, nein, du bist dazu geboren, als Fürsorgefall zu verkümmern, Halloran, und vielleicht ist ihr wenigstens das ehrenhaft genug. Diese Lacey – ein Vermögen auf ihren Namen hätte mir nicht die Bohne genützt. Sie hat die ganzen Ersparnisse unter Verschluß, samt und sonders unangetastet, eher darbt und knausert sie und wäscht schmutzige Wäsche, als daß sie einen Penny fürs tägliche Leben rausrückt. Sie hat mir immer im Weg gestanden, McCorkery, wie ein Schreckgespenst, das mit den Knochen klappert, und du hast recht behalten mit dem, was du über sie gesagt hast, sie war mein Ruin. »Ach was, es ist noch nicht zu spät, Halloran«, sagte McCorkery, der Mr. Halloran plötzlich wie leibhaftig vor Augen stand, mit demselben altvertrauten Gesicht und derselben Art wie früher. »Nur nicht aufgeben, Halloran. Die nächsten Wahlen stehen vor der Tür, da haben wir alle Hände voll zu tun, es gibt eine Menge Arbeit, und du bist genau der Mann, den ich suche. Warum bist du nicht schon früher zu mir gekommen, du weißt doch, daß ich meine alten Freunde nie vergesse. Du hast dein Mißgeschick nicht verdient, Halloran«, sagte McCorkery zu ihm; »ich hab es schon zu anderen gesagt, und jetzt sage ich es dir auf den Kopf zu, kein Mann hätte Besseres auf dieser Welt verdient als du, Halloran, aber die traurige Wahrheit ist, daß das Glück eben nicht immer für alle reicht; doch jetzt bist du dran, und ich hab endlich einen Job für dich, der deinen Fähigkeiten entspricht. Für einen Mann wie dich ist das ein Kinderspiel, du erledigst das mit der linken Hand, Halloran, und gutes Geld springt dabei raus. Organisationsarbeit, nur in deiner eigenen Nachbarschaft, wo man dich kennt und respektiert als einen Mann, der sein Wort hält und ein alter Freund von Gerald McCorkery ist. Sieh mal, Halloran«, sagte Gerald McCorkery und zwinkerte ihm zu, »muß ich noch mehr sagen? Was wir brauchen, sind viele Wähler, Halloran, und du sollst sie für uns einfangen, tot oder lebendig. Behalt' die Situation ständig im Auge und nimm mit mir Verbindung auf, wann immer es notwendig ist. Und nenn mir die Summe, die du dir als Bezahlung vorgestellt hast. Und schau doch ab und zu mal bei uns herein, Halloran, warum kommst du denn nie? Rosie hat mich schon hundertmal gefragt: ›Wo ist Halloran nur geblieben, die Seele der Partei?‹ *So* einen Stand hast du bei Rosie, Halloran. Wir haben jetzt eine Wohnung mit zwei Stockwerken, mit grünen Samtvorhängen und Teppichen, in denen du mit deinen Schuhen glatt versinkst, und es gibt nicht den geringsten Grund, warum du nicht auch so eine Wohnung haben solltest, wenn du das möchtest. Bei deinen Gaben warst du nie zum armen Schlucker bestimmt.«

Ach, aber Lacey Mahaffy würde es vielleicht nicht dulden. »Dann schau dich nach einer anderen Frau um, Halloran, du bist immer noch ein Mann im besten Alter, such dir eine Frau wie Rosie, an die du dich nachts richtig ankuscheln kannst.« Ja, aber McCorkery, du vergißt, daß Lacey Mahaffy damals Beine und Haare und Augen und eine Haut gehabt hat wie eine richtige Revuetänzerin. Aber hat sie je etwas damit angefangen? Nie. Würdest du es je für möglich halten, daß es eine Frau gibt, die sich nie ganz auszieht, nicht einmal um zu baden? Wie hassenswert sie war mit ihren schlechten Gedanken, wie sie in allem eine Sünde sah und einem Mann nie eine Möglichkeit gab, sich in irgendeiner Weise als Mann zu zeigen. Aber jetzt ist sie verwelkt, und ihre schwarze Seele kommt überall zum Vorschein bei ihr, sie ist inzwischen so häßlich wie die leibhaftige Sünde, McCorkery. »Ich habe dir doch gesagt, daß es so kommen würde«, meinte McCorkery, »aber mit dem Job und dem Geld kannst du jetzt deine eigenen Wege gehen und Lacey Mahaffy die ihren ziehen lassen.« Das werde ich tun, McCorkery. »Und vergiß die Sache mit Connolly. Denk immer dran, daß ich mein eigener Herr bin und schon immer war. Connolly ist erledigt, aber ich bin es nicht. Ich bin sogar stärker denn je, Halloran, jetzt, wo Connolly aus dem Weg ist. Ich hab das schon längst kommen sehen, Halloran, ich hab mich abgesetzt. Einen McCorkery werden die nicht so leicht überrumpeln, Halloran. Und fast hätte ich's vergessen... Das hier ist erst mal für deine laufenden Ausgaben. Nimm das für den Anfang, du bekommst schon noch mehr...«

Mr. Halloran hielt plötzlich inne, ein vertrauter Geruch wehte ihm um die Nase: der warme Bier- und Beefsteak-Duft aus Billys Bar, Sägemehl und Zwiebeln, ein Geruch wie aus jeder beliebigen Bar, mag sein, aber dazu noch mit einer eigenen Note. Auch die Stimmen in seinem Kopf hielten plötzlich inne, als hätte sich eine Hand auf seine Gedanken gelegt. Er zog die Faust aus der Tasche und war beinahe darauf gefaßt, grüne Dollarscheine darin zu finden. Das Halbdollarstück lag in seiner Hand. »Ich kann ja bleiben, solange es reicht, und hoffen, daß McCorkery hereinschaut.«

Er war noch kaum durch die Tür, als er McCorkery erspähte, der an der Bar stand, eine Flasche vor sich, und sich selbst daraus einschenkte. Hinter der Bar stand Billy und wischte träge über den Schanktisch, und sein Auge, das Halloran entgegenschwamm, sah aus wie eine Auster im eigenen Saft. McCorkery hatte ihn auch entdeckt. »Menschenskinder, ich werd' verrückt«, erklärte er in einem Tonfall, in dem kaum mehr etwas von dem Iren aus dem County Mayo zu hören war, »wenn das nicht mein alter Kumpel vom G. & I. ist. Komm nur her, Halloran«, sagte er, und sein altes Pokergesicht war so unergründlich wie eh und je, hatte man Gerald McCorkery doch niemals wegen etwas überrascht gesehen. »Komm her und sag, was du trinken willst.«

Mr. Halloran wurde plötzlich ganz wohlig warm ums Herz, wie jedesmal, wenn er McCorkery vor sich sah; er konnte nicht genau sagen, was es war, aber dieser Mann hatte so ein gewisses Etwas. Ach, es war ganz der alte Gerald, der seine Freunde nie vergaß und nie einen Unterschied zu machen schien, ob ein Mann reich oder arm war, mit seinem Gesicht aus Granit und den Augen darin wie blaue Achate, ein Fels von einem Mann, kein Zweifel. Da sagte er also zu ihm: »Komm nur her«, als wären sie erst gestern auseinandergegangen; stattlich und gediegen in seiner teuer aussehenden Kleidung, ganz wie immer; sein Hut von einem dunkleren Grau als sein Anzug, die Krempe mit einem sorglosen Was-kostet-die-Welt-Schwung aufwärtsgebogen, aber keineswegs sportlich leger, wohlgemerkt. Alles erstklassige Qualität, bestens verarbeitet, und genau das, was zu ihm paßte, seine Macht noch unterstrich. Mr. Halloran sagte: »Ach, McCorkery, du bist genau der Mann auf der ganzen weiten Welt, den ich heute treffen wollte, aber ich denk' mir noch, vielleicht kommt er dieser Tage nicht mehr so oft in Billys Bar.«

»Und warum nicht?« fragte McCorkery. »Ich komme jetzt schon fünfundzwanzig Jahre in Billys Bar, sie ist immer noch das Hauptquartier der alten Garde vom McCorkery-Club, Halloran.« Mit einem einzigen schnellen Blick musterte er Mr. Halloran von Kopf bis Fuß und wandte sich dann der Flasche zu.

»Eigentlich wollte ich ja ein Bier bestellen«, sagte Mr. Halloran, »aber der Whisky, der mir da in die Nase steigt, hat mich umgestimmt.« McCorkery schenkte ein zweites Glas ein, und mit exakt gleich angewinkelten Ellenbogen und einer leichten Drehung des Handgelenks prosteten sie einander zu.

»Es lebe das Verbrechen«, sagte McCorkery. »Auf dein Spezielles also«, konterte Mr. Halloran ausgelassen. Ach, hol's der Teufel, er war wieder da, wo er hingehörte, in guter Gesellschaft. Er stellte den Fuß auf die Leiste unten an der Theke und stürzte seinen Whisky hinunter, und kaum daß sein Glas wieder auf der Bar stand, füllte

McCorkery es schon ein zweites Mal. »Gerade noch Zeit, um uns schnell ein paar hinter die Binde zu gießen, bevor die Jungens kommen«, meinte er. Mr. Halloran kippte auch den zweiten Drink hinunter, ehe er merkte, daß McCorkery sich selbst nicht nachgeschenkt hatte. »Ich bin dir um einen voraus«, sagte McCorkery, »ich setze diese Runde aus.«

Es entstand eine kurze Pause, ein Schweigen hüllte sie ein, das wie ein Nebel von irgendwo tief drinnen aus McCorkery herauszuquellen schien; plötzlich war es, als ob er gar nicht wirklich da wäre oder noch keinen Ton mit ihm geredet hätte. Dann sagte er geradeheraus: »Also, Halloran, nun mal heraus mit der Sprache. Was hast du auf dem Herzen?« Und wieder schenkte er zwei Drinks ein. Das war nun wieder ganz McCorkery, der konnte Gedanken lesen und schnurstracks zur Sache kommen.

Mr. Halloran schloß die Hand um sein Glas und starrte in den kleinen runden Teich aus Whisky. »Vielleicht könnten wir uns setzen«, meinte er, so schwach fühlte er sich auf einmal in den Knien. McCorkery nahm die Flasche und ging zum nächsten Tisch. Er setzte sich mit dem Gesicht zur Tür und ließ hin und wieder den Blick dorthin schweifen, aber sein Gesicht zeigte die starre, aufmerksame Miene eines Zuhörers, der auf alles gefaßt ist.

»Du weißt ja, was ich all die Jahre zu Hause auszuhalten hatte«, begann Mr. Halloran feierlich, und machte eine Pause.

»O Gott, ja«, sagte McCorkery im Ton schlichter Kameradschaftlichkeit. »Wie geht's ihr denn so in letzter Zeit?«

»Schlechter denn je«, erwiderte Mr. Halloran, »aber darum geht es nicht.«

»Worum denn, Halloran?« fragte McCorkery, während er die Gläser nachfüllte. »Du weißt doch, daß du offen mit mir reden kannst. Geht's um eine Anleihe?«

»Nein«, sagte Mr. Halloran. »Um einen Job.«

»Also das steht auf einem anderen Tapet«, entgegnete McCorkery. »Was denn für ein Job?«

Den Kopf tief zwischen die Schultern eingezogen, sah Mr. Halloran, wie McCorkery die Hand zum Gruß hob und einem halben Dutzend Männer zunickte, die hereingekommen waren und sich an der Bar verteilten. »Ein paar von den Jungens«, erklärte McCorkery. »Red' nur weiter.« Sein Gesicht wirkte jetzt härter und ruhiger, als hätte der Whisky ihm inneren Halt gegeben. Mr. Halloran sagte das, was er sich zurechtgelegt hatte, was er auf dem Herweg bereits gesagt hatte, und es klang nach wie vor vernünftig und angemessen, fand er. McCorkery wartete, bis er ausgeredet hatte; dann stand er auf und legte Mr. Halloran die Hand auf die Schulter. »Bleib hier und bedien' dich«, sagte er und schob die Flasche ein wenig näher, »und wenn du noch etwas möchtest, Halloran, bestell' es auf meine Rechnung. Ich bin gleich wieder da, und wenn ich kann, helf' ich dir gerne weiter, das weißt du ja.«

Halloran verstand jedes Wort, doch wie durch einen weichen, warmen Nebel, und er merkte es kaum, als McCorkery in Begleitung der Männer wieder an ihm vorbeiging, alle so unheimlich lautlos wie Räuber auf einer dunklen Straße. Sie gingen ins Hinterzimmer, beim Öffnen der Tür fiel helles Licht heraus, und dann schloß sie sich wieder, und Mr. Halloran langte nach der Flasche, um sich das Warten zu verkürzen, bis McCorkery wiederkäme und ihm die gute Nachricht brächte. Er fühlte sich so wohlig und entspannt, als hätte er weder Knochen noch Muskeln im Leib, nur der Ellbogen rutschte ihm ein- oder zweimal vom Tisch, und er verschüttete sein Glas über seinen Ärmel. Meine Güte, McCorkery, stellst du bald die ganze Familie bei dir ein? Der Mann von meiner Maggie ist nämlich jetzt beim Kleinen Tammany-Verein. »Der Junge ist helle und wird's zu was bringen, und ich hab ein Auge auf ihn geworfen, Halloran«, sagte McCorkerys freundliche Stimme in seinem Kopf, und hinter seinen geschlossenen Lidern tauchte ganz deutlich das bräunliche Gesicht auf, weicher in den Zügen, als er es in Erinnerung hatte.

»Ach ja, mir ist, als würde ich in ihm noch einmal ganz von vorne anfangen«, sagte Mr. Halloran laut, »von meinem eigenen Job ganz abgesehen, den ich schon die ganze Zeit hätte haben können, wenn ich nur früher zu dir gekommen wäre.«

»Du sagst es«, erwiderte McCorkery mit der fröhlichen Stimme des Iren aus dem County Mayo in Mr. Hallorans Kopf. »Und jetzt laß uns um der alten Zeiten willen auf eine frohe Zukunft anstoßen, und Lacey Mahaffy soll sich zum Teufel scheren.« Mr. Halloran griff nach der Flasche, doch diese hüpfte zur Seite, rollte vor seiner Hand davon wie eine lebendes Wesen und zerplatzte zu seinen Füßen. Als er aufstand, kippte der Stuhl hinter ihm um. Er stützte sich auf den Tisch, und der klappte unter seinen Händen zusammen wie ein Pappkarton.

»Jetzt mal sachte, immer mit der Ruhe«, sagte McCorkery, und diesmal stand er wirklich und leibhaftig neben ihm, stützte Mr. Halloran auf der einen Seite mit eisernem Griff und gab den Jungens im Hinterzimmer einen Wink; sie traten lautlos heraus, und einige von ihnen nahmen Mr. Halloran auf der anderen Seite in den Griff. Es waren lauter irische Gesichter um ihn, aber nicht ein Ire war darunter, den Mr. Halloran gekannt hätte, und keines von den Gesichtern, die er da sah, wollte ihm gefallen. »Laßt mich los«, sagte er mit Würde, »ich bin gekommen, um

Gerald J. McCorkery zu sprechen, der ein alter Freund von mir ist, und keiner von euch Gangstern hat das Recht, mich anzufassen.«

»Komm schon, Großmaul«, sagte einer der jüngeren Männer mit einer Stimme wie ein Reibeisen, »komm jetzt, es ist Zeit zu gehen.«

»Das ist ja ein sauberes Pack, das du dir da als Gefolgschaft ausgesucht hast, McCorkery«, sagte Mr. Halloran und stemmte sich mit den Fersen gegen den sanften Druck, mit dem sie ihn in Richtung Tür schoben. »Von denen würde ich keinem über den Weg trauen, nicht einmal soweit ein ordentlicher Fußtritt reicht.«

»Schon gut, schon gut, Halloran«, meinte McCorkery. »Komm nur mit mir. Laß ihn los, Finnegan.« Er beugte sich über Mr. Halloran und drückte ihm etwas in die Rechte. Es war Geld, feinsäuberlich zusammengerollt, schöne, glatte, knisternde Geldscheine, nichts sonst auf der Welt fühlte sich so an, es war unverwechselbar. Ha, jetzt konnte er Lacey Mahaffy einen Trumpf vorweisen, daß sie glatt auf den Rücken fallen würde. Ehrlich erworbenes Geld und einen Job obendrein. »Du stehst doch zu deinem Wort, McCorkery, wie eh und je?« fragte er und spähte in das Felsengesicht über ihm, während unter ihm seine Füße im Zickzack tanzten und sein Herz vor Dankbarkeit bald zerspringen wollte.

»Na klar, klar doch«, erklärte McCorkery in einem lauten, herzlichen Ton, in dem eine Art Fluch mitschwang. »Kruzitürken, schaut, daß er wegkommt, schnell.« Ehe er sich's versah, wurde Mr. Halloran mit sanfter Gewalt in ein Taxi geschoben, das am Bordstein wartete, während McCorkery mit dem Fahrer sprach und ihm Geld gab. »Mach's gut, Großmaul!« sagte eines der Gangstergesichter, dann fiel die Wagentür dumpf ins Schloß. Mr. Halloran wetzte eine Weile unruhig auf dem Sitz hin und her und versuchte zu denken. Er lehnte sich vor und sprach mit dem Fahrer. »Bringen Sie mich zum Haus meines Freundes Gerald J. McCorkery«, sagte er, »ich hab dort Wichtiges zu erledigen. Kümmern Sie sich nicht darum, was er gesagt hat. Fahren Sie mich zu seinem Haus.«

»Meinen Sie?« erwiderte der Fahrer, ohne den Kopf zu wenden. »Ausgestiegen wird jedenfalls hier, verstanden? Genau hier.« Er langte nach hinten und öffnete die Tür. Und da stand Mr. Halloran tatsächlich auf dem Gehsteig vor seiner Wohnung in der Perry Street, mit einer Reihe Mülltonnen als einziger Gesellschaft, während das Taxi hupend um die Straßenecke bog und ein Polizist auf ihn zukam, der im Schein der Straßenlaterne klar zu erkennen war.

»Sie sollten McCorkery Ihre Stimme geben, dem Freund des kleinen Mannes«, eröffnete Mr. Halloran dem Polizisten. »McCorkery ist der Mann, der uns allen aus der Patsche helfen wird. Hält zu seinen alten Freunden wie ein Besessener. Hat eine Frau namens Rosie. Stimmen Sie für McCorkery«, sagte Mr. Halloran, der seinen Job sehr ernst nahm, »und Sie werden Polizeichef, wenn Halloran sein Wort einlegt.«

»Diese Strohpuppe McCorkery kann mir gestohlen bleiben«, erwiderte der Polizist, und sein Mund war verkniffen und bitter von allem, was er hier in diesem Revier jede Nacht sagte und was er jede Nacht tat und erlebte. »Jetzt sind Sie schon wieder betrunken, Halloran, Sie sollten sich schämen, wo Lacey Mahaffy sich über dem Waschbrett bald zu Tode schuftet, um Ihr Bier zu bezahlen.«

»Das war kein Bier, und Lacey Mahaffy hat es auch nicht bezahlt, damit Sie's wissen«, sagte Mr. Halloran, »und was wissen Sie schon von Lacey Mahaffy?«

»Ich kenn' sie von früher, als ich noch Botengänge für

den St.-Veronika-Altarverein gemacht habe«, sagte der Polizist, »und sie war schon damals was Besonderes. Das Beste war nicht gut genug für sie.«

»Das ist heute noch dasselbe«, meinte Mr. Halloran und wurde für einen Augenblick fast nüchtern.

»Also, Sie gehen jetzt nach oben und bleiben dort, bis Sie in einem Zustand sind, daß Sie sich wieder seh'n lassen können«, sagte der Polizist schulmeisterhaft.

»Sie sind Johnny Maginnis«, bemerkte Mr. Halloran, »ich kenne Sie gut.«

»Das sollten Sie auch inzwischen«, meinte der Polizist.

Mr. Halloran kämpfte sich streckenweise auf allen vieren die Treppe hoch, aber sobald er an der eigenen Wohnungstür angelangt war, richtete er sich auf, schlug einmal kräftig mit der Faust gegen die Türfüllung, drehte am Griff und rauschte gleich einer Woge mitsamt der Tür ins Zimmer und streckte Mrs. Halloran, die mit dem Bügeln fertig war und über ihrer Flickarbeit saß, das Geld entgegen.

Ganz langsam erhob sie sich, die knochige Hand vor den Mund gepreßt, und die Augen wollten ihr fast aus dem Kopf quellen bei dem, was sie sah. »Himmel, hast du das gestohlen?« fragte sie. »Hast du dafür jemand umgebracht?« Die Worte kamen krächzend aus ihrer Kehle, in einem unheilvollen Flüstern. Mr. Halloran erwiderte ihren stieren Blick voll Angst.

»Heiliger Strohsack, Lacey Mahaffy!« schrie er so laut, daß das ganze Haus ihn hören konnte. »Hast du denn keinen Funken Verstand im Kopf, daß du nicht begreifen kannst, daß dein Mann endlich eine Glückssträhne hat und eine Arbeit, und daß von heut' an alles anders wird? Gestohlen soll das sein? Das überlaß ich schon deinen tollen Freunden, den Connollys, mit ihrer ganzen Frömmigkeit. Connolly stiehlt, aber Halloran ist ein ehrlicher Mann mit einem Job im McCorkery-Club und Geld in der Tasche.«

»So, McCorkery steckt dahinter?« entgegnete Mrs. Halloran nicht weniger lautstark. »Dann wären wir also so weit, daß die ganze Familie, jung und alt, verkommen und unschuldig, sich ihr Brot bei McCorkery verdient. Na, auf so ein Brot kann ich verzichten, ich verdien' mir meins selber wie bisher, du kannst dein schmutziges Geld behalten, Halloran, daß du's gleich weißt.«

»Großer Gott, Weib«, stöhnte Mr. Halloran und wankte von der Tür zum Tisch und von dort zum Bügelbrett, wo er stehen blieb und vor Wut beinahe losgeheult hätte. »Hast du denn obendrein auch keine Seele im Leib, daß du deinem Mann nicht folgen willst, wenn er auf dem Rücken des Tigers zu Ruhm und Reichtum reitet, wo du alles haben kannst, was du willst, und keiner Fragen stellt?«

»Doch, ich habe eine Seele«, kreischte Mrs. Halloran mit wirren Haaren und ballte die Fäuste. »Gewiß hab ich eine Seele, und es wird mir gelingen, sie zu retten, da kannst du machen, was du willst...«

In einer Art Leichentuch aus verschossenem Baumwollstoff stand sie vor ihm, ihre toten Hände hoch erhoben, ihre toten Augen blind, doch starr auf ihn gerichtet, hohl klang ihre Stimme aus der Tiefe des Sargs zu ihm herauf, ihre Kehle war belegt vom Grabesmoder. Der Geist Lacey Mahaffys bedrohte ihn, er kam immer näher und wurde immer größer dabei, und sein Gesicht verwandelte sich in eine teuflische Fratze mit einem starren, glasigen Grinsen. »Das kommt nur von der Sauferei auf leeren Magen«, krächzte das Gespenst. Mr. Halloran stieß einen markerschütternden Angstschrei aus und packte das Bügeleisen, das auf dem Brett stand. »Gott verfluche dich, Lacey Mahaffy, du Satansweib, bleib mir vom Leib, bleib mir ja vom Leib«, heulte er, doch sie kam grinsend und krächzend immer näher auf ihn zugeschwebt. Er hob das

Bügeleisen hoch und schleuderte es, ohne zu zielen, und das Gespenst, wer oder was immer es gewesen sein mochte, sackte in sich zusammen und war verschwunden. Er schaute gar nicht erst nach, sondern verließ fluchtartig das Zimmer und stand wieder unten auf dem Gehsteig, bevor er recht wußte, daß er dorthin wollte. Maginnis kam sofort gelaufen. »He, hören Sie, Halloran«, sagte er. »Diesmal laß ich nicht mit mir spaßen. Sie gehen jetzt auf der Stelle nach oben, oder ich laß Sie einsperren. Kommen Sie schon, diesmal seh' ich zu, daß Sie auch richtig ankommen, und dabei bleibt's dann. Stempeln gehen wie Sie, und dann saufen wie ein Loch.«

Mr. Halloran war plötzlich ganz ruhig, gefaßt; er würde mit Maginnis nach oben gehen und ihm genau zeigen, was passiert war. »Ich geh' nicht mehr stempeln, und wenn Sie unbedingt Ärger haben wollen, dann brauchen Sie bloß meinen Freund McCorkery anzurufen. Der wird Ihnen sagen, wer ich bin.«

»McCorkery kann mir nichts über Sie erzählen, was ich nicht schon weiß«, sagte Maginnis. »Jetzt stehen Sie bloß auf.« Halloran wollte nämlich wieder auf allen vieren die Treppe hoch.

»Lassen Sie mich«, sagte Mr. Halloran und versuchte, sich auf den Füßen des Polizisten niederzulassen. »Sie werden sich freuen zu hören, daß ich Lacey Mahaffy nun endlich umgebracht habe«, erklärte er und blickte zu dem Gesicht des Polizisten auf. »Es war höchste Zeit, schon längst. Aber das Geld hab ich nicht gestohlen.«

»Ach, wie jammerschade«, sagte der Polizist, während er ihn unter den Armen faßte und hochhievte. »Mein Gott, nein, hätten Sie denn nicht alles in einem Aufwasch erledigen können, wenn Sie schon dabei waren? Kommen Sie, stehen Sie auf. Zum Donnerwetter, stehen Sie auf, oder es setzt was.«

Mr. Halloran sagte: »Na schön, Sie glauben mir nicht. Warten Sie's ab.«

In diesem Moment blickten sie beide nach oben und sahen Mrs. Halloran die Treppe herunterkommen. Sie hielt sich am Geländer fest, und selbst in dem schummrigen Licht im Treppenhaus konnten sie auf ihrer Stirn eine gewaltig vorstehende, dicke Beule erkennen, die in allen Farben schillerte. Sie blieb stehen und wirkte nicht im mindesten überrascht.

»Da sind Sie ja, Wachtmeister Maginnis«, sagte sie. »Bringen Sie ihn nur rauf.«

»Das ist ja ein tolles Horn, das Sie diesmal über dem Auge abbekommen haben, Mrs. Halloran«, bemerkte Wachtmeister Maginnis höflich.

»Ich bin gestürzt und hab mir den Kopf am Bügelbrett angeschlagen«, sagte Mrs. Halloran. »Das kommt von der Überarbeitung und all den Sorgen Tag und Nacht. Ein Ohnmachtsanfall, Wachtmeister Maginnis. Paß gefälligst auf, wo du mit deinen Trampelfüßen hinsteigst, alter Schwachkopf«, fügte sie für Mr. Halloran hinzu. »Er hat jetzt einen Job, Sie werden's nicht glauben, Wachtmeister Maginnis, aber es ist wahr. Bringen Sie ihn nur ganz rauf, vielen Dank.«

Sie ging voraus, machte die Tür auf und ging vor ihnen her durch die Küche ins Schlafzimmer, schlug die Überdecke zurück, und Wachtmeister Maginnis ließ Mr. Halloran zwischen die Steppdecken und Kissen plumpsen. Mr. Halloran rollte sich mit einem tiefen Seufzer zur Seite und schloß die Augen.

»Vielen Dank auch, Wachtmeister Maginnis«, sagte Mrs. Halloran.

»Keine Ursache, Mrs. Halloran«, erwiderte Wachtmeister Maginnis.

Nachdem sie die Tür hinter ihm geschlossen und verriegelt hatte, nahm Mrs. Halloran ein großes Badetuch und hielt es unter den Wasserhahn in der Küche. Sie wrang es aus, machte in ein Ende mehrere saubere, harte Knoten und probierte es mit einem klatschenden Schlag auf der Tischkante aus. Dann ging sie ins Schlafzimmer, trat ans Bett und ließ das geknotete Handtuch mit aller Kraft auf Mr. Hallorans Gesicht niedersausen. Er regte sich leise und brummelte unruhig. »Das ist für das Bügeleisen, Halloran«, erklärte sie ihm so bedächtig, als rede sie mit sich selbst, und klatsch!, wieder sauste das Handtuch nieder. »Das ist für das Halbdollarstück«, erklärte sie, und klatsch!, »das ist für deinen Rausch –« Ihr Arm schwang gleichmäßig im Kreis und landete jedesmal mit einem dumpfen Schlag auf seinem Gesicht, das nun in einer Art entgeisterter Qual zu zucken und nach Luft zu ringen begann, sich aus dem Kissen aufrichtete und gleich wieder zurückfiel. »Für deine ewigen Strumpfsocken«, erklärte Mrs. Halloran, klatsch!, »und für deine Faulheit, und das ist fürs Messeschwänzen, und« – hier holte sie gleich ein halbdutzendmal aus – »das ist für deine Tochter und für das, was sie von dir hat…«

Atemlos trat sie einen Schritt zurück, die Beule auf ihrer Stirn leuchtete in den wildesten Farben. Als Mr. Halloran versuchte, sich zu erheben, und die Arme dabei schützend vor den Kopf hielt, gab sie ihm einen Stoß, und er sackte wieder zurück. »Du bleibst da lieben und tust keinen Muckser«, befahl Mrs. Halloran. Er zog sich das Kissen übers Gesicht und sank wieder zurück, dieses Mal endgültig.

Mrs. Halloran ging mit zielstrebigen Bewegungen umher. Sie band sich das nasse Handtuch um den Kopf, so daß das geknotete Ende ihr über die Schulter hing. Dann fuhr sie mit der Hand in die Schürzentasche und förderte das Geld zutage. Es war ein Fünfdollarschein, in den drei einzelne Dollarscheine eingerollt waren, und dazu das Halbdollarstück, das sie längst abgeschrieben hatte. »Ein kümmerlicher Anfang, aber wenigstens etwas«, sagte sie und sperrte mit einem langen Schlüssel die Tür zum Küchenschrank auf. Sie griff hinein, zog ein loses Brett aus der Wand und holte eine schwarzlackierte Metallkassette heraus. Sie schloß sie auf und entnahm dem wirren Durcheinander von Münzen und Scheinen ein einzelnes Fünfcentstück. Dann legte sie das neue Geld dazu, schloß die Kassette wieder ab, stellte sie zurück, schob das Brett wieder an seinen Platz, schloß die Tür zum Küchenschrank und sperrte auch diese wieder ab. Dann ging sie hinaus zum Telefon, warf den Fünfer in den Schlitz, verlangte eine Nummer und wartete.

»Bist du's, Maggie? Na, geht's dir inzwischen besser? Freut mich zu hören. Es ist ja schon fast zu spät zum Anrufen, aber es gibt Neuigkeiten von deinem Vater. Nein, nein, nichts dergleichen, er hat einen Job. Einen *Job*, hab ich gesagt. Ja, endlich, nachdem ich ihn so lange bekniet hab... Ich hab ihn schon ins Bett gebracht, damit er sich ausschlafen kann und für die Arbeit morgen ausgeruht ist... Ja, politische Arbeit, für den Wahlkampf, bei Gerald McCorkery. Aber das ist nichts Unrechtes, Stimmen werben und all das, er ist an der frischen Luft, und außerdem brauche ich mich deswegen noch lange nicht mit ordinärem Gesindel einzulassen, jetzt sowenig wie in Zukunft. Es ist ehrliche Arbeit und gut bezahlt; wenn es auch nicht gerade das ist, was ich mir vom Himmel erfleht habe, so ist es immerhin besser als gar nichts, Maggie. Nachdem ich doch schon alles versucht hatte... es ist wie ein Wunder. Da siehst du, was man mit Geduld und Pflichterfüllung erreichen kann, Maggie. Jetzt sieh nur zu, daß du es mit deinem Mann ebensogut machst.«

JAMES STEPHENS

Pferde

Er war groß und sie war klein. Er war breit und neigte zur Korpulenz. Sie war mager, und hätte man ein wenig an ihr herumgeschabt, wäre sie knochig gewesen. Seine Miene war ernst und entschlossen, ja würdevoll; die ihre war selbstgerecht, und Selbstgerechtigkeit ist der dauerhafteste, unzerstörbarste Zug der menschlichen Natur. Wer eine selbstgerechte Frau heiratet, muß seine Geldbörse abliefern und wird auf seine alten Tage noch Briefmarkensammler, dreht Daumen und lächelt, wenn Besucher ihm Fragen stellen, und lernt allmählich, Bier zu verabscheuen und zuzugeben, ja zu behaupten, daß der Mann ins Haus gehöre.

Man könnte fragen, warum er sie geheiratet habe, und es wäre schwierig, eine Antwort auf diese Frage zu finden. Die gleiche Frage kann man fast jedem Paar vorlegen, denn wir heiraten nicht nach mathematischen Gesetzen (und es ist möglicherweise besser, daß es so ist), sondern auf Grund einer außergewöhnlichen Anziehung, die weder rein körperlich noch rein seelisch ist. Der entscheidende Faktor ist etwas anderes, bisher noch nicht von der Psychologie Klassifiziertes. Es kann sein, daß die allgegenwärtige, seltsame Hexenküche der Natur, die Granit und Zweig, Ameise und Zwiebel lenkt, auch uns gebieterischer und heimlicher dirigiert, als wir es ahnen.

Manche Leute heiraten, weil andere auch geheiratet haben. Es liegt in der Luft wie Sichbekleiden oder Kunst oder

Nicht-mit-dem-Messer-Essen. Er natürlich hatte geheiratet, weil er es wollte, und das Merkwürdige an der Geschichte war, daß er sich nicht etwa mit einer sanftmütigen Frau paarte. Vielleicht hatte er sie zuerst für sanftmütig gehalten, denn vor der Hochzeit besteht auf beiden Seiten die Gewohnheit, nachzugeben, was sehr irreführend und oft verhängnisvoll ist.

Von Anbeginn seiner Ehe an hatte er seine Frau unentwegt bekriegt. Kaum waren sie verheiratet, da legte sich ihre sanfte, nachdrucksvolle Hand auf ihn, und wie ein scheuendes Pferd brach er bei dieser Berührung los und preschte in die Freiheit – das heißt, so weit es die kurz bemessenen ehelichen Zügel zuließen. Natürlich kam er zurück – die Zügel holten ihn –, und eine sichere, nie ermüdende Hand beruhigte ihn und lenkte ihn auf den Weg, auf dem sie ihn haben wollte.

Er hatte sich schon fast ergeben. Häusliche Gewohnheiten legten sich um ihn: dicht wie Spinnweb und auch ebenso zäh. Wenn er ins Haus trat, wischte er sich die Füße auf der Matte ab. Den Hut hängte er an die dafür gesetzlich vorgesehene Ausstülpung. Sein Kuß wurde zum vorgeschriebenen Zeitpunkt verabfolgt und dauerte die vom Reglement bestimmte Zeit. Der Platz vor dem Kamin forderte ihn an und schluckte ihn. Das Fenster war sein Lugaus ins Leben. Jenseits der Haustür lagen fremde Länder, von Menschen bewohnt, die nicht länger seinesgleichen waren. Katze und Kanarienvogel waren seinesgleichen, und seine Frau ersetzte ihm mit zunehmender Geschwindigkeit den Freund.

Einmal täglich brach er gewissenhaft zu dem befohlenen Spaziergang auf.

»Sei vor ein Uhr zurück«, warnte die Stimme der wohlwollenden Autorität, »denn das Essen steht dann auf dem Tisch!«

»Kannst du vor zwei Uhr zurück sein?« fragte die gleiche Stimme. »Der Rasen muß gewalzt werden.«

»Bleib nicht länger fort als bis drei Uhr«, erinnerte die Stimme, »wir wollten Tante Kate besuchen!«

Und um ein Uhr und zwei Uhr und drei Uhr marschierte er eiligst weibwärts. Er aß das Mittagessen, das pünktlich um eins auf dem Tisch stand. Er walzte den unvermeidlichen Rasen. Er trabte treulich los, um Tante Kate zu besuchen, verzagte nicht und ging wieder nach Hause. Man stieg um zehn ins Bett, man unterhielt sich freundlich bis um elf, und dann schlief man.

Eines Tages vertraute sie ihm eine größere Geldsumme an und ersuchte ihn, in die Stadt zu gehen und in bestimmten Geschäften bestimmte Rechnungen zu bezahlen, wofür ihm genauere Einzelheiten auf einem Zettelchen übermacht wurden.

»Sei vor drei Uhr zurück«, sagte die gute Dame, »denn die Fegans kommen zum Tee. Deinen Schirm brauchst du nicht mitzunehmen, es gibt keinen Regen, und deine Pfeife solltest du lieber hierlassen, es sieht nicht gut aus. Nimm meinetwegen ein paar Zigaretten mit und deinen Spazierstock, wenn du gern möchtest, und sei bestimmt um drei Uhr zurück!«

Er legte seine Pfeife in einem Gestell ab, das dafür vorgesehen war, steckte die Zigaretten in die Tasche und nahm den Spazierstock in die Hand.

»Du hast mir keinen Abschiedskuß gegeben«, mahnte sie sanft. Also kehrte er um und tat's, und dann ging er.

Es war ein köstlicher Tag. Die Sonne schien nach Herzenslust. Man sah es ihr förmlich an, wie gerne sie schien und daß sie hoffte, jeder möge sich ihres Tuns erfreuen. Wenn es irgendwo Vögel gab, so sangen sie gewiß. In diesem Vorort gab's jedoch nur ein paar Spatzen, aber sie hüpften und flatterten, flatterten und hüpften, legten den Kopf auf die Seite und tschilpten etwas Vergnügtes und möglicherweise Freches, wenn jemand vorüberging. Sie tummelten sich, so sehr es in ihren Kräften stand, spielten unschuldige Spielchen mit glücklichen kleinen Fliegen, und nicht einer unter Tausenden war deprimiert.

Auf einer mollig warmen Fensterbank lag eine Katze. Sie blinzelte schläfrig auf die Spatzen herab, und jedermann konnte sehen, daß sie alle liebte und ihnen wohlwollte.

Auf der Türschwelle hatte sich ein Hund ausgestreckt. Er lag sehr still, aber langweilen tat er sich nicht im mindesten. Er nahm ein Sonnenbad, und überdies behielt er die Katze im Auge. So sorgsam beobachtete er sie, daß man sofort begriff, er war ihr gut Freund und würde sie um jeden Preis beschützen.

Ein kleiner Junge war da, der hielt in der linken Hand eine Blechbüchse mit einer langen Schnur. Seine Rechte näherte sich dem Hund mit einschmeichelnden Gesten. Mit Tieren spielte er am liebsten, und immer zeigte er sich ihres Vertrauens würdig.

Unser Spaziergänger schritt wacker fürbaß und blickte im Gehen auf seine Füße. Zu seiner Bestürzung mußte er feststellen, daß er nicht so viel von seinen Füßen sah, wie er erwartet hatte. Zwischen ihm und seiner Vergangenheit lag eine geringfügige, aber wohlgeformte Kurve.

›Ich werde dick‹, dachte er, und dieser Gedanke versetzte ihn zurück vor den morgendlichen Spiegel.

›Ich werde auch ein bißchen kahl‹, dachte er, und eine stille Traurigkeit bemächtigte sich seiner.

Doch dann faßte er sich. Man setzt nun einmal Fett an. ›Jedermann setzt Fett an, wenn er verheiratet ist‹, dachte er. Er ließ Freunde und Bekannte an seinem Geist vorüberziehen, fand, daß es stimmte, und beugte sich dem unabänderlichen Geschick. »Man wird kahl«, sagte er. »Jedermann wird kahl. Die klügsten Leute verlieren ihr Haar. Könige und Generäle, Reiche und Arme, sie alle werden kahl. Es ist keine Schande«, sagte er und trottete vernünftig durch den Sonnenschein.

Ein junger Mann überholte ihn. Er pfiff. Seine Rockschöße waren geteilt, die Hände in den Taschen vergraben. Die Ellbogen stießen rechts und links in die Gegend, indes er munter weitermarschierte.

›So sollte man nicht einherscharwenzeln‹, dachte unser Spaziergänger. ›Und warum zieht er überhaupt die Rockschöße so hoch? Es schickt sich nicht. Die Leute werden über ihn lachen.‹

Ein Mädchen trat aus einem Laden und kam ihnen entgegen. Sie blickte den jungen Mann im Vorübergehen an, und dann drehte sie sich noch einmal nach ihm um und warf ihm einen Blick nach, aber einen langen. Sie näherte sich unserm Wandersmann. Sie hatte keine Taschen, in die sie ihre Hände hätte vergraben können, doch auch sie scharwenzelte einher. Ihre Schultern wiegten sich von links nach rechts, und ihre Hüften schoben sich vor und zurück. Es ging etwas sehr Eindrucksvolles und doch sehr Verschwiegenes von diesem tänzelnden Körper aus.

›Mich hat sie nicht angesehen‹, dachte unser Spaziergänger, und sein Geist faltete die Hände über dem Bäuchlein und setzte sich, während er selbst weiter durch den Sonnenschein schritt, um seine Besorgungen zu erledigen.

Dann blieb er stehen und zündete sich eine Zigarette an. Er stand ein Weilchen still und sah dem blauen Rauch nach, der davontrieb und in der Luft verging. Während er so sann, kam ein Mann auf einem Pferdewagen einher. Der Wagen war mit allerlei Sachen beladen: Pakete mit jemandes Tee, Schachteln mit jemandes Schokolade, Flaschen mit Bier und Mineralwasser, Dosen mit schwarzer

Schuhwichse und Kartons mit Seife, Süßigkeiten, Büchsenfisch, Käse, Makkaroni und Marmelade.

Der Wagen näherte sich, der Mann schlug das Pferd, und der Spaziergänger betrachtete die beiden durch ein Rauchwölkchen.

»Ich möchte wohl wissen«, sagte er, »warum der Mann sein Pferd schlägt!«

Der Kutscher saß ganz gemütlich da. Er war nicht zornig. Er war nicht ungeduldig. Es war überhaupt nichts mit ihm. Und doch schlug er ständig auf das Pferd ein – nicht grob, eigentlich ganz sanft. Er schlug das Pferd ohne böse Absicht, fast ohne es zu wissen, was er tat. Es war wie eine Art Gelenkigkeitsübung. Ein schnelles, kurzes Zwicken mit der Peitsche, ein Schmitz, der immer auf die gleiche Stelle, auf den Bauch des Tieres traf. Sehr geschickt machte er es, aber bereits so fabelhaft geschickt, daß man sich fragte, warum er es noch länger übte. Und das Pferd erhob keinerlei Einwände. Nicht einmal seine Ohren protestierten. Die Hufe waren eisenbeschlagen und trabten mit braver, unbeirrbarer Regelmäßigkeit ihres Weges. Trotz der Peitschenhiebe ging es weder schneller noch langsamer; es schien sich nichts daraus zu machen.

Plötzlich wurden die Zügel angezogen, und das Pferd blieb stehen, blieb genauso geduldig und ergeben stehen, wie es erst getrabt hatte. Es hob den Kopf nicht, es bewegte den Schwanz nicht. Es zuckte nicht einmal mit den Ohren, wenn es von der Seite her Geräusche auffing. Es scharrte nicht mit den Füßen. Ein Schwarm Fliegen summte um seinen Kopf. Sie kletterten von den Nüstern die Nase aufwärts bis zu den Ohren, doch vor allem klebten sie ihm in garstigen, schwarzen Klecksen an den Augen, und aus diesen Klecksen hervor blickten nun die Augen in seltsamer Geduld und Milde.

Ein Gedanke hatte von unserm Spaziergänger Besitz ergriffen und ließ ihn nicht mehr los. Er konnte an nichts anderes denken.

›Es gibt keine grüne Weide mehr auf der Welt‹, dachte er. ›Über Nacht kamen sie und holten all die grünen Weiden, und nun wissen die armen Pferde nicht, was sie tun sollen... Pferd! Pferd! kleines Pferd!... Du glaubst mir eben nicht. Aber es gibt Menschen, die keine Peitsche haben. Es gibt Kinder, die dich gern in ihre Arme schließen oder dir den Kopf streicheln wollen...‹

Der Kutscher erschien und stieg auf den Bock, und das Pferd kehrte gewissenhaft um und trabte weiter.

Der Mann mit der Zigarette sah ihm ein paar Minuten lang nach. Dann kehrte auch er gewissenhaft um und wollte seine Besorgungen erledigen.

Er kam an den Bahnhof und sah auf die Uhr. Ein paar Männer in Uniform liefen eifrig hin und her. Drei oder vier Leute gingen die Treppe hinauf, die zum Schalterraum führte. Ein zerlumpter Mann hielt ihm eine Zeitung unter die Nase, blieb erwartungsvoll stehen und schlurfte dann, seine Nachrichten ausrufend, weiter. Eine Frau mit erhitztem Gesicht stürzte an ihm vorüber. Sie trug einen großen Korb und ein dickes Kind. Sie schleppte sich halbtot, und er dachte, was sie wohl eher fallen lassen würde, Korb oder Kind. Ein kleiner, untersetzter, ältlicher Herr beförderte sich mitsamt seinem Koffer absatzweise die Treppe hinauf. Er sah sehr energisch aus. Jeden Vorübergehenden funkelte er an, als sei es ein Feind. Die leblose Natur blitzte er an, als dürfe sie sich nicht unterstehen, ihm zwischen die Füße zu kommen. Ein solcher Mann würde keinesfalls je seinen Zug verpassen. Leichten Schrittes stieg eine junge Dame die Stufen hinan. Schneeweiß flatterte der Kleidersaum um ihre Beine, die sie vergeblich besser zu bedecken versuchte. Ein junger Mann sprang die Treppe hinauf. Er starrte das junge Mädchen an, aber sie hob das Kinn und sprach ihm jede Daseinsberechtigung ab. Ein kleiner Knabe wollte sich einen großen Gummiball in den Mund stopfen, doch der Mund war zu klein, und er weinte verzweifelt ob seines Unvermögens. Seine hochaufgeschossene Schwester zerrte ihn mit langem Arm hinter sich her und nach oben.

Wieder sah der Spaziergänger auf die Uhr. Es war eine Minute vor zwei. Und plötzlich widerfuhr ihm etwas. Die ganze lichte Welt wurde rot. Alle Meere brandeten auf in Sturmgetöse. Ein Ozean aus Blut brauste ihm durch den Kopf und betäubte ihn fast. Wellen rissen ihm die Füße empor, und er flog schäumend die Treppe hinauf, brauste in den Schalterraum und wurde wie ein hüpfender Kork auf einer gischtenden Woge in den Zug geschwemmt. Ein Schaffner wollte ihn aufhalten, denn der Zug setzte sich bereits in Bewegung – aber wie kann ein Billettknipser wohl eine Sturmflut aufhalten? Der Zug machte sich auf die Socken und sauste aus dem Bahnhof hinaus ins Freie, ins flammende Sonnenlicht, schneller und schneller und schneller. Der Wind sprang am Wagenfenster hoch und brüllte vor Lachen. Die weiten Felder tanzten miteinander und schrien laut:

»Die Pferde kommen zurück auf die grüne Weide! Platz da, Platz da für die herrlichen, wilden Pferde!«

Und die Bäume kreiselten von Horizont zu Horizont und jauchzten die gute Nachricht von der Freiheit.

SYLVIA PLATH

Das Wunschkästchen

Agnes Higgins wußte nur zu gut, was der glückselige, abwesende Gesichtsausdruck ihres Mannes Harold beim Frühstück bedeutete.

»Also«, Agnes zog hörbar die Luft ein und strich mit rachsüchtigen Bewegungen des Buttermessers Pflaumengelee auf ein Stück Toast, »was hast du *diese* Nacht geträumt?«

»Ich erinnerte mich gerade«, sagte Harold und sah weiter mit glücklichem, in nebelweite Fernen gerücktem Blick durch die höchst attraktive und greifbare Gestalt seiner Frau hindurch (die ihm, wie stets, auch an diesem Septembermorgen mit rosigen Wangen und losem blonden Haar im rosenbestickten Morgenmantel gegenübersaß), »an die Manuskripte, die ich mit William Blake besprach.«

»Aber«, erwiderte Agnes und sie konnte nur mühsam ihren Ärger verbergen, »aber woher *weißt* du, daß es William Blake war?«

Harold schien überrascht. »Was für eine Frage, von seinen Bildern, natürlich.«

Und was konnte Agnes darauf schon sagen? Sie brütete schweigend über ihrem Kaffee und kämpfte gegen die merkwürdige Eifersucht, die in ihr wie dunkler, bösartiger Krebs seit ihrer Hochzeitsnacht vor drei Monaten gewachsen war, als sie zum ersten Male in Harolds Träume Einblick bekommen hatte. In dieser ersten Nacht ihrer Flitterwochen hatte Harold sie in den frühen Morgenstunden aus tiefem, traumlosem Schlaf durch ein heftiges, krampfartiges Zucken seines rechten Arms aufgeschreckt. Voll Besorgnis hatte Agnes Harold damals wachgerüttelt und ihn in zärtlich-mütterlichem Ton gefragt, was passiert sei; sie hatte gedacht, er kämpfe vielleicht gegen einen furchtbaren Alptraum an. Nicht so Harold.

»Ich begann das Es-dur-Klavierkonzert von Beethoven zu spielen«, erklärte er schlaftrunken. »Und ich muß gerade den Arm für die ersten Akkorde gehoben haben, als du mich geweckt hast.«

Zu Beginn ihrer Ehe amüsierte Agnes sich über Harolds lebhafte Träume. Jeden Morgen fragte sie ihn, was er in der vergangenen Nacht geträumt habe, und er erzählte es ihr in allen Einzelheiten, als beschriebe er ein bedeutendes, aktuelles Ereignis.

»In der Library of Congress wurde ich der Versammlung amerikanischer Dichter vorgestellt«, berichtete er zum Beispiel genußvoll, »da war William Carlos Williams in einem großartigen groben Mantel, und dann der Dichter, der über Nantucket schreibt, und Robinson Jeffers sah wie ein Indianer aus, genauso wie auf der Fotografie in meiner Anthologie; und dann kam Robert Frost in einer Limousine vorgefahren und sagte irgend etwas Witziges, worüber ich lachen mußte.« Oder: »Ich sah eine wunderschöne Wüste, ganz rot und violett, in der jedes einzelne Sandkorn wie ein Rubin oder wie Saphire schimmerte. Ein weißer Leopard mit goldenen Flecken stand über einem leuchtend blauen Bach, die Hinterpfoten auf dem einen, die Vorderpfoten auf dem anderen Ufer, und ein kleiner Zug roter Ameisen überquerte den Bach, indem er den Leopard als Brücke benutzte, den Schwanz hinauf, den Rücken entlang, zwischen den Augen hindurch und auf der anderen Seite wieder hinunter.«

Harolds Träume waren nichts weniger als überaus sorgfältige Kunstwerke. Für einen gelernten Buchhalter mit ausgesprochen literarischen Neigungen (statt der üblichen Tageszeitung der Pendler las er auf der täglichen Bahnfahrt ins Büro E. T. A. Hoffmann, Kafka und astrologische Monatshefte) besaß Harold unzweifelhaft eine erstaunlich lebhafte, farbige Phantasie. Aber Harolds sonderbare Angewohnheit, seine Träume als einen festen Bestandteil seines realen Lebens zu begreifen, machte Agnes nach und nach immer wütender. Sie fühlte sich ausgeschlossen. Es war, als brächte Harold ein Drittel seines Lebens mit bedeutenden Menschen und märchenhaft legendären Wesen in einer anregenden Welt zu, von der Agnes auf ewig verbannt war, außer wenn er davon erzählte.

Woche um Woche verstrich, und Agnes verfiel mehr und mehr ins Grübeln. Obwohl sie sich weigerte, Harold davon zu erzählen, waren ihr die eigenen Träume, wenn sie träumte (und das war wahrhaftig selten genug), zuwider: dunkle, drohende Landschaften, bevölkert von unheilvollen, undeutlichen Gestalten. Sie konnte sich nie an Einzelheiten dieser Alpträume erinnern, da sich ihre Schatten schon beim Wachwerden verloren. Zurück blieb nur das undeutliche Gefühl einer erstickenden, gewitterträchtigen Atmosphäre, das sie den ganzen Tag über bedrohlich verfolgte. Agnes schämte sich viel zu sehr, als daß sie Harold gegenüber diese bruchstückhaften Schrekkensszenen erwähnt hätte, aus Furcht, sie würden ihre bescheidene Phantasie überdeutlich widerspiegeln. Ihre wenigen und sich nur in großen Abständen einstellenden Träume schienen so sachlich, so langweilig im Vergleich mit den prunkvollen königlich-barocken Träumen Harolds. Wie hätte sie ihm zum Beispiel einfach sagen können: »Ich fiel«, oder: »Mutter starb, und ich war so traurig«, oder: »Etwas hat mich verfolgt, und ich konnte nicht weglaufen«? Die schlichte Wahrheit war einfach, begriff

Agnes schmerzlich und voller Neid, daß ihr Traumleben selbst dem dienstbeflissensten Psychoanalytiker nur ein mühsam unterdrücktes Gähnen entlockt hätte.

Wo nur, überlegte Agnes wehmütig, waren die reichen Tage der Kindheit geblieben, als sie noch an Feen glaubte. Wenigstens damals war ihr Schlaf niemals ohne Traum und ihr Traum nicht platt und häßlich gewesen. Sie erinnerte sich wehmütig, wie sie mit sieben Jahren von einem Land über den Wolken geträumt hatte, wo Wunschkästchen, die mehr wie Kaffeemühlen aussahen, auf Bäumen wuchsen; man pflückte sich ein Kästchen, drehte die Kurbel neunmal, flüsterte dabei seinen Wunsch in ein kleines Loch an der Seite, und der Wunsch ging in Erfüllung. Ein anderes Mal hatte sie geträumt, sie hätte drei Zaubergrashalme gefunden, die neben dem Briefkasten am Ende ihrer Straße wuchsen: die Grashalme leuchteten wie Weihnachtsflitter, einer rot, einer blau und einer silbern. In einem anderen Traum standen sie und ihr kleiner Bruder Michael in Schneeanzügen vor dem weißen Holzhaus von Dody Nelson, knorpelige Wurzeln der Ahornbäume krochen wie Schlangen über den harten braunen Boden; sie trug rot-weiß gestreifte Wollfäustlinge; und als sie ihre hohle Hand ausstreckte, schneiten ganz plötzlich türkisblaue Hustenbonbons vom Himmel. Aber das war auch schon alles, was Agnes von den Träumen der unendlichen, schöpferischen Tage der Kindheit erinnerte. In welchem Alter war sie aus diesen wohltuenden, bunten Traumwelten verstoßen worden? Und aus welchem Grund?

Harold unterdessen berichtete beim Frühstück unermüdlich von seinen Träumen. Während einer depressiven Phase bei schlechter Sternenkonstellation, und bevor Harold Agnes begegnet war, hatte Harold einmal geträumt, daß ein schwer verbrannter roter Fuchs mit schwarzverkohltem Fell und voller blutender Wunden durch seine Küche lief. Später, kurz nach seiner Verheiratung mit Agnes, als die Sterne günstiger standen, vertraute er ihr an, der Fuchs sei wieder erschienen, auf wunderbare Weise völlig geheilt und mit dichtem Fell, und er habe Harold eine Flasche mit schwarzer Tinte überreicht. Auf seine Fuchs-Träume war Harold besonders stolz; sie kamen immer wieder. Dies traf bemerkenswerterweise auch auf seinen Traum mit dem Riesen-Hecht zu. »Es war an diesem See«, berichtete Harold an einem schwülen Augustmorgen, »wo mein Vetter Albert und ich immer angelten; er war voller Hechte. Und vergangene Nacht habe ich da geangelt und den riesigsten Hecht gefangen, den du dir vorstellen kannst – es muß der Ururgroßvater aller anderen Hechte gewesen sein, und ich zog und zog und zog, und er hörte überhaupt nicht mehr auf.«

Agnes verrührte mürrisch den Zucker in ihrem schwarzen Kaffee und setzte dagegen: »Als ich noch klein war, träumte ich einmal von Superman, ganz in Technicolor. Er war blau gekleidet mit einem roten Cape und hatte schwarze Haare, er war schön wie ein Prinz, und ich flog mit ihm zusammen durch die Lüfte – ich fühlte den Wind pfeifen, der mir die Tränen aus den Augen blies. Wir flogen über Alabama; ich wußte, es war Alabama, weil die Erde wie eine Landkarte aussah und in Großbuchstaben ›Alabama‹ über den großen grünen Bergen stand.«

Harold war sichtlich beeindruckt. Dann fragte er Agnes: »Und was hast du letzte Nacht geträumt?« Harolds Stimme klang ziemlich schuldbewußt, denn, um die Wahrheit zu sagen, war er so ausschließlich mit seinem eigenen Traum-Leben beschäftigt, daß er wirklich nie ernsthaft daran gedacht hatte, den Zuhörer zu spielen und etwas über die Träume seiner Frau zu erfahren. Er betrachtete ihr hübsches, besorgtes Gesicht mit neuem Interesse: Agnes war, wie er vielleicht zum ersten Mal seit den frühen Tagen ihrer Ehe bemerkte, eine außergewöhnlich anziehende Person.

Für einen Augenblick war Agnes von Harolds gutgemeinter Frage verwirrt: Es war schon lange vorbei, daß sie ernsthaft erwogen hatte, Freuds Buch über Träume im Schrank zu verstecken, um sich ersatzweise mit der Traumerzählung von jemand anderem zu wappnen, mit der sie morgens Harolds Interesse wecken wollte. Jetzt gab sie ihre Zurückhaltung auf und beschloß voller Verzweiflung, ihr Problem zu bekennen.

»Ich träume überhaupt nichts«, gestand Agnes mit leiser, tragischer Stimme, »nicht mehr.«

Harold war offensichtlich besorgt. »Vielleicht gebrauchst du einfach deine Phantasie zu wenig«, tröstete er sie, »du solltest das üben. Versuche, die Augen zuzumachen.«

Agnes schloß die Augen.

Harold fragte erwartungsvoll: »Und was siehst du jetzt?«

Agnes geriet in Panik. Sie sah nichts. »Nichts«, sagte sie mit bebender Stimme, »nichts, außer so Lichtflekken.«

»Gut, dann stell dir einen Becher vor«, sagte Harold energisch, und er klang wie ein Arzt, der es mit einer Krankheit zu tun hatte, die zwar besorgniserregend ist, aber nicht unbedingt zum Tod führt.

»*Was* für einen Becher denn?« fragte Agnes flehentlich.

»Das ist deine Sache«, sagte Harold. »*Du* sollst *mir* einen Becher beschreiben.«

Mit immer noch geschlossenen Augen durchforschte Agnes verzweifelt ihren Kopf. Mit großer Mühe gelang es ihr, sich einen schwach silbern schimmernden Becher vorzustellen, der irgendwo in den nebligen Tiefen ihres Kopfes waberte und flackerte, als würde er im nächsten Moment wie eine Kerze verlöschen.

»Er ist aus Silber«, sagte sie fast trotzig, »und hat zwei Henkel.«

»Gut, und jetzt stell dir ein Bild vor, das in den Becher eingraviert ist.«

Agnes erzwang die in das Silber eingekratzten Umrisse eines Rentiers, umspielt von Weinranken. »Da ist ein Rentier in einem Kranz von Weinblättern.«

»In welchen Farben?« Harold war erbarmungslos, dachte Agnes.

»Grün«, log sie und emaillierte hastig die Weinblätter.

»Die Weinblätter sind grün. Und der Himmel ist schwarz –«, sie war fast stolz auf diesen originellen Einfall. »Und das Rentier ist rotbraun mit weißen Flecken.«

»Gut, und jetzt poliere den ganzen Becher auf Hochglanz.«

Agnes polierte den imaginären Becher und kam sich wie eine Betrügerin vor. »Aber der ist doch ganz *tief* in meinem Kopf«, sagte sie voller Zweifel und machte die Augen auf. »Ich sehe das alles ganz hinten im Kopf. Siehst du *deine* Träume auch aus solcher Entfernung?«

»Aber nein«, sagte Harold verstört, »ich sehe meine Träume wie auf einer Kinoleinwand, direkt vor den Augenlidern. Sie kommen von selbst; ich habe gar nichts damit zu tun. So wie jetzt wieder«, er schloß die Augen, »ich sehe hoch in einem großen Weidenbaum glänzende Kronen auftauchen und verschwinden.«

Agnes verfiel in düsteres Schweigen.

»Es wird schon alles gut werden«, versuchte Harold sie scherzend zu ermutigen. »Versuch dir einfach jeden Tag verschiedene Sachen vorzustellen, wie ich es dir beigebracht habe.«

Agnes erwähnte die Angelegenheit nicht mehr. Während Harold arbeiten ging, begann sie plötzlich tagsüber viel zu lesen; das Lesen füllte ihren Kopf mit Bildern. Wie von einer Art hysterischem Heißhunger befallen, fraß sie sich rasch durch Romane, Frauenzeitschriften, Zeitungen und sogar durch die Anekdoten ihrer Ausgabe von »Joy of Cooking«; sie las Reiseprospekte, Werbebroschüren für Haushaltsgeräte, den Sears-Roebuck-Katalog, die Anweisungen auf Waschmittelpaketen, die Texte auf Plattenhüllen – einfach alles, nur um nicht dem klaffenden Nichts ihres eigenen Kopfes zu verfallen, der Leere, die Harold ihr so schmerzhaft bewußt gemacht hatte. Aber sobald sie die Augen von dem Gedruckten vor sich hob, war es, als ob eine schutzbietende Welt ausgelöscht worden sei.

Die völlig sich selbst genügende, unveränderliche Wirklichkeit der sie umgebenden Dinge deprimierte Agnes mehr und mehr. Ihr furchtsamer, fast paralysierender Blick nahm mit eifersüchtiger Scheu den Orientteppich wahr, die rokokoblaue Tapete, die vergoldeten Drachen der chinesischen Vase auf dem Kaminsims und das blaugoldene Medaillon-Muster des Polstersofas, auf dem sie saß. Sie hatte das bedrückende Gefühl, von diesen Gegenständen erstickt zu werden, deren massige Existenz auf gewisse Weise die tiefsten und geheimsten Wurzeln ihres eigenen vergänglichen Seins bedrohten. Sie wußte nur zu gut, daß Harold einen solch bombastischen Unsinn von Tischen und Stühlen nicht dulden würde; wenn er etwas sah, was er nicht mochte, wenn es ihn langweilte, veränderte er es, bis es seinen Vorstellungen entsprach. Es wäre himmlisch, wenn in einer wundervollen Halluzination ein Tintenfisch in purpur-orangenem Paisleymuster über den Boden auf sie zuglitte, klagte Agnes traurig. Alles wäre ihr lieb gewesen, was bewies, daß ihre Fähigkeiten zu schöpferischer Phantasie nicht unwiederbringlich dahin waren;

daß ihr Auge nicht nur eine offene Fotolinse war, die nichts anderes tat, als vorhandene Phänomene zu registrieren und sie als das zu belassen, was sie sind. »Eine Rose«, hörte sie sich leer wie eine Totenklage wiederholen, »ist eine Rose ist eine Rose...«

Eines Morgens las Agnes einen Roman und merkte plötzlich mit Schrecken, daß ihre Augen fünf Seiten gelesen hatten, ohne daß sie die Bedeutung auch nur eines Wortes aufgenommen hatte. Sie versuchte es wieder, aber die Buchstaben lösten sich voneinander und wanden sich wie kleine bösartige schwarze Schlangen über die Seite mit einer Art zischender, unübertragbarer Sprache. Von da ab ging Agnes jeden Nachmittag in die Kinos der Umgebung. Es spielte keine Rolle, wenn sie den Film schon mehrere Male gesehen hatte; das Kaleidoskop fließender Formen vor ihren Augen versetzte sie in rhythmische Trance: die beruhigende, unverständliche Geheimsprache der Stimmen vertrieb die Totenstille aus ihrem Kopf.

Schließlich brachte Agnes Harold mit viel Überredungskunst dazu, ein Fernsehgerät zu kaufen. Das war viel besser als Kino; sie konnte während der langen Nachmittage Sherry trinken und fernsehen. Nach kurzer Zeit entdeckte Agnes mit einer gewissen hämischen Befriedigung, daß Harolds Gesicht, wenn sie ihn abends begrüßte, unter ihrem Blick verschwamm und sie so seine Gesichtszüge nach Belieben verändern konnte. Einmal gab sie ihm eine erbsengrüne Hautfarbe, dann eine lavendelfarbene; einmal eine griechische Nase, dann einen Adlerschnabel.

»Aber ich *mag* Sherry«, sagte Agnes trotzig zu Harold, wenn er sie bat, weniger zu trinken, denn selbst für seine nachsichtigen Augen war ihr nachmittägliches, einsames Trinken unübersehbar geworden. »Sherry entspannt mich.«

Der Sherry entspannte Agnes allerdings nicht genug,

um sie einschlafen zu lassen. Wenn der visionäre Sherry-Nebel verflogen war, lag sie verkrampft und grauenhaft nüchtern im Bett und krallte die Finger in die Bettlaken, während Harold sich schon längst, friedlich und regelmäßig atmend, in einem seiner wunderbaren Abenteuer befand. Mit nacktem, zunehmendem Grauen lag Agnes Nacht für Nacht hellwach. Und was noch schlimmer war: Sie wurde nicht mehr müde.

Endlich überkam sie die düstere, klare Erkenntnis dessen, was ihr geschah: Die Vorhänge des Schlafs, die erfrischende, vergessenmachende Dunkelheit, die jeden Tag von dem vorhergehenden und dem folgenden trennt, waren für sie auf alle Ewigkeit und unwiderruflich weggezogen. Sie sah eine unerträgliche, endlose Folge wacher, gesichtsloser Tage und Nächte vor sich, und ihren Kopf zu vollständiger Leere verdammt, ohne auch nur ein einziges eigenes Bild, das den vernichtenden Angriff dieser selbstgefälligen, in sich ruhenden Tische und Stühle hätte abwehren können. Sie könnte durchaus hundert Jahre alt werden, überlegte Agnes angewidert: die Frauen in ihrer Familie waren langlebig.

Dr. Marcus, Hausarzt der Familie Higgins, versuchte Agnes auf seine joviale Art wegen ihrer Schlaflosigkeit zu beruhigen: »Nur ein wenig nervöse Anspannung, das ist alles. Nehmen Sie eine Zeitlang jeden Abend eine dieser Kapseln, und Sie werden sehen, wie Sie schlafen werden.«

Agnes fragte Dr. Marcus nicht, ob das Mittel ihr Träume schenken würde; sie steckte die Schachtel mit den fünfzig Kapseln in ihre Handtasche und nahm den Bus nach Hause.

Zwei Tage später, am letzten Freitag im September, als Harold von der Arbeit zurückkam (er hatte während der einstündigen Bahnfahrt nach Hause die Augen geschlossen, als ob er schliefe, während er in Wirklichkeit auf einem zweimastigen Segelschiff mit kirschrotem Trapezsegel einen leuchtenden Fluß hinauffuhr, wo Herden weißer Elefanten im Schatten maurischer Türme aus vielfarbigem Glas durch die kristallene Oberfläche des Wassers brachen), fand er Agnes auf dem Sofa im Wohnzimmer liegen, sie trug ihr Lieblingskleid aus smaragdgrünem Taft und war bleich und lieblich wie eine erblühte Lilie. Ihre Augen waren geschlossen, eine leere Pillenschachtel und ein umgefallener Wasserkrug lagen auf dem Teppich neben ihr. Auf ihrem friedlichen Gesicht lag ein feines heimliches Lächeln des Triumphes, als ob sie endlich in einem fernen Land, unerreichbar für die Sterblichen, mit dem dunklen Prinzen im roten Cape, dem Prinzen ihrer frühen Träume, Walzer tanzte.

MARK HELPRIN

Wegen der Hochwasserfluten

Düsenflugzeuge, von Flugplätzen in Nevada aufgestiegen, hinterließen feine weiße Linien am Himmel. An der Spitze weißer Säulen sahen die Flugzeuge selbst wie silberne Zecken aus. Wenn sie nach oben blickte, war da eine Rundung aus Licht, so als blicke sie durch Glas oder durch eine Linse, aber sie sah es mit bloßem Auge. Ihr ganzes Leben lang hatten die B-52-Bomber ihre Rauchfahnen am Himmel hinterlassen. Es war fast schon Teil der Natur, wie das Aufgehen des Mondes oder das Untergehen der Sonne.

Sie lebten etliche Meilen außerhalb von Tippet, einem Ort mit vielleicht fünfunddreißig Einwohnern, und Tippet selbst lag viele Meilen von allem entfernt. Man konnte zwei, drei Sender einfangen, die Country-Musik spielten. Schafe grasten in den tiefer gelegenen Senken der Berge und tranken aus klaren Weihern, nicht weit von grauen porösen Felsen. Im Sommer machte Henry ein Feuer und holte seinen Schafen, nachdem er sie in einer Reihe nebeneinander aufgestellt hatte, die Zecken aus dem Fell und warf sie in die Flammen. Stets war die Luft kalt und klar. Um das Haus herum gab es keinen Streit, keinen zu pflegenden Rasen – nur Kiefern, Wind und ringsum Berge. Der Winter war hart, und manchmal schneite es noch spät im Juni, wenn auch nur bei Nacht. Sie lebten hoch oben, wo die Luft dünn war. Sie gingen sparsam mit ihr um. Geschichten blieben deshalb kurz, die Sätze knapp, und

Agnes hatte sich stumme lange Blicke angewöhnt, mit einem leichten Lächeln auf den Lippen und leicht hochgezogenen Augenbrauen. Jeder, den sie so anblickte, wußte sofort, daß sie eine gute Seele war, und hätte sie am liebsten geküßt und herumgewirbelt, während sie die Augen schloß, die so viel versprachen.

Sie kochte. Dampf kräuselte sich um den Löffel nach oben, als sie in den Kochtopf blickte, den Leib weggebogen vom Herd. Die Küche war voller Fenster, und vor ihnen ein wundersames Blau und Weiß von Bergen, hängendem luftigem Eis und Himmel.

Und ihr Gesicht. Ihr Gesicht war ein außergewöhnlich schönes Gesicht. Wenn sie lachte, kam man nicht auf die Idee, über ihr Gesicht zu lachen, und es verlor auch nichts von seiner Schönheit. Dasselbe galt, wenn sie wütend war. Sie hatte blaue Augen. In der Diele hing ein Spiegel mit einem Rahmen aus weißgrauem Blech. Wenn sie sich im Spiegel anschaute, sah sie die blauen Augen, voller Leuchtkraft, und das schlichte blonde Haar, voller Energie. »Bong, bong«, sagte sie, während sie sich ordnend durch die Haare fuhr, und ging auf die Veranda hinaus, um auf Henry zu warten.

Sie hatte ein lose hängendes weißes Kleid an, am Hals von einem großen Knopf zusammengehalten, der die Aufschrift trug: »Alf Landon ist der Größte.« Der Wind blies ihr durch die Haare. Ihre Augen hatten ihr Ziel gefunden, und nun starrte sie unverwandt nach unten ins Tal, vorbei an den Felsen, vorbei an den Schafen, die wie wandelnde Sahne- oder Wolkenhäufchen aussahen, vorbei an den Tümpeln und Kiefern auf die Straße, auf der Henry zurückkehren würde. Sie hob ein Messer auf und stieß es in den Hackblock, auf dem es gelegen hatte. Sie liebte Henry und hatte alles fahrenlassen, um ihn zu heiraten. Das sind die einzigen Ehen, die gutgehen – wo du auf alles pfeifst und drei oder vier Dutzend Leute vor den Kopf stößt und fünfzig anderen sagst, sie könnten dich mal, und dann wegziehst, nach Nevada oder Alaska oder Brasilien. Wenn du das nicht tust, bist du auch nicht richtig verheiratet. Sie war mit Henry verheiratet. Henry wollte seinen und ihren Eltern erklären, wie eine Heirat für sie auszusehen hatte.

»Warum?« sagten die Eltern.

»Weil Liebende«, sagte Henry, »keine Zugeständnisse machen – niemals. Und das gilt erst recht am Anfang einer Liebe. Agnes und ich ärgern uns über Zugeständnisse – über kleine und über große. Wir wollen einen sauberen Anfang machen. Ich liebe Agnes. Wir haben uns eine Ranch gekauft, um Schafe zu züchten.«

Der Topf kochte über. Sie ging hinein und drehte das Gas ab. Es war eine einfache Regel: wenn der Topf überkocht, drehst du das Gas ab. Sie dachte immer voller Leidenschaft, das Denken sei etwas Leidenschaftsloses. Henry gab ihr recht und fuhr sie in seinem Wagen den Berg hinauf zu ihrem gemeinsamen Haus mit dem bleichenden blechgerahmten Spiegel, wo sie sich im staubigen Silber sahen und sich fragten, welches die holprigste Straße war, die sie kannten.

Sie ging zurück zu ihrem Stuhl auf der Veranda. Mit dem Löffel dirigierte sie ein Orchester und sang mehrere Lieder. Henry war ein hart arbeitender Mann, sehr stark für seine Körpergröße, und er erfand Geschichten. Er ging nie irgendwo hin, ohne Abenteuer zu erleben. Er hatte einmal auf dem Gipfel eines Berges in ihrem Schoß geweint. Sie küßte ihre Hände, ließ sie über ihre Brust nach unten gleiten und sprach ein Gebet, denn sie glaubte an Gott, wie Henry auch – an SEINE Macht und daran, daß ER alle Dinge schuf. Das war es in Wirklichkeit auch, was sie auf die ganze Welt pfeifen ließ, denn sie brauchten niemanden und sahen, daß niemand glaubte.

Sie betete zu Gott, ließ ihren Blick über SEINE Berge schweifen und erhob sich hoch über sie, sah auf grüne Kiefern hinunter und beschrieb lustige Kreise am Himmel. Sie liebte Gott, und sie liebte Henry. Gott ließ sie zittern wie einen echten Priester, und obwohl sie still war, donnerte sie gegen die Berge, IHM zuliebe und Henry zuliebe.

Henry kam in dem holzverkleideten Kombi den Berg heraufgefahren. Auf dem Sitz neben ihm lagen Bücher, hinter den Sitzen Lebensmittel. Er hörte Musik beim Autofahren. Das sah sie an der Art, wie er den Kopf von einer Seite zur anderen bewegte und den Wagen genau im Rhythmus der Musik anmutig durch die Kurven schaukelte, auf und ab in der kühlen sonnigen Luft.

Er hielt an, ließ aber das Radio eingeschaltet. Er stieg aus und ging vorne um den Wagen herum, auf Agnes zu, die ihn auf der Veranda erwartete, reglos wie ein Zweig bei Windstille.

Er war dunkelhaarig und hatte ein breites Grinsen. Er trug eine dicke olivgrüne Navy-Jacke, Jeans und braune Lederstiefel. Sie sah ihn an und erinnerte sich, wie sie im Spiegel ausgesehen hatte – braungebrannt, die Nase ein wenig glänzend, in einem weißen Kleid und mit einem blonden Haarschopf, mit blauen Augen, die sich traurig in das in den Bergen gealterte und dunkel gewordene Bleiglas bohrten.

Sie waren still, und der Wind legte sich. »Nun?« sagte sie und zog die Augenbrauen etwas hoch.

»Ich hab ihnen erklärt, daß ich nicht gehe«, sagte er. »Daß ich auch nicht ins Gefängnis gehe, daß wir beide in die Berge gehen und dort, auf dem kleinen Gipfel, bis zum Tod für das kämpfen, woran wir glauben. Und als ich das sagte, da hab ich es auch gemeint. Wir haben doch recht, nicht wahr, Agnes?«

»Ja.«

»Dann haben sie ungefähr zehn Minuten beraten. Als sie wieder herauskamen, nahm mich der Psychiater zur Seite und sagte mir, ich tauge nicht zum Militärdienst.«

Agnes hob den Saum ihres Kleides, schwebte die Stufen hinunter, fing langsam an zu tanzen und Millionen weißer Staubkörnchen aufzuwirbeln, kreiste wie benommen um Henry, der lachend den Kopf zurückbog und ihr in die blauen funkelnden Augen sah. »Wir sind beide verrückt«, sagte er. »Stimmt's?«

»Ja«, sagte Agnes, »und wir sind frei.« Und sie setzten sich auf die hölzernen Stufen der Veranda und sagten, es sei ein ganz besonders schöner Tag.

»Warum«, sagte Henry, »hältst du diesen Löffel so fest in deiner Hand?«

Und Agnes fing an zu weinen.

ANDRÉ MAUROIS

Im Zickzack

Daniel schaute seine Frau überrascht an. Es geschah selten, daß sie morgens bei ihm eintrat.

»Sie wollen mich sprechen?« fragte er.

»Daniel«, sagte sie, »würden Sie mir einen großen Gefallen tun? ... Gehen Sie heute abend mit mir ins Konzert... Rubinstein spielt die *Préludes* von Chopin, und ich wäre überglücklich, wenn ich sie an Ihrer Seite hören könnte... Seit drei Monaten sind Sie nicht einen Abend mit mir ausgegangen.«

»Seit drei Monaten«, erwiderte Daniel mißmutig, »haben Sie mich nicht darum gebeten.«

»Ich habe Sie nicht darum gebeten, weil Ihre Absagen für mich demütigend geworden waren... Ich hatte mir geschworen, Daniel, Ihnen nicht mehr meine Gesellschaft anzubieten und so lange zu warten, bis Sie selbst den Wunsch danach äußern würden; aber heute morgen hat mich Anne angerufen, für die ich den Platz neben mir besorgt hatte, und gesagt, sie fühle sich nicht wohl. Seit zwei Stunden versuche ich vergeblich, einen Ersatz für sie zu finden... Es kommt mir, offen gestanden, lächerlich und traurig vor, den Abend neben einem leeren Platz zu verbringen.«

»Fragen Sie doch einen Mann«, sagte Daniel.

»Sie wissen«, erwiderte sie, »daß ich mir geschworen habe, mit keinem anderen Mann als mit Ihnen auszugehen.«

»Was sind das für Schwüre!« sagte Daniel.

Er überlegte eine Weile und meinte dann zögernd:

»Hören Sie, ich würde Ihnen gern den Gefallen tun, aber ich habe schon eine andere Verabredung. Ich will versuchen, mich freizumachen. Wenn es geht, komme ich mit Ihnen ins Konzert.«

»Das ist lieb von Ihnen«, sagte sie.

»Oh, ich habe Ihnen nichts versprochen«, entgegnete Daniel schroff... »Ich habe nur gesagt, ich werde es versuchen.«

Er ging in sein Arbeitszimmer und verlangte: »Gobelins 43–14«. Das war die Telefonnummer von Béatrice de Saulges, die seit einigen Wochen seine Geliebte war und der er mit der unbeholfenen Leidenschaftlichkeit eines gereiften Mannes verfallen war.

»Sind Sie es?« flüsterte Daniel... »Sagen Sie, es bleibt doch dabei, daß wir heute abend zusammen ausgehen? ...Nicht daß Sie mich im letzten Augenblick versetzen wie neulich?«

»Oh! Wie sind Sie mir lästig!« sagte sie. »Und wie ungeschickt von Ihnen... Sie wissen ganz genau, daß ich nur Spaß an etwas habe, wenn ich mich erst im letzten Augenblick zu entscheiden brauche... Wollen Sie mir mein ganzes Vergnügen verderben?«

»Entschuldigen Sie bitte«, sagte Daniel... »Sie haben doch ganz im Gegenteil erlebt, wie sehr ich auf Ihre Launen Rücksicht genommen habe, seit wir uns kennen... Aber heute abend muß ich wissen, was Sie vorhaben, weil ich selbst eine Antwort zu geben habe...«

»Sie sind schrecklich«, sagte sie. »Wie soll ich das jetzt schon wissen... Hören Sie, rufen Sie mich in einer Stunde wieder an... Ich will mich bemühen, bis dahin einen Entschluß gefaßt zu haben.«

Beim Mittagessen fragte Daniels Frau, ob sie mit ihm

rechnen dürfe. Er antwortete etwas verdrießlich, daß er keine Ahnung habe und noch keine Zeit zum Telefonieren gefunden habe. Zur gleichen Zeit rief Béatrice de Saulges bei Pierre Pradier an, einem jungen Abgeordneten, den sie in Genf kennengelernt hatte und den sie liebte.

»Sind Sie es, Pradier?... Ach, Sie sind es, Mademoiselle Drouet?... Ich hätte gern Monsieur Pradier gesprochen... Nein, wenn er nicht gestört sein möchte, dann lassen Sie ihn in Ruhe... Nein, nein, ich verstehe das sehr gut... Sonst wäre er verärgert... Ich wollte nur wissen, ob es dabei bleibt, daß er mich heute abend zur Spätvorstellung abholt?... Ja?... Es steht in seinem Terminkalender?... Sind Sie sicher, daß er nicht wie gestern abend seine Meinung noch ändert?... Sie wissen es nicht?... Ja... Natürlich... Bis jetzt hat er Ihnen jedenfalls nichts gesagt?... Danke, Mademoiselle Drouet... Auf Wiedersehen...«

Als Daniel etwas später anrief, sagte eine Aufwartefrau, Madame de Saulges bedaure sehr, aber sie sei nicht frei, denn sie müsse an einem Familienabendessen teilnehmen. Daniel schaute nach, ob seine Frau noch zu Hause war. Er fand sie auf einem Sofa liegen. Sie las.

»Liebste«, sagte er zu ihr, »ich bin sehr glücklich; ich konnte mich freimachen. Ich kann Sie also, wie ich es mir erhofft hatte, heute abend begleiten.«

»Wie nett von Ihnen«, sagte sie. »Ich freue mich sehr.«

»Ich mindestens so sehr«, erwiderte er.

Als er gegangen war, träumte sie lange vor sich hin. Sie machte sich schwere Vorwürfe, daß sie Daniel falsch eingeschätzt hatte.

DACIA MARAINI

Das rote Heft

Mein Ehemann führt ein Tagebuch. Ich habe es vor ein paar Tagen entdeckt, als ich den Schrank in unserem Schlafzimmer aufgeräumt habe. In einer Ecke, unter dem geblümten Schrankpapier, fand ich ein kleines Heft mit einem roten Plastikumschlag. Ich habe das Heft in die Hand genommen, ich habe es aufgeschlagen und gelesen: »13. Januar. Heute nichts. Elena ist immer nebenan, in ihrem Zimmer. Ich kann das Rascheln hören, wenn sie die Illustrierte umblättert. Ich kann nicht gut arbeiten. Wann wird sie sich entscheiden? Mir ist fast schlecht vor Warten.«

Ich habe das Heft hastig zugemacht und es wieder zurück an seinen Platz gelegt. Ich habe mich aufs Bett gesetzt und gegrübelt. Ich verstand die Worte meines Mannes nicht. Was will er von mir? fragte ich mich. Was erwartet er so sehnsüchtig von mir?

Als Lattanzio an diesem Abend zurückkam, habe ich ihn mit anderen Augen gesehen. Mir ist aufgefallen, daß er sich sehr verändert hat. Er sah aus wie ein alter Mann, und die Augen hinter den Brillengläsern waren erbärmlich winzig geworden.

Wir haben zu Abend gegessen, wie immer, in dem großen düsteren Eßzimmer; die alte Amalia hat aufgetragen. Jedesmal, wenn das Telefon klingelte, sah ich, wie Lattanzio den Kopf hob und die Ohren spitzte. Er hörte auf zu essen und wartete, daß Amalia abnahm und dann zu mir kam und mir den Namen der Person, die anrief, ins Ohr flüsterte.

»Wer ist es?«

»Meine Mutter.«

»Gehst du nicht hin?«

»Nein, ich habe Amalia bestellen lassen, sie soll später wieder anrufen.«

»Sonst hat heute niemand angerufen?«

»Nein.«

Ich habe überlegt, ihn auf das Heft anzusprechen. Aber als ich sein lebloses graues Gesicht betrachtete, das sich gerade zu einem duckmäuserischen Lächeln verzog, ließ ich davon ab. Ich wußte, wenn ich ihn darauf angesprochen hätte, er hätte alles abgestritten.

»Weißt du, wieviel Jahre wir verheiratet sind?«

»Zehn. Warum?«

»Glaubst du, wir sind glücklich?«

»Wenn du es nicht weißt.«

»Vielleicht haben wir uns gegenseitig ein bißchen satt.«

»Red keinen Unsinn. Wir leben doch gut zusammen. Und alles läuft gut.«

»Vielleicht hast du recht.«

Wir haben nicht weiter über unsere Ehe gesprochen. Aber jetzt, wo ich an einem Geheimnis von ihm teilhatte, konnte ich ihn nicht mehr mit der unbeschwerten Natürlichkeit von vorher betrachten.

Ich wartete nur darauf, daß er aus dem Haus ging, um sein Tagebuch zu lesen. Aber Lattanzio arbeitet zu Hause und geht nur selten aus. Und selbst wenn er in seinem Arbeitszimmer sitzt – ich weiß, er paßt genau auf, was im Haus vor sich geht. Ich weiß, er spitzt die Ohren, wenn das Telefon läutet, und er verfolgt das Geräusch meiner Schritte, wenn ich durch die Räume gehe. In jedem Augenblick weiß er, wo ich bin und was ich tue.

Während er an seiner Mathematik arbeitet, zwischen Rechenbüchern und zahllosen Blättern, die sich auf dem Schreibtisch stapeln, sitze ich im Wohnzimmer auf der Couch, die Beine über der Lehne, und rauche und blättere Zeitschriften durch.

Manchmal gehe ich aus dem Haus. Ich besuche Aldo oder meine Mutter im Krankenhaus, oder ich mache einen Einkaufsbummel. Bevor ich weggehe, schaue ich kurz bei Lattanzio rein und sage Aufwiedersehen.

»Ich gehe weg.«

»Wo gehst du hin?«

»Meine Mutter besuchen.«

Er sieht mich einen Moment lang an, von unten nach oben, wobei die Brille auf der glatten Nase abwärts rutscht, und lacht in dieser Art, die gleichzeitig leidend und lüstern ist.

»Na, dann – tschüs.«

»Halt mal. Um wieviel Uhr kommst du zurück?«

»Ich weiß nicht. Gegen sieben.«

»So elegant kleidest du dich für einen Besuch bei deiner Mutter?«

»Wieso elegant? Dieses Kleid habe ich immer an.«

»Jedenfalls bist du elegant. Parfüm hast du auch genommen.«

»Das tue ich immer. Was paßt dir denn daran nicht?«

»Nichts. Du gefällst mir, wenn du dich so hübsch machst.«

»Kann ich jetzt gehen?«

»Natürlich. Also, bis bald.«

Also mache ich die Tür zu und gehe. Ich laufe bis zum Taxistand, rufe dem Fahrer den Namen des Krankenhauses zu, mache es mir auf dem Rücksitz bequem und starre auf den Nacken des Fahrers.

Im Krankenhaus kennen sie mich inzwischen und fragen mich nicht einmal mehr, in welches Stockwerk ich will. Meine Mutter sitzt auf dem Balkon vor ihrem Zimmer, eingewickelt in den geblümten Morgenrock. Ich setze mich neben sie und höre ihr zu. Ich weiß, wenn sie eine Stunde geplaudert hat, geht es ihr besser. Ich lasse sie jammern und mir Vorwürfe machen mit ihrer aufgeregten, eintönigen Stimme. Ich rauche unterdessen und beobachte die Kranken, die im Park spazierengehen, die vom Wind zerzausten Zypressen und die kleinen Kletterrosen auf der Mauer des Hauses gegenüber, die jeden Tag dichter und größer werden.

Ab und zu, wenn ich Lust habe, besuche ich Aldo statt meiner Mutter. Ich gehe zu ihm in die Werkstatt. Ich weiß, er hat es nicht gern, daß mich sein Chef sieht; er ist auch sein Schwiegervater. Aber ich gehe trotzdem. Ich sehe gern, wie er arbeitet, ölverschmiert und im Blaumann, die blonde Strähne über der klebrigen schwarzen Stirn.

Ich warte, daß er sich wäscht und umzieht und in seinen FIAT 500 steigt, und fahre mit ihm in seine Wohnung.

»Du weißt doch, daß du nicht in die Werkstatt kommen sollst.«

»Ich weiß.«

»Mein Schwiegervater kann dich nicht riechen.«

»Aber ihr seid doch getrennt, du und deine Frau. Was geht es ihn an, was du machst?«

»Es geht ihn sehr viel an, er hat sich nämlich in den Kopf gesetzt, uns wieder zusammenzubringen. Und du gehst ihm dabei auf die Eier.«

»Und wo ist deine Frau?«

»Keine Ahnung. Abgehauen. Nicht mal er weiß es, obwohl er doch ihr Vater ist.«

»Wie will er euch denn dann wieder zusammenbringen?«

»Das ist seine fixe Idee. Was soll's. Er ist fest davon überzeugt, daß sie bald wiederkommt und wir wieder zusammenleben.«

»Würdest du das denn machen?«

»Vielleicht, wer weiß.«

»Hast du sie denn gern, deine Frau?«

»Manchmal ja. Manchmal hasse ich sie.«

»Das nächste Mal warte ich an der Ecke auf dich. Gib mir einen Kuß.«

»Ich bin noch dreckig. Ich gehe jetzt erst mal in die Badewanne. Wäschst du mir den Rücken? Meine Frau wollte mir nie den Rücken waschen.«

Wenn ich nach Hause komme, wartet Lattanzio schon auf mich. Er hockt über seinen Büchern mit glänzenden Augen und schweißnasser Stirn.

»Wie war's?«

»Wie immer.«

»Geht es besser?«

»Was?«

»Deiner Mutter.«

»Nein. Ich glaube, sie wird nie mehr richtig gesund. Aber heute war sie munter.«

»Du bist blaß im Gesicht. Bist du müde?«

»Nein.«

»Du hast Ringe unter den Augen. Jedesmal, wenn du bei deiner Mutter warst, kommst du erschüttert zurück.«

»Ach was. Das ist das Licht in diesem Arbeitszimmer. Hier riecht es auch muffig. Kann ich mal die Fenster aufmachen?«

»Nein, laß uns jetzt essen.«

Also setzen wir uns zu Tisch. Während Amalia aufträgt, beobachte ich das Gesicht meines Mannes, der mir gegenüber sitzt. Es ist glanzlos und erloschen wie immer, und sogar bei den kurzen fröhlichen Grimassen bleibt es Momente lang zusammengekniffen.

Vor zwei Tagen ist Lattanzio nachmittags endlich weggegangen. Ich bin in das Schlafzimmer gerannt, habe das rote Plastikheftchen hervorgeholt und es aufgeschlagen. Ich las: »22., Donnerstag. Elena hat aufgegeben. Nach langem Widerstand ist sie schließlich gestern abend doch zu ihm gegangen. Herrlicher Nachmittag. Fühle mich wirklich gut.« Ich legte das Heft zurück. Ich machte die Balkontüren auf und hielt mich mit beiden Händen am Geländer fest. Also das hat mein Mann von mir gewollt. Er hat gewollt, daß ich ihn betrüge.

Plötzlich fiel mir ein, daß er mich zum ersten Mal in die Werkstatt gebracht hatte, wo Aldo arbeitet, daß er mich darauf aufmerksam gemacht hatte, wie Aldo da über den Motor gebeugt stand, so jung und blond und drahtig.

Und ich, die ich glaubte, durch einen Ehebruch meine Unabhängigkeit zu demonstrieren, ich mußte feststellen, daß ich abhängiger denn je war, denn indem ich ihn betrog, erfüllte ich nur seinen Willen.

Als er abends nach Hause gekommen ist, habe ich ihn entschlossen zur Rede gestellt.

»Ich habe heute dein Heft gelesen.«

»Welches Heft, Schatz?«

»Das weißt du ganz genau. Das, in dem du von mir und von...«

»Du phantasierst. Es gibt kein Heft. Ich weiß gar nicht, wovon du redest, Schatz.«

Ich bin ins Schlafzimmer gerannt, habe die Schranktür aufgerissen und hineingeschaut. Das Heft war nicht da. Obwohl, seit ich es zuletzt in der Hand gehabt hatte, niemand im Schlafzimmer gewesen war. Ich habe ihn verdutzt angesehen.

»Siehst du? Dieses Heft hast du dir erträumt. Es existiert überhaupt nicht.«

»Was heißt, es existiert nicht. Ich habe es gesehen.«

»Gib mir bitte den Salat, Schatz.«

»Hier.«

»Gehst du heute nicht zu deiner Mutter?«

»Nein.«

»Und morgen?«

»Auch nicht.«

»Wie ungezogen!«

Ich habe ihn einen Augenblick angesehen, während sich sein graues rundes Gesicht ganz kurz in trauriger Fröhlichkeit erhellte.

HENRI MICHAUX

Fingerzeig für junge Ehen

Sobald man vergißt, was die Menschen sind, läßt man sich so weit gehen, ihnen wohlzuwollen. Aus diesem Grund gilt es zweifellos für ratsam, sich von Zeit zu Zeit zurückzuziehen, sich der inneren Sammlung zu widmen.

Wer keine Frauen hat, denkt nur daran, sie zu liebkosen. Wer mit Frau lebt, der liebkost sie, aber denkt nur daran, sie zu schlagen. Also gut, soll er sie schlagen... Hauptsache, sie merkt nichts davon.

Wirksamer allerdings wäre, sie zu töten. Hinterher geht alles besser. Du wirst dich deiner selbst sicherer fühlen, so als hättest du gerade eine gute Pfeife geraucht, eine wirklich gute Pfeife. Sie übrigens auch, sie wird deinen Wert mehr zu schätzen wissen, sie findet dich weniger zerstreut, lebendiger, liebenswerter, denn das wirst du sein, *unfehlbar*. Aber vielleicht wirst du sie von Zeit zu Zeit nochmals töten müssen. Der Frieden in der Ehe ist nur um diesen Preis zu haben.

Jetzt weißt du es. Jetzt kannst du nicht mehr zurück...

Außerdem tötet sie selbst dich vielleicht schon seit dem ersten Tage, den ihr zusammen verlebt habt. Für eine ein bißchen empfindliche, ein bißchen nervöse Frau ist dies fast ein Bedürfnis.

FRIEDRICH GEORG JÜNGER

Der Knopf

Das Dorf lag an der Landstraße und an einigen Seitenwegen, die in Felder, Wiesen und Wald führten. Ein Straßendorf wie manches andere, mit roten Ziegeldächern, einer alten Kirche, die aus Hausteinen errichtet war, und einer an Umfang bescheidenen Gemarkung. Große, stattliche Höfe waren nicht darin, und wer es von vorn bis hinten abschritt, der fand keinen Vollmeierhof. Pferde gab es wenige; der Hauptteil der Feldarbeit wurde von Kühen verrichtet. Kleine und mittlere Bauern wirtschafteten hier, dazu einige Häusler. Die Dorfmark schnitt schon in die offene Heide ein, deshalb überwogen die leichten und mageren Böden. Auch lag ein Teil des Landes, der zu Wiesen gebraucht wurde, in der Senke, und in ihr floß ein mit Schilf, Kalmus und Ried bestandener Bach, der bei Sonnenlicht eine goldbraune Farbe hatte. Reich konnte auf solchen Böden niemand werden, doch hatten die Leute ihr Auskommen und begnügten sich.

Die Häusler hatten früher bei den Bauern auf dem Feld gearbeitet, und ihre Frauen taten das immer noch und halfen vor allem bei der Ernte aus. Die Männer fuhren jetzt in die Stadt und arbeiteten in den Fabriken. Der Häusler Schleen aber war bei einer Bohrgesellschaft beschäftigt, die in der Nachbarschaft auf Öl bohrte. Die Bohrungen, die seit Jahren rastlos fortgesetzt wurden, kosteten viel Geld, und obwohl das Ergebnis unbefriedigend war, wurden sie nicht eingestellt, denn kleinere Vorkommen, auf die man stieß, lockten zu immer neuen Versuchen. Die Bohrmeister fuhren mit ihren Röhren, ihren Bohrern und ihrem sonstigen Gerät in der Heide umher, und Schleen folgte ihnen. Da die Arbeiten seit einiger Zeit in die Umgebung des Dorfes verlegt worden waren, fuhr er früh am Morgen mit dem Rad fort und kam am späten Nachmittag zurück. Seine Frau besorgte inzwischen das Haus, die zwei Morgen Land, die dazu gehörten, und das Kleinvieh. Sie waren seit zwei Jahren verheiratet und hatten noch keine Kinder. Ihr Haus, eine alte, immer noch strohgedeckte Kate, lag auf einem der Seitenwege des Dorfs, abwärts und gegen die offene Heide hin. Der Weg dorthin war mit Birken bepflanzt. Das Haus, ein Fachwerkbau, der bis auf die dunklen Balken weiß gestrichen war, war, obwohl alt, fest und in gutem Zustand. Wie alle Bauernhäuser der Landschaft vereinigte es Wohnraum, Stallung und Scheune unter einem Dach. Und wie überall war die Tenne darin aus hartgestampftem Lehm.

Schleen war ein fleißiger Mann, klein, mager, zäh und mit einem Gesicht, das nach innen ging. Auch seine Augen verrieten, daß er mehr mit eigenen Gedanken und Grübeleien beschäftigt war als mit seiner Umgebung. Seine Arbeit litt nicht darunter, denn er behielt etwas Handliches und Geschicktes. Er war nur ein Span von einem Mann, was jedem deutlich wurde, der ihn neben seiner Frau sah. Diese, die Dora hieß, erschien an seiner Seite noch größer und üppiger, als sie war. Sie hatte nicht nur für das schönste Mädchen des Dorfes gegolten, sie war auch so stark und tüchtig, daß alle Arbeit nur ein Spiel für sie zu sein schien. Sie rührte sich unermüdlich und lachte und schwatzte dabei gern; in der Heiterkeit, die von ihr ausging, war eine sinnliche Macht und Kraft. Und die Heiterkeit war eins mit ihrem Bedürfnis nach Bewegung und Mitteilung. Kein Fisch konnte sich im Wasser wohler fühlen als sie in ihrem Häuschen. Sie gehörte an ihren Platz, und wer sie so unbefangen, derb und rüstig an der Arbeit sah, der mochte ihrem Mann Glück dazu wünschen. Er war wohlversorgt und konnte das Haus ruhig verlassen, um seiner Arbeit nachzugehen.

Was den Bauern im Dorf an Dora gefiel, das schien ihrem Mann nicht rühmenswert zu sein. Er war still, abwartend, nachdenklich und gehörte zu den Schweigsamen, die man in der Landschaft oft trifft. Vielleicht hätte er nicht zu heiraten brauchen, denn wer ihn kannte, der kam zu der Überzeugung, daß er einen guten Junggesellen abgegeben hätte. Es blieb etwas Einschichtiges an ihm, und zu dieser Seite seines Wesens war ein Zugang schwer zu finden. Was hatte er auszusetzen? Nun, was ihm an Dora nicht gefiel, war eben ihre Heiterkeit, die so beständig wie ein blauer Sommertag war. Was ihm mehr und mehr zusetzte, war diese Heiterkeit, die er nicht verstand, für die ihm kein Grund vorhanden schien. Daß der Mensch nicht aus Gründen heiter zu sein braucht, daß ein heiteres Wesen grundlos sein kann, ging ihm bei seinem Spintisieren nicht durch den Kopf. Hätte ihm jemand das zu sagen versucht, dann wäre er wohl einem Kopfschütteln begegnet. So ohne Anlaß, ohne bestimmbaren Grund in den blauen Tag hinein fröhlich zu sein – was war das? Für ihn war es Unkenntnis, Übermut, Vermessenheit. Für ihn war in Dora etwas Hohles. Aber darin täuschte er sich vielleicht.

Der Streit brach, wie das oft geschieht, wenn der Zwist schon lange, leise und tiefglimmend sich emporfrißt, über einem winzigen Anlaß aus. Schleen hatte eine blaue Leinwandjacke, die mit Hirschhornknöpfen besetzt war. Von diesen Knöpfen, die rundgeschnitten, an den Seiten und unten bis auf das weiße Horn abgeschliffen, oben aber braun waren, sprang ihm einer ab und war nicht wiederzufinden. Im Dorf waren keine solchen Knöpfe vorrätig,

Dora mußte also, um einen neuen zu kaufen, in die Stadt fahren. Sie hatte in diesen Tagen viel Arbeit und kam nicht dazu, hielt die Angelegenheit auch nicht für wichtig. Schleen hatte ihr zweimal gesagt, daß sie den Knopf kaufen und annähen solle, und er war fest entschlossen, es nicht ein drittes Mal zu sagen. Kein Wort mehr wollte er darüber sagen. Seltsam war, wie der Knopf ihn beschäftigte und ihm zusetzte. Während der Arbeit sah er ihn manchmal vor sich, rund, weißgeschliffen, oben braun, mit zwei Löchern, durch die der Faden gezogen wird. Er verwunderte sich darüber, wie deutlich er den kleinen Gegenstand sah, bedachte aber nicht, daß er ihn nur deshalb so scharf, ja herausgestanzt zu sehen vermochte, weil um ihn herum nichts war, nichts als eine leere Stelle. An dem Knopf hing jetzt nicht nur die Jacke, sondern alles andere. Als er am Nachmittag nach Hause fuhr, dachte er an nichts anderes als den Knopf, und unter diesen Gedanken verbargen sich Erwägungen und Absichten, die er sich nicht deutlich machte. Er merkte nicht, daß er aus dem Knopf schon einen Vorwand, eine Schlinge, einen Hinterhalt zurechtgemacht hatte, ja, daß er schon in der Erwartung heimfuhr, ihn nicht vorzufinden. Diese Erwartung täuschte ihn nicht. Kaum war er heimgekommen und hatte sein Rad eingestellt, als er nach der Jacke sah. Der Knopf war nicht daran. Dora trat auf ihn zu, lachte und sagte: »Morgen wird er daran sein.« Er aber schwieg nicht nur, sondern legte auch noch den Finger auf den Mund und ging hinaus. Sie sah ihm lachend nach und begann das Geschirr aus dem Schrank zu nehmen. Er aber saß vor dem Haus auf einer Bank und sah in die Heide hinein. Dann nahm er aus seiner Tasche ein Notizbuch, schrieb etwas darin, riß die Seite heraus, ging ins Zimmer und legte sie auf den Tisch. Und ohne sich weiter aufzuhalten, verließ er das Haus und ging ins Dorf. Dora, die ihm verwundert nachsah, ergriff den Zettel und las darauf die Worte: Sprechen hilft nichts. Ich werde jetzt schweigen. Und darunter, größer geschrieben und unterstrichen, stand noch einmal das Wort: Schweigen. Sie lachte, schüttelte den Kopf und konnte doch nicht hindern, daß, wie eine Vorahnung, etwas Trübes in ihr aufstieg. Warum hatte er das Wort Schweigen zweimal geschrieben? Sie mochte das nicht ernst nehmen, mußte es aber. Denn abends kam er nach Hause und sprach kein Wort. Schweigend ging er ins Bett und schlief ein. Als sie in der Nacht bei hellem Vollmond aufwachte, sah sie ihn neben sich liegen. Sein Gesicht war in dem hellen Mondschein starr, der Mund aber hatte etwas Bitteres und Enges. »Eigensinniger Bock«, sagte sie leise vor sich hin und drehte sich auf die Seite. Am Morgen stand er auf, schwieg, frühstückte und fuhr zur Arbeit.

Schweigen ist oft gut, manchmal gleichgültig, manchmal ganz und gar schlecht. Das heißt, es ist nicht an sich gut oder schlecht, sondern in Beziehung auf ein anderes. Schleen hatte, wie manche Leute, die Wert auf ihre Grübeleien legen, etwas Lehrhaftes, und vielleicht wollte er Dora eine Lehre erteilen. Unter allem, was er hervorsuchen konnte, war dieses Mittel wohl das wirksamste und unheimlichste. Wie verfiel er darauf? Das ist nicht leicht zu sagen. Er war seinem Wesen nach nicht mitteilsam und allem müßigen Gespräch abhold. Und da er leicht verstummte, ließ er auch andere verstummen und gab nicht viel darauf. Vielleicht vergaß er, daß die Herzlichkeit, ja die Gewohnheit des Miteinanderlebens Worte fordert, nicht umgekehrt, und daß auch die törichten gut sind und nicht fehlen dürfen. Wenn er geschrien und getobt, wenn er Dora geschlagen hätte, hätte er weniger getan. Aber er war kein Mensch, der schrie und tobte, und er schlug auch nicht, denn alles Rohe und Gewaltsame verabscheute er.

Der Knopf war angenäht, und er schwieg weiter. Er war so stumm wie ein Fisch, kein Wort entschlüpfte ihm. Sie aber war nach dem ersten Erstaunen und Leichtnehmen wie gelähmt. Gegenüber ihren Fragen und Bitten blieb er unerbittlich stumm, gegenüber ihren Zornesausbrüchen verzog er den Mund nicht zu dem leisesten Flüstern. Was sie ihm auch sagen mochte, er veränderte keine Miene und schien die Sprache verloren zu haben. Auch mit einem Stummen läßt sich leben, nicht aber bei einem Menschen, der willentlich verstummt. Rege, mitteilsam und auf Aussprache angewiesen, hatte sie die Empfindung, daß ihr Atem sich verengte und die Luft ihr ausging. Gegenüber dem Mann, der beharrlich schwieg, der ihr seine Stimme vorenthielt, war ihre ganze Kraft ohnmächtig. Und das leicht Quellende und Überlaufende ihres Wesens sammelte sich wie hinter einem Stau und Damm, der ebenso hart wie lautlos das Wasser hält. Einen Rat, eine Hilfe fand sie nicht. Eines Abends – ihr Mann war ins Dorf gegangen – saß sie auf der Bank vor dem Haus und starrte hilflos in die untergehende Sonne. Der ganze Himmel war rot, sie sah lange in die Glut, und ein Schauer überrann sie. Wo war ihre Munterkeit geblieben? In ihr brannte alles. Sie war auf eine Weise verletzt, die sie nicht voraussehen konnte, die ihr unverständlich blieb. Unverständlich wurde ihr auch das, was sie bisher gewohnt und vertraulich umgeben hatte. Die Dämmerung kam, der Abendwind bewegte leise das Laub der Bäume, sie war allein. Seufzend ging sie noch in den Stall, um die beiden Ziegen zu melken, aber über dem Eimer sank ihr das Haupt auf die Knie, und so blieb sie in der Dunkelheit sitzen, umstanden von den Tieren, die sich an sie drängten und ihr Gesicht und Hände leckten. Was war zu tun? Sie entschloß sich, am nächsten Tag den Pastor aufzusuchen, der sie konfirmiert hatte und bei dem sie bis zu ihrer Heirat als

Mädchen in Stellung gewesen war. Der Entschluß erleichterte sie, sie verließ den Stall, schloß das Haus ab und ging zu Bett.

Am nächsten Morgen machte sie sich auf den Weg. Sie fand den Geistlichen im Garten, wo er nach seinen Erbsen sah, und während sie das Gartenpförtchen öffnete und auf ihn zuging, wandte er sich um und sah sie.

»Du bist es, Dora«, sagte er, indem er sie freundlich ansah. »Was gibt es?«

Sie war verlegen und wußte nicht recht, wie sie ihm alles erzählen sollte. Es fehlte ihr nicht an Vertrauen, und doch fiel ihr der Anfang schwer. Dann aber, indem beide den Hauptweg des Gartens, der ihn in zwei Hälften teilte, auf und nieder gingen, begann sie ihren Bericht mit dem Knopf und endete bei dem Zettel, den ihr Mann ihr hingelegt hatte, und bei seinem Schweigen. Der Pastor Bachmann, ein Mann, der lange in der Gemeinde und hoch bei Jahren war, hörte sie schweigend an, wobei er hin und wieder im Gehen von den Stachelbeerbüschen eine Raupe ablas.

»Erzähl das mit dem Knopf genauer«, sagte er dann. Sie wiederholte noch einmal umständlich, was sich zugetragen hatte, er aber blieb stehen und indem er sie nachdenklich ansah, sagte er: »Das ist es nicht.«

»Was dann?« fragte sie hilflos.

»Ja, was. Hör, Dora, schwatzt du nicht zu viel?«

»Zu viel? Es ist wahr, ich rede gern. Aber er ist doch mein Mann, und ich muß ihm alles sagen. Sie wissen doch, Herr Pastor, daß ich eine Waise bin und niemanden im Dorf habe.«

»Schon recht, Dora. Aber läßt du ihm auch ein wenig Ruhe?«

Sie sah ihn an, errötete stark und murmelte: »Herr Pastor, wir sind junge Leute.« Und indem sie seine eigenen

Worte wiederholte, sagte sie ebenso leise: »Das ist es nicht.«

»Gut, ich werde mit ihm sprechen.«

»Ich kann ihn nicht schicken«, sagte Dora bedrückt.

»Du sollst es auch nicht. Ich treffe ihn schon, wenn er von der Arbeit zurückkehrt. Geh jetzt.«

Sie murmelte ihren Dank und ging nach Haus zurück. Der Pastor setzte seinen Rundgang im Garten fort. Er kannte Schleen so gut wie Dora, denn er hatte ihn nicht nur konfirmiert, Schleen hatte auch bei ihm in Garten und Haus gearbeitet und während dieser Zeit Dora kennengelernt und sich mit ihr verlobt. Gegen den Mann hatte niemand im Dorf etwas einzuwenden; er war fleißig, nüchtern und lebte für sich, ohne sich in die Händel anderer einzumischen. Er trank nicht, spielte nicht, randalierte nicht und hielt sich an sein Haus und an seine Arbeit. Das alles sprach für ihn, aber der Pastor gab nicht viel darauf. Weniger ist manchmal mehr, dachte er. Besser wäre, wenn er hin und wieder über die Stränge schlüge. Er hatte weder Freund noch Fröhlichkeit, blieb einschichtig und kam nicht über die eigene Spur hinaus. Ein Duckmäuser. Nein, das nicht, aber voll Hochmut und Eigensinn. Wenn er nicht wie die anderen über den Strang schlug, dann tat er das auf seine Weise, auf eine vertrackte Art. Sein Schweigen war etwas Vertracktes, Bohrendes und Spitzfindiges. Der Pastor, versunken in seine Überlegungen, schüttelte den Kopf. Er war nicht geneigt, dieses Schweigen leicht zu nehmen, er hielt es für schlimmer als die schlimmen Dinge, die in der letzten Zeit ihn und seine Gemeinde beschäftigt hatten. Auch wollte er die Unterredung mit Schleen nicht hinausschieben. Er verließ den Garten und seufzte dabei. Der Morgen war schön und frisch, der Garten in vollem Wachstum, aber er nahm es nicht mehr wahr. Ein Verdruß stieg in ihm auf, der schwer zu bekämpfen war.

Dora setzte auf das Gespräch des Pastors mit ihrem Manne ihre ganze Hoffnung. Mit ihren Mitteln war sie am Ende. Wenn es dem Geistlichen nicht gelang, ihm den Kopf zurechtzusetzen, wem sollte es sonst gelingen? Niemandem, sagte sie sich, und in ihre Erwartung mischte sich eine dunkle Angst. Auf dem Weg nach Haus hörte sie die Lerchen singen, und unhörbar flüsterte sie vor sich hin: »Jeder Vogel hat doch seine Stimme.«

Das Gespräch fand noch am gleichen Tage statt. Der Pastor hatte einen Gang in die Heide gemacht und kam am Abend über den Birkenweg zur gleichen Zeit zurück, in der Schleen mit dem Rad von der Arbeit heimkehrte. Schleen, als er sah, daß der Pastor stehenblieb und ihn erwartete, stieg vom Rad ab. Klug und nachdenkend, wie er war, hegte er keinen Zweifel über die Absicht des Geistlichen. Dora mußte mit ihm gesprochen haben. Das verdroß ihn von vornherein, aber er ließ sich nichts anmerken. Der Pastor gab sich keine Mühe mit Einleitungen und fragte sofort:

»Was ist das mit dir und Dora, Johann?«

»Das ist meine Sache, Herr Pastor.«

»Wer zweifelt daran? Wenn es nicht deine Sache wäre, würde ich mit dir nicht darüber sprechen. Dora war heute bei mir. Was ist das für eine Geschichte mit dem Knopf?«

Schleen zuckte die Achseln. »Sie wird es erzählt haben. Warum soll ich noch einmal davon sprechen?«

»Ja, warum? Ein Knopf ist ein Knopf. Was liegt an dem Knopf, Johann?«

»Nichts, Herr Pastor.«

»Nichts, und doch hast du diesen Knopf in dich hineingefressen und kannst ihn nicht ausspeien. Was hast du gegen Dora? Sprich darüber. Wenn dir auch alle Knöpfe fehlten, wer gibt dir ein Recht, den Stummen zu spielen? Warum schweigst du?«

Schleen schwieg auch jetzt, aber er, der stille, ruhige Mensch, zitterte am ganzen Körper vor Erregung. Er mußte sich auf das Rad stützen, um einen Halt zu bekommen. Der Pastor sah ihn scharf an. Warum zittert er? dachte er. Es ist nicht die Wut, nein, er zittert vor Eigensinn.

»Wann soll das enden?« fragte er wieder.

Schleen schwieg.

»Hör, Johann«, sagte der Pastor sanfter, indem er ihn bei der Hand ergriff, »soll ich mit dir zu Dora gehen? Wollen wir zusammen zu ihr gehen?«

»Nein«, stieß Schleen hervor.

»Du willst nicht? Wer bist du denn, du törichter, eigensinniger Mensch, daß du dir das Recht anmaßt, nach Laune und Willkür den Mund zuzusperren? Begreifst du nicht, daß auf diese Weise nichts zu bessern ist, daß du alles schlimmer machst? Glaubst du, daß jemand mit einem Menschen leben kann, der den Stummen spielt? Du, ein Ehemann, und der eigenen Frau gegenüber? Es gibt Klügere als du. Mach das Maul auf, Mann.«

Der Pastor war feuerrot vor Zorn, aber Schleen gewann gegenüber diesem Ausbruch seinen Halt zurück. »Es ist genug, Herr Pastor«, sagte er. »Es ist schon zuviel.« Mit diesen Worten schwang er sich auf sein Rad und fuhr davon. Auch der Geistliche ging weiter. Seine Erregung verflog, er war unzufrieden mit sich, ja er überlegte, ob er nicht umkehren und dem Häusler in sein Haus folgen solle. Was hielt ihn davon ab? Ein Rest der Erregung vielleicht, die das Gespräch in ihm hervorgerufen hatte. Er ging mit unmutigem Gesicht weiter, den Birkenweg hinunter, auf die Kirche zu.

Schleen hatte inzwischen sein Haus erreicht. Schweigend ging er an Dora vorüber, die ihn erwartet hatte. Das Gespräch hatte Bitterkeit in ihm hinterlassen, zugleich aber einen tiefen Eindruck auf ihn gemacht. Er war ein Mann, dem weder Urteil noch Sinn für das Recht fehlte. Mehr noch, er sah ein, daß er zu weit gegangen war, daß er sich ins Unrecht setzte. Über seine Kraft aber ging es, das zuzugeben. Was ihn jetzt erschreckte, war, daß sich Dritte in seine Ehe einmischten. Er war klug genug, um sich zu sagen, daß er durch sein Verhalten solche Eingriffe herausforderte. Morgen wird das ganze Dorf davon wissen, dachte er mit erneuter Bitterkeit. Ein Zweifel stieg in ihm auf. Er hatte gehandelt, hatte nachdenklich gehandelt wie jemand, der eine Sache allein zu entscheiden gedenkt und dabei nur auf sich selbst sieht. Die Sache ab . kehrte zu ihm zurück – was hatte er versäumt? Weder Dora noch der Pastor konnten wissen, daß er sich einen Termin für sein Schweigen gesetzt hatte. Die Zeit war noch nicht abgelaufen, und der zähe, unbiegsame Eigensinn befahl ihm, an seinem Termin festzuhalten. Was war dieser Termin, von dem er nicht abgehen wollte? Etwas Künstliches wohl, ein Aufschub, mit dem er sein Schweigen befestigte und einhegte. Eine tote Zeit, denn die lebendige floß unaufhaltsam davon.

Dora, nachdem sie noch am gleichen Abend das Mißlingen der Unterredung erfahren hatte, begab sich am nächsten Vormittag auf den Friedhof, um das Grab ihrer Eltern instand zu setzen. Die Eltern waren ihr früh weggestorben, so früh, daß sie nur wenige Erinnerungen an beide behalten hatte. Sie brachte einen Korb voll blühender Geranien mit, die sie beim Gärtner gekauft hatte, und setzte die roten Blumen in die Erde ein. Während sie am Grab kniete, die Erde aushob und wieder verzog, sah sie starr vor sich hin. In ihr war alles Heimweh. Wonach sehnte sie sich? Sie dachte an ihre Eltern, an ihre Kindheit und an die Jahre, die sie bei den Bauern und beim Pastor verbracht hatte. In dem allen lag kein Trost für sie, keine

Stärkung. In allem aber lag ein Abschied, und den Schmerz dieses Abschieds spürte sie. Sie kniete auf der Erde, als ob eine Last sie am Hochkommen hindere. Wozu auch aufstehen? dachte sie. Doch erhob sie sich endlich, klopfte die Erde von ihrem Rock, packte ihr Gerät in den Handkorb und verließ den Friedhof. Am Tore, an dem zwei alte Linden standen, sah sie sich noch einmal um. Sie war allein gewesen zwischen den Gräbern. Der Frieden des ummauerten Bezirks, der so ungeschäftig, verlassen und geschmückt in der Sonne lag, schien ihr groß zu sein. Draußen aber war Unruhe. Sie seufzte und ging nach Haus zurück. Das Dorf war leer, die Bauern wegen des Heus auf den Wiesen. Niemand begegnete ihr, doch sah der Müller, als sie an der Mühle vorbeikam, durchs Fenster und erkannte sie.

Am Nachmittag, als Schleen von der Arbeit zurückkam, sah er sie auf der Bank vor dem Haus sitzen. Ihn verwunderte, daß sie ohne Beschäftigung war, denn er war daran gewöhnt, sie unermüdlich tätig zu sehen. Indessen bereitete sie ihm doch das Abendessen, und beide setzten sich schweigend an den Tisch. Schleen ging bald zu Bett, sie aber, von sichtlicher Unruhe getrieben, schloß die starken Holzläden vor den Fenstern des Hauses, schloß auch das Haus ab und steckte den Schlüssel zu sich. Dann saß sie noch in der Küche, eine Kerze vor sich, in deren Flamme sie ohne Augenzwinkern hineinsah. Sie erhob sich endlich, nahm die Kerze mit sich und stieg auf den Boden, der mit Stroh und Heu prall gefüllt war. Sie hielt die Kerze an eine Ecke des Strohs, und als sie sah, daß die Flamme gefaßt hatte, stieg sie die Treppe hinunter und zündete auch im Stall das Heu an. Dann nahm sie eine Harke und stemmte ihren Stiel so fest zwischen die Klinke und die Tür des Schlafzimmers, daß sie von innen nicht mehr geöffnet werden konnte. Das Haus stand alsbald in

Flammen, denn der Ostwind fuhr in die Glut hinein und machte es zu einer einzigen lodernden Fackel. Sie aber, trotz der zunehmenden Hitze an der Tür stehend und auf die Stimme ihres Mannes lauschend, hatte die Augen geschlossen. Er erwachte endlich und sprang aus dem Bett – das Feuer fraß sich schon durch die Decke, und beizender Rauch zog durch das Zimmer. Durch die Läden der Fenster konnte er sich keinen Ausweg bahnen, die Tür ließ sich nicht öffnen, so warf er sich denn mit Wucht gegen sie. Er hörte ein Weinen vor der Tür. »Mach auf!« schrie er. »Mach die Tür auf, Dora!« Aber die Worte kamen zu spät, und er erhielt keine Antwort mehr. Er stemmte sich wieder verzweifelt gegen die Tür. Da kam in einem Regen von Feuer und Funken die Decke herunter. Indem sie prasselnd herabstürzte, stieg eine mächtige Rauch- und Funkenwolke in den Himmel empor. Das Haus brannte ganz zusammen, nur die geschwärzten Grundmauern blieben stehen.

HANS JÜRGEN FRÖHLICH

Ende einer Auseinandersetzung / Ein Verhaltensmuster

Anfangs eine einfache Aussage. *Es ist, wie es ist.* Sie bringt nicht weiter. Wenn nur einer sagte: Verschieben wir es auf morgen. Was man davon hielte. Er meinte: *gut.* Sie dagegen meinte, sie habe Angst. Sie sei zu oft enttäuscht worden. Aber am Ende der Auseinandersetzung setzte man sich wieder zusammen.

Zur Situation: Der Zwist, diesmal voll ausgereift, konnte beigelegt werden, bis auf die nicht zu rasch zu tilgenden Spuren des Streites; denn es war in seinem Verlauf auch zu bedauerlichen Ausschreitungen und sogenannten Handgreiflichkeiten gekommen, wobei mehrere Fensterscheiben zerbrochen, Bierdosen sowie Weinflaschen gegen Wände und Möbelstücke geworfen wurden, Brandflecke infolge unachtsamen Fallenlassens noch glühender Zigarettenenden in der Auslegware und auf Sesselbezügen entstanden, eine Person einer dritten Platzwunden am Kopf beibrachte, während eine zweite einer vierten das Nasenbein zertrümmerte und eine sechste einer fünften ein blaues Auge, mit dem sie allerdings davongekommen ist, verursachte. Von diesen Zwischenfällen (wobei Personen und Einrichtungsgegenstände gleichermaßen wie Sachen behandelt wurden) abgesehen, verlief die hier anstehende Auseinandersetzung, nach Maßgabe der Umstände, dennoch relativ diszipliniert.

Zur Vorgeschichte soviel: Daß der Auseinandersetzung vorausgegangen war ein von beiden Seiten geäußertes Bedürfnis nach einer Klärung des Verhältnisses, daß diesem Bedürfnis vorausgegangen war ein wochenlang anhaltendes Schweigen, wobei keiner den andern auch nur mit einem Blick gestreift hatte, daß dieser stummen Animosität vorausgegangen war ein heftiger Wutanfall von der einen Seite, daß diesem Wutanfall von der einen Seite vorausgegangen war eine gehässige Anzüglichkeit von der anderen Seite, daß dieser Anzüglichkeit von der anderen Seite vorausgegangen waren zahlreiche Meinungsverschiedenheiten (entstanden durch Zuträgereien, falsche Beschuldigungen, mehr oder minder gerechtfertigte Vorwürfe Außenstehender, damit verbunden überhaupt Mißlaunigkeiten), daß diesen Meinungsverschiedenheiten vorausgegangen waren unterschwellige Spannungen. Gut, so weit.

Was die Spannungen betrifft, erklären sie sich aus einem unauflöslichen Bündel von Gereiztheiten aufgrund wechselseitigen Mißtrauens, welches die Folge tatsächlicher oder eingebildeter Unaufrichtigkeiten (des einen oder des anderen) war, welche ihrerseits die Folge von Vertrauensschwund waren, die seinerseits die Folge möglicher oder wirklicher Indiskretionen seitens Dritter oder Vierter oder Fünfter war. Vor dem Vertrauensschwund, der zu Mißtrauen, Gereiztheit, Meinungsverschiedenheiten, stummer Animosität oder schließlich zu dem Bedürfnis einer Klärung in einem Gespräch und dann zu der erwähnten Auseinandersetzung geführt hatte, bestand zwischen den Partnern (oder Parteien) eine keineswegs unglückliche, wenn auch von gelegentlichen Kontroversen beeinträchtigte Ehegemeinschaft auf durchaus harmonischer Grundlage. Das war indes nicht immer so. Vor dieser Ehe auf harmonischer oder freundschaftlicher Grundlage gab es zwischen den Partnern (oder Parteien) eine beinah hochgemute Bindung, davor ein beinah intimes Verhältnis, davor eine monatelang sich hinziehende beinah zärtliche Bekanntschaft, die sich bereits wenige Wochen nach der ersten Verabredung entwickelt hatte, zu der es übrigens schon bei der ersten Begegnung gekommen war, die Lili Putana durch ihren Wunsch, Maximus vorgestellt zu werden, herbeigeführt hatte, womit die Namen der streitenden Parteien genannt sind. – Vor der ersten persönlichen Begegnung hatte Lili Putana allerdings Maximus schon zweimal aus größerer Entfernung gesehen und eine spontane Zuneigung gefaßt. Doch bereits davor kannte Lili Putana diesen Maximus von gelegentlichen Abbildungen in den Tageszeitungen. Durch diese Abbildungen aufmerksam geworden, las sie den diese Abbildungen begleitenden Text und erfuhr, daß Maximus Maler sei. Daraufhin besuchte sie seine nächste Ausstellung. Sie hörte ihm zu, wie er Ausstellungsbesuchern seine Bilder erklärte. Als sie seine Bilder sah, erinnerte sie sich, einige davon zu kennen. Sie hatte jedoch den Namen des Malers entweder nicht erfahren oder nicht behalten. Den Maler Maximus gab es daher für sie erst, als sie etwas über den Maler Maximus in der Tageszeitung gelesen hatte. Sie interessierte sich für Maler, da sie selber malte. Womit beider Beruf genannt ist.

Die bisher aufgezählten Phasen im Verhältnis zwischen Maximus und Lili Putana wurden, um auch dies zu erwähnen, im Verlauf der klärenden Aussprache sämtlich rekapituliert, bis es dann kurz vor Ende der Aussprache zu den erwähnten Handgreiflichkeiten und Verwüstungen gekommen war, weil die zur Schlichtung des Streits herbeigebetenen, *Schiedsrichter* genannten Freunde, die sich bedauerlicherweise an den Ausschreitungen beteiligten, mehrstimmig verlangten, man müsse, sofern das Verhältnis überhaupt noch zu retten sei, an die Wurzeln, die tiefer lägen, also die Ursprünge, womit alles angefangen habe, nicht aber nach persönlicher Schuld fahnden, da beide Parteien so schuldig wie unschuldig seien. Reaktion des Maximus: Ursache und Urheber seien nicht zu trennen.

Reaktion der Lili Putana: Um Spannungen zukünftig zu vermeiden, sei ein Schuldgeständnis sowohl des einen wie des anderen wünschenswert, da bei einseitigem Schuldgeständnis einer das Gefühl moralischer Überlegenheit haben könnte.

Darauf Maximus: Das führe zu einer Verschleierung der eigentlichen Ursachen, die Anlaß für alles weitere gewesen seien.

Darauf Lili Putana: Zunächst habe man zu klären, ob die *eigentlichen* Ursachen Anlaß für alle weiteren Zwistigkeiten gewesen oder geworden seien. Im letzten Fall stelle sich dann erneut die Frage nach dem Urheber.

Maximus: Es gehe um Sachen, nicht um Personen.

Nun sind wir bereits mitten in der Auseinandersetzung.

Ein Schiedsrichter: Es gehe um die Sache. Eine Sache jedoch sei wertfrei.

Lili Putana: Eben habe Maximus erklärt, Urheber und Ursache seien nicht zu trennen. Sie wolle nur auf den Widerspruch aufmerksam machen, der in dem Satz: es gehe um Sachen, nicht um Personen, liege.

Ich will nur auf den Widerspruch aufmerksam machen.

Ein anderer Schiedsrichter: Die fiktive Natur des Kausalitätsgesetzes. Der Fetisch *Täter*. Als ob, wenn alles Tun vom Täter abgerechnet würde, er immer noch als Täter übrigbliebe. Worauf sämtliche Schiedsrichter in den Disput eingreifen und die Auseinandersetzung dem Höhepunkt zutreiben, zunächst durch Erörterung von Verfahrensfragen. Die sich daran anschließenden Klärungsversuche ziehen sich über annähernd drei Stunden hin. Zwischendurch Sandwiches, Dosenbier und Wein. Alles führt aber keineswegs zu einem befriedigenden Ergebnis, da unterdessen auch noch Zeugen (weitere Freunde und Bekannte) hinzukommen, durch deren Aussagen zusätzliches Belastungsmaterial für beide Parteien eingebracht wird, das neue Beschuldigungen evoziert, bislang noch nicht gehörte Injurien, die zu schlimmsten Diffamierungen, letztlich zu unkontrollierten Drohungen anwachsen. Man zitiert einen Brief. Unruhe entsteht. Darauf zitiert die Gegenseite einen früher datierten Brief, darauf die Gegenseite der Gegenseite einen noch früher datierten Brief, immer an Hand vorliegender Originale oder Kopien (Briefordner stapeln sich), alles geschieht (in höchster Erregung), um nachzuweisen, wer mit dem *Rufmord* (dieses Wort ist plötzlich aufgetaucht) begonnen habe, und zwar durch absichtliche und folglich böswillige Aussparungen von zum vollen Verständnis des Zusammenhangs notwendigen Informationen, durch unwahre Behauptungen, halbe Verdächtigungen, ganze Unterstellungen oder verleumderische Anspielungen, bis zuletzt Maximus ein Schriftstück auswendig zitiert, das seiner Meinung nach Lili Putanas Erstschuld eindeutig beweise, wenn man schon danach forsche. Doch leider existiert von diesem auswendig zitierten Brief weder eine Kopie noch ein Original, überhaupt nichts, so daß es der Belasteten ein leichtes ist, das Vorhandensein dieses angeblich frühesten Zeugnisses einer monatelangen Verleumdungskampagne zu bestreiten. Außerdem ist es nur ein einziger Satz, den Maximus zitiert. Wie will er sich ausgerechnet an solch eine beiläufige Erwähnungsform erinnern? So kommt man also nicht weiter.

Daraufhin werden die Zeugen entlassen, das heißt: sie verlassen protestierend die Wohnung. Türen auf, Türen zu, Mäntel, Gürtel, Hüte. Erbittert. Spielerei. Nie wieder.

Nun werden die *Schiedsrichter* genannten verbliebenen Freunde um ihr Urteil zu folgenden Vorfällen gebeten, die (wie der jeweilige Kläger oder Klärer meint) typisch für das Verhalten der anderen Seite seien.

Typisch, nicht typisch. Man wird sehen.

Als erster führt Maximus ein Beispiel an: Am vierzehnten April dieses Jahres, auf einem Empfang im Hause D. (Dornieden oder Domitzlaff) habe Lili Putana ihn (Maximus) durch vollendetes Ignorieren vor der anwesenden Gesellschaft bloßgestellt. Worauf Lili Putana behauptet: nicht er, vielmehr sie sei durch des Maximus Gleichgültigkeit ihr gegenüber vor der betreffenden Gesellschaft bloßgestellt worden. Zum Beweis der Richtigkeit ihrer Behauptung führt sie sogleich ein weiteres Beispiel an. Bereits eine Woche vor dem genannten vierzehnten April habe Maximus sie, Lili Putana, auf angeblich ähnliche Weise brüskiert, ihm deswegen sogar anschließend Vorhaltungen gemacht, etwa in dem Sinne: er möge doch seine privaten Abneigungen gegen seine Frau nicht öffentlich demonstrieren, worauf Maximus erklärt, daran könne er sich absolut nicht erinnern, hingegen an den siebten März, wo er nach der Premiere im Schauspielhaus mit Lili Putana habe essen wollen, diese aber bereits in der Pause nach dem ersten Akt das Theater mit einem fremden Herrn verlassen habe, was Lili Putana als Erfindung und dreiste Lüge bezeichnet; denn Maximus habe als erster das Theater verlassen, während sie, ohne zu wissen, wo er sei, im Foyer allein auf ihn gewartet habe, bis ihr gesagt worden sei, Maximus befinde sich in Begleitung der Hauptdarstellerin...

Also doch Maximus, fragen die Schiedsrichter.

In einer Nachtbar, sagte Lili Putana, und erst daraufhin sei sie, allerdings nicht mit einem fremden Herrn, sondern mit einem Bekannten zu dessen Bekannten auf eine Party gegangen. Maximus bleibt hingegen dabei, Lili Putana sei mit einem Fremden verschwunden, und zwar, völlig klar, in ein Stundenhotel, was Lili Putana aufs höchste empört bestreitet. Weshalb sie dann aber, fragt Maximus darauf, vor zwei Monaten die Abtreibung habe vornehmen lassen, bei irgendeinem Kurpfuscher und Hintertreppenarzt, wo doch ihr größter Wunsch immer ein Kind gewesen sei, worauf Lili Putana eine vor ihr stehende Bierdose ergreift und diese in Richtung Maximus wirft und dann in Tränen ausbricht.

Nach dieser ersten Handgreiflichkeit und vor allem nach dieser Behauptung des Maximus, die ein ganz neues Moment in die Auseinandersetzung bringt, glauben die *Schiedsrichter* genannten Freunde, die Ursache der Zerwürfnisse gefunden zu haben. Doch da gesteht Lili Putana schluchzend, sie habe nie ein Kind gewollt, das habe Maximus nur vorgegeben, da er sich von ihr Kinder wünschte, sie indes, wegen seiner häufigen Seitensprünge und weil sie von Anfang an die inzwischen eingetretene Entfremdung vorausgesehen habe, sei nicht bereit gewesen, das Risiko einer Schwangerschaft einzugehen.

Nun sieht es wirklich einen Augenblick lang so aus, als sei Maximus der Erstschuldige, und die Schiedsrichter wollen gerade die Motive der Entfremdung erfragen, als Maximus sich auf ein noch viel weiter zurückliegendes Ereignis beruft, und zwar habe, wie er sagt, Lili Putana ihn, Maximus, schon zur Zeit ihrer ersten beinahe intimen Beziehungen betrogen, was er, da er an den Folgen erkrankt sei, ihr nie vergessen werde, worauf Lili Putana ihrerseits an eine sogar noch davor liegende Episode erinnert, wo Maximus, am selben Abend, da er ihr, Lili Putana, seine Liebe gestanden habe, mit einem Freund bei einer Prostituierten gewesen sei, ganz zufällig habe sie das erfahren, habe allerdings aber nie von ihrem Wissen Gebrauch gemacht, bisher, worauf Maximus seinerseits einen noch früheren Treuebruch der Lili Putana anführt, für den er sich dann allerdings glaubte revanchieren zu müssen, ohne sich im übrigen von Vergeltungsgedanken leiten zu lassen, wie er oft genug bewiesen habe, trotz mancher Hintansetzung seiner Person durch Lili Putana, die stets nur an ihren Vorteil denke, überhaupt von einem krankhaften Geltungstrieb besessen sei, von Berufsneid und eiskaltem Ehrgeiz, der sie noch zerfresse, ja, von einer brutalen Rücksichtslosigkeit, wenn es um ihren Erfolg gehe, wobei sie auch nicht vor Intrigen zurückschrecke, das müsse hier mal in aller Deutlichkeit gesagt werden, ohne Beschönigung, so sei es nun mal, während er, Maximus, sie, Lili Putana, immer, das könne er beweisen, gefördert habe, sogar, jeder wisse das, für ihr unkollegiales Verhalten noch Entschuldigungen bereit gehalten habe, bis zur Absurdität sie verteidigt habe und eigentlich bis zuletzt und sogar heute noch, auch wenn es ihm schwerfalle, um Verständnis bemüht sei, allerdings langsam anfange, einzusehen, daß es sich bei ihr um einen echten Charakterfehler handle, für den es an sich keine Entschuldigung gebe.

Diese Worte, kurz vor dem absoluten Höhepunkt der Auseinandersetzung, bewirken bei Lili Putana einen erneuten Tränenausbruch. Sie fühle sich, sagt sie, restlos unverstanden, ihre Krankheiten, ihre Migränen, ihre Hinfälligkeiten, ihre Konflikte nach der Abtreibung würden überhaupt nicht zur Kenntnis genommen. Krankheiten, sagt Maximus, darauf habe sie sich immer hinausgeredet, immer seien ihr im rechten Moment noch gerade die Migränen und Konflikte eingefallen, damit terrorisiere sie ihn ja nun schon seit Jahren. Er sei diesen Migräneterror leid, er lasse sich davon nicht mehr beeindrucken. Aber Lili Putana setzt dagegen, ihre Enttäuschung über diesen Mann datiere noch viel weiter zurück. Nie habe er ihr was geschenkt, nie eine Aufmerksamkeit. Das sei gelogen, sagt Maximus darauf. Ob sie denn ganz vergessen habe, was er für sie alles getan, daß er sie damals jeden Tag besucht und ihr jedesmal, auch wenn es nicht hierher gehöre, etwas mitgebracht habe, Blumen oder Parfum oder einmal einen Ring. Nur zweimal in der Woche sei er gekommen, sagt Lili Putana, und immer mit leeren Händen, höchstens mal wertloses Zeug. Und der Mantel, fragt Maximus, fragt Maximus, fragt Maximus, und der Sommerhut und die Ballyschuhe, und wer denn wem vorgeschlagen habe, eine gemeinsame Wohnung zu nehmen? Das sei ja nun, rief empört Lili Putana, schließlich habe sie das vorgeschlagen, er habe von einer Wohnung gar nichts wissen wollen. Ich nichts, schreit Maximus da los, ich nichts von einer Wohnung wissen wollen? Ob sie sich denn liebenswürdigerweise mal erinnere, wie schwer damals eine Wohnung zu finden gewesen sei, daß er aber eine gefunden habe, er auch auf Heirat gedrängt habe, wegen der Wohnung, sie aber habe noch warten wollen. Warum denn wohl, fragt Lili Putana, doch nur, weil sie vom ersten Moment an Bedenken gegen seinen Charakter gehabt habe, bereits, als er ihr vorgestellt worden sei, habe er sie geradezu herablassend behandelt. Aber ganz im Gegenteil, schreit Maximus. Im übrigen: Mißverständnisse von Anbeginn! An jenem Abend, um auch das endlich mal klarzustellen, da sie *ihm*, nicht wie Lili Putana behaupte, er *ihr* vorgestellt worden sei, habe er im Grunde einer anderen Dame vorgestellt werden sollen und zunächst Lili Putana für diese andere Dame gehalten. Wie bitte? Das höre sie nun zum erstenmal! Ja, so sei es gewesen, aber er habe es dann nicht bereut, auf diese überraschende Weise Lili Putana kennengelernt zu haben, wenn auch… Wie – nicht bereut? Das sei doch nun wohl der Gipfel, schreit Lili Putana. Sie solle ihn doch gefälligst ausreden lassen, schreit darauf wieder Maximus. Aber da springt Lili Putana hoch, und ehe Maximus noch weiterreden kann, hat Lili Putana auf dem

Kopf des Maximus eine Weinflasche zertrümmert, womit der Höhepunkt bereits überschritten ist. Gleich fallen Worte wie *Schädel, zertrümmern, lebensgefährlich, hysterisch, mein Leben mir lieber.* Dabei werden weitere Gegenstände im Zimmer als Wurfgeschosse benützt. Die Fensterscheiben zerbrechen, eine hölzerne Armlehne fliegt gegen die Lampe. Eine Glühbirne explodiert. Von hier an spätestens will es den Schiedsrichtern so vorkommen, als seien alle übrigen Kontroversen bisher geringfügig gewesen, daher überflüssig zu erörtern, als gehe es jetzt plötzlich nur um dieses eine frühe oder früheste Mißverständnis und als seien die jetzt folgenden Ausschreitungen oder Handgreiflichkeiten jetzt einzig die Folge dieser letzten Eröffnung.

So weit gut. Aber weiter!

Nach einer halbstündigen Schlacht mit erheblichen Sach- und Körperschäden ringsum flaute der Kampf ab, der zuletzt Selbstzweck geworden war. Die Schiedsrichter wie die streitenden Parteien sind physisch wie geistig erschöpft. Man leert die heilgebliebenen Gläser, greift zu Zigaretten. Es tritt vorübergehend eine absolute Ruhe ein. Dann heißt es, leise, eine unnatürliche Hitze hier im Zimmer, trotz der zerbrochenen Fensterscheiben kein Luftzug, zum Ersticken. Die Atemwege trocken. Nervlich sei man wohl überreizt. Daher. Typisch auch die sich nun verbreitende Resignation. Die Aussprache allerdings sei doch nützlich gewesen. Doch, das bestimmt. In Zukunft, falls sich Spannungen dieser Art wiederholten, müsse man sich freilich früher zu solch einer Aussprache entschließen, ein Ungenügen am anderen sofort kritisieren, nichts hinunterschlucken. Lili Putana: Ja, man werde es von jetzt ab besser machen. Maximus: Nein, zu verbessern sei da nichts, man müsse überhaupt alles vollkommen anders machen, ganz neue Voraussetzungen schaffen. Soviel sei doch an diesem Abend deutlich geworden. Lili Putana: Was sei deutlich geworden? Gar nichts sei deutlich geworden. Maximus: Na erlaube mal! Dann können wir ja gleich wieder von vorn anfangen. Die Schiedsrichter: Das nun lieber nicht, zumal vorerst das Schlimmste gerade noch vermieden sei. Lili Putana: Was sei denn ihrer Meinung nach dieses Schlimmste? Die Schiedsrichter: Das wüßten die Parteien doch selber am besten! Zumindest seien die Fronten geklärt. Ja, das sicher. Womit die nützliche Aussprache einstweilen beendet ist. Man sitzt wieder ruhig beisammen. Einige wissen auch, worum es ging. Lili Putana bringt jetzt noch an, daß sie schon so oft enttäuscht worden sei. Dann ihre Angst. Sie sei solchen Belastungssituationen nicht gewachsen, zu schnell entmutigt. Vielleicht ist es auch meine Schuld. Ein Versager. Maximus: Er habe auch Schuld, wolle alles mit Gewalt durchsetzen. Zwangslage. Viele Schulden zu bezahlen. Unrealistischer Umgang mit Geld. Die Schiedsrichter: Es liege nicht am einzelnen, gerade deshalb sei dieser Abend nicht umsonst gewesen. Mit dieser Aussage trennt man sich. Das Ehepaar bleibt allein in der zerstörten Wohnung zurück. Erst mal ausschlafen. Morgen wird man weitersehen.

RUTH REHMANN

Suche nach Jessika

Sie hörte Jessika schnurren, sie meinte ihr rotes Fell neben dem Kopfkissen atmen zu sehen, aber als sie die Hand ausstreckte, war es nichts als ein Wulst in der Steppdecke. Die Katze war fort, hatte sie in der leeren Wohnung allein gelassen. Alle Türen der leeren Wohnung standen offen, und hinter den Vorhängen wurde es Nacht.

Sie schob den Arm über den Nachttisch, knipste die kleine Lampe an, dehnte sich hinüber in das andere kalte Bett, schaltete die andere Nachttischlampe ein, schob seufzend die Füße in die Strohpantoffeln, die unter ihrem Bett standen, knipste das Licht über dem dreiteiligen Spiegel und die Deckenbeleuchtung an, sah sich im Spiegel, schön und weißhäutig und alles für nichts und wieder nichts, alles umsonst, alles für die Katz, und doch mußte sie lächeln, trotz ihres Kummers um Jessika, vor lauter Wohlgefallen an ihrer Schönheit, wendete sich nach rechts, wendete sich nach links, kehrte dem Spiegel ihren weißen, geschwungenen Rücken zu, legte das Kinn auf die Schulter und blickte zurück mit einem Lächeln, das für niemand bestimmt war und unaufgefangen in die Tiefe des Spiegels sank. Hatte es nicht schon geschellt? Er kam immer so pünktlich aus dem Büro, für sie kam er immer zu früh, sein Schritt auf der Treppe genügte, und schon verbreitete sich Langeweile in der Wohnung wie ein Gas, aber er merkte nichts davon. Er nannte das Gemütlichkeit. Und nun hatte Jessika sie allein gelassen.

Sie umklammerte mit der Hand den Rand des Spiegels und dachte: Wenn er es wieder sagt, dann gehe ich einfach fort von hier wie Jessika! Aber als sie in den Strohpantoffeln zur Wohnungstür schlich, um zu öffnen, wünschte sie doch, er würde es diesmal nicht sagen. Er sagte es natürlich doch und küßte sie, ganz improvisiert, ganz der zärtliche Liebhaber, aufs linke Ohr (aber immer küßte er sie aufs linke Ohr, das Ohrläppchen kam ihr schon ganz abgewetzt vor, ganz kalt und gefühllos. Der Liebhaberkuß gehörte ebenso zu seiner Methode wie das allabendliche »Süß siehst du aus, Kleines«, ohne sie dabei anzusehen, zu einer Methode des ehelichen Glücks, die er abends am Stammtisch auseinandersetzte, sie war nie dabeigewesen, aber sie hörte deutlich seine verständige, Vertrauen erweckende Stimme sagen: »Ein kleines Kompliment jeden Abend, eine kleine Zärtlichkeit, davon leben sie doch. Sie sind ja so bescheiden!«).

»Süß siehst du aus, Kleines«, sagte er, setzte seine Aktenmappe nieder und hängte den Mantel auf, »nimm dir ruhig Zeit mit dem Abendessen.« Er war rücksichtsvoll. Er wußte natürlich, daß sie nichts vorbereitet hatte, daß sie erst hinunterlaufen mußte, um einzukaufen. Auch heute würde sie hinunterlaufen, aber nicht um einzukaufen. Sie sah ihn ins Wohnzimmer gehen, den Rücken beladen mit Langeweile, Licht anmachen, die Zeitung nehmen, in einen Sessel sinken, die Füße auf das türkische Lederkissen legen, die Brille abwischen, aufsetzen, eine Zigarette anzünden und immer dasselbe und immer dasselbe und immer dasselbe, während sie schon wieder vor dem Spiegel im Schlafzimmer saß, sich in die Handknöchel biß und dramatische Augen machte, wie eine Filmschauspielerin, die vor einem verzweifelten Entschluß steht, ohne dabei zu vergessen, schön, rührend und dramatisch auszusehen und das Gesicht im vorteilhaftesten

Aspekt der Kamera darzubieten. »Es muß sein!« hauchte sie in jenem heiseren Bühnengeflüster, das ihr im Kino immer die Tränen der Aufregung in die Augen trieb, »ich muß endlich mein eigenes Leben leben«, aber von diesem eigenen Leben hatte sie nur eine nebelhafte Vorstellung, es war jedenfalls anders, nicht anders als, sondern einfach anders, es fing damit an, daß sie »auf die Straße« ging, wie Männer in die Fremdenlegion. Und dieses »anders« hatte schon begonnen, als sie begann, sich anzuziehen. Sie hatte ja den Zug zum Ordinären, das hatte er immer gesagt. Als sie heiratete, paßten ihre Sachen in einen Handkoffer. Er hob sie mit spitzen Fingern heraus, betrachtete sie gegen das Licht und schenkte sie der Putzfrau, die sie mit verächtlichem Augenaufschlag in Empfang nahm. Dann kleidete er sie von Kopf bis Fuß in das Kostüm »Immerangezogen« mit der »adretten« Hemdbluse, mit zwei Röcken zum Wechseln, »Röcke schleißen schneller als Jacken«, natürlich zu weit in der Taille und um die Hüften, sie war so außergewöhnlich schmal, aber man weiß ja nicht, ob nicht eines Tages... die neuen Schuhe hießen »hohe Absätze verderben den Fuß« und das schwarzgefärbte Brautkleid »eine Dame fällt nicht auf«. O Rattengarderobe! Kleiderschrank aus poliertem Nußbaum, sie hatte eine kindische Angst, ihn zu öffnen, denn Langeweile saß aufgeblasen zwischen den Kleiderfalten und atmete Naphthalin, aber es war ja auch nicht nötig, denn es gab die Kiste, die unter dreckiger Wäsche die Dinge verwahrte, die ihr gefielen, die ordinären, die billigen, die auffälligen, Gatsbyhose, heimlich vor dem Urlaub gekauft (und dann fuhren sie doch wieder ins Gebirge mit Haferlschuhen und »Dirndl ist immer fesch«), das tiefausgeschnittene India-T-Shirt, das endlich ihre Schultern freigab, die runden, glatten, weißen, die den matten Glanz von Perlen ausstrahlten, dachte sie, als sie am Spiegel vorüberging. Die

Kette um ihren Hals hatte nur 6,50 gekostet und es war nichts Echtes daran. Sie hatte ja im Gegensatz zu ihm keinen Sinn für Echtheit, jedes Gefühl für Qualität ging ihr ab, ob Gold oder Messing, ob Zucht- oder Wachsperle, das machte für sie nicht den geringsten Unterschied. Ohrringe glitzerten und schlugen kühl gegen ihren Hals, leises Klingen dicht unter ihrem Ohr, dem kühl-geküßten, das plötzlich wieder warm und lebendig wurde. Das »provokative« Parfüm stieg ihr zu Kopf wie Alkohol, sie brauchte nicht zu trinken, um betrunken zu sein, sie nicht... die rote Wolke ihres Haares verschwand in dem türkisfarbenen Schleier, bis auf die Locken, die sich über der Stirn kräuselten. Es war schwer, zu diesen Haaren einen Lippenstift zu finden. Sie hatte wochenlang darüber nachgedacht. Es mußte Koralle sein. Er mochte keine Lippenstifte. »Ich will eine Frau, kein Gemälde«, aber welche Frau hätte sich nicht unter dem Einfluß seiner verständigen, geplanten, methodischen Langeweile in ein Gemälde verwandelt, das an der Wand hing und »süß siehst du aus, Kleines« mit stereotypem Lächeln quittierte.

Von ihr würde nichts zurückbleiben in diesem Zimmer mit den Ehebetten, Schaumstoff auf Holzrost, dem lindgrünen Teppichboden und passenden Vorhängen in Wellblechform. Sie brauchte nur aus der Tür zu gehen, dann erlosch ihr Bild im Spiegel, ihr bißchen Körperwärme im Bett. Immer waren die Laken in diesen Betten klamm gewesen, sie fand sie zu weiß, zu sauber, man mußte eine halbe Stunde lang zusammengerollt liegen, auch den Kopf unter der Decke, Wärme ausstrahlen und ausatmen, am besten mit Jessika, aber Jessika war fort und hatte kein rotes Haar auf den Kissen zurückgelassen. Heute nacht würde sie vielleicht Jessika finden, sie rufen, sie aufheben, sie um den Hals legen wie einen Pelz, wärmer, lebendiger, zärtlicher als jener nach Mottenpulver duftende, den sie um die Schultern legte, ehe sie die vielen Lichter auslöschte. Sie trug die hochhackigen Sandaletten in der Hand und ging auf Strümpfen. Es konnte ja möglich sein, daß er beim Geräusch eines Schrittes von der Zeitung aufsah und durch die geöffnete Tür in den Flur blickte, in dem noch Licht brannte. Sie hütete sich, nach ihm umzuschauen, ließ die Wohnungstür angelehnt, huschte die Treppe hinunter, kühle Stufen unter ihren Füßen, und hockte auf dem untersten Absatz, um die Sandaletten anzuziehen.

Klak... klak... klak... es kam ihr vor, als sei es ihr Herz, das eben anfing zu schlagen, rasch, stolpernd, ungeduldig, im Hausflur verstärkt durch die Akustik des leeren Treppenhauses, dezenter im Freien, auf dem Trottoir, über die gepflasterte Straße, um die Ecke, immer noch allein in der Stille des »ruhigen Wohnviertels«, hallend zurückgeworfen von Hauswänden, vorüber an einzelnen Laternen, dann begleitet von anderen Schritten, von helleren Lichtern und noch mehr Schritte und noch mehr Lichter, und es ging ihr immer noch nicht schnell genug, oder war es nur der U-Bahn-Schacht, der sie einsaugte wie der Staubsauger ein Federchen einsaugt, sie die Treppe herunterwirbelte bis vor den Automaten.

Da stand sie und hatte kein Geld. Die Handtasche lag im Wohnzimmer. Sie hatte sich nie an Handtaschen gewöhnen können. Im Pelz war kein Geld, war nie Geld gewesen, weil die Taschen Löcher hatten. Hinter ihr drängten sich Leute, die es eilig hatten. Ein junger, untersetzter Mann mit dunklen Haaren und dunklen Augen musterte sie dreist und steckte über ihre Schulter hinweg zweimal Münzen für zwei Fahrkarten in den Automaten, die er beide an sich nahm.

Sie blieb hinter ihm, sie wußte ja, er hatte die Karten gekauft und damit ein gewisses Recht auf sie. In der Bahn gab es keine Sitzplätze mehr. Sie standen und hielten sich an einer Stange fest. Licht und ein höllisches Dröhnen raste neben ihnen die Wände des Tunnels entlang. Sie hielt ihn für sehr jung, für jünger als sich selbst, und doch war sie erst fünfundzwanzig und hatte sich noch nie ganz erwachsen gefühlt, oder jedenfalls immer jünger als irgend etwas oder irgendwer, einige Jahrhunderte jünger als ihr Mann. Nun sah sie an ihrer geformten, spitzfingrigen Hand, die dicht neben seiner rohen Knabenhand lag, daß sie fertig und vollkommen war, ein Kunstgegenstand, an dem nichts mehr zu ändern ist, und triumphierte. Er sah sie nur aus dem Winkel seiner Augen, aber sie wußte doch genau, was er sah. Fremd. Schön. Dame. Geliebte in spe. Flink glitt sie unter die Haut seiner Vorstellung und dehnte sich, bis sie vollkommen paßte – mühelos.

Der Zug bremste, hielt an, sie stiegen aus. Schon hatte er seine Dreistigkeit verloren. Nichts mehr von der Unverfrorenheit, mit der er sie am Automaten gemustert hatte. Er zögerte auf dem Perron, wußte nicht, ob es erlaubt war, neben ihr zu gehen, oder ob er zurückbleiben sollte. Sie konnte ja wenigstens Dankeschön sagen, aber sie war seiner so sicher, daß sie wortlos weiterging, nicht ganz so sicher allerdings, daß sie sich nicht noch einmal flüchtig umsah, als hätte sie etwas verloren, aber er blieb dicht hinter ihr, die Blicke auf ihre klappernden Absätze gerichtet, er befand sich bereits in einer Einbahnstraße, vielleicht in einer Sackgasse und konnte nicht umkehren.

Am Ausgang blieb sie stehen, wartete, bis er neben ihr war, und überließ es ihm, »und was nun?« zu sagen. »Ich weiß nicht«, sagte sie, »ich bin fremd hier«, und das war nicht einmal gelogen, obwohl es ihr darauf nicht angekommen wäre, denn so hatte sie die Nachtstraße noch nie erlebt, diesen Strom von Menschen und sie mitten darunter, von Blicken gestreift, bewundert, fortgerissen von der Strömung des Vergnügens mit ihren Neben-, Gegen- und Querströmungen, mit Inseln, Strudeln, Katarakten, mit senkrechten Ufern aus lichtdurchlöchertem Beton, von dem die Bonbonfarben der Reklamen niederrieselten, Rücken, Köpfe, Gesichter mit regenbogen-überspülten Stirnen, die himbeerfarben aufglühten, eisblau versteinten, grünlich erblaßten, in Schwärze untertauchten, als seien sie nie gewesen, Stimmen, Fetzen von Musik und Lärm und ihre Stimme auch und ihr Schweigen, eingeschmolzen in eine sinn- und formlose Symphonie, die sich ihres Herzschlages bemächtigte, das Blut beschleunigte, sie aufhob, sie weitertrug.

Er hatte immer behauptet, sie sei nicht gut zu Fuß, aber wieso denn, das bezog sich ja nur auf Gebirge, Wald und Feld, kurz auf die Natur und »wacker marschieren«, wie er das nannte, hier wußte sie gar nichts von ihren Füßen, die irgendwo auf dem dunklen Grunde dieses Gewässers ihren Weg suchten. Was hatte sie damit zu tun? Sie schwebte, sie hielt sich am Arm ihres Begleiters fest, um sich Gewicht zu geben, und auch wegen der Wärme, die durch die Wolle seines Pullovers in ihren Arm eindrang. »Was sind Sie für eine?« fragte er, »Sie treiben sich ohne Geld auf der Straße rum, Sie lassen sich von fremden Männern ansprechen?« Er wollte grob sein, sie beleidigen, aber das nahm sie ihm nicht ab. Sie hörte gar nicht zu, was er sagte, hörte nur den kindischen Trotz in seiner Stimme und spürte mit Entzücken, daß er Angst vor ihr hatte. »Jedenfalls sind Sie über meine Verhältnisse«, sagte er frech und hielt dabei ihren Arm krampfhaft fest, als fürchtete er, sie würde ihm entgleiten und sich wie Rauch verflüchtigen. Sie lächelte nur – natürlich über deine Verhältnisse, Kindskopf – dachte sie. »Irgend jemandem gehören Sie doch?« fragte er. Sie versuchte, sich die Wohnung vorzustellen und ihn, der im Sessel saß, die Zeitung las, geduldig auf das Abendessen wartete, und plötzlich erinnerte sie sich an Jessika. »Jessika«, murmelte sie, »ich muß Jessika suchen.« – »Jessika, Jessika«, sagte er ärgerlich, »ist das eine Antwort? Haben Sie getrunken?« Sie dachte nicht daran, den Mund aufzutun, streifte ihn nur mit einem schrägen, hochmütigen, amüsierten Blick, und ganz unvermittelt gab er seinen Widerstand auf. »Entschuldigen Sie«, sagte er. Sie fühlte seine Verliebtheit wie ein warmes Brausebad. Am liebsten hätte sie geschnurrt wie Jessika, und doch war sie enttäuscht und böse, daß er sich schon ergab, daß nichts mehr für sie zu tun blieb. Aber er war ja nicht der einzige. Sie zog die Hand aus seinem Arm, im Wechsel der Lichter und Farben blieb ihr Profil weiß, hart, undurchdringlich wie Porzellan.

Sie stiegen eine Treppe hinunter, immer stieg sie Treppen hinunter, wo sollte das noch enden, unten war es heiß und rot und rauchig, die Lampen waren mit rotem Zeug umwickelt, die Musiker schwitzten, als säßen sie in der Sauna, ihre bunten Hemden klebten am Rücken, sie saßen erhöht, primitive Idole mit verzerrten Masken aus schwarzer Haut, rollende weiße Augäpfel, und einer blies die Backen auf, sie standen gebläht zu beiden Seiten des Kopfes wie Stimmblasen von Fröschen, nur schwarz, glänzend, wie geölt. Drei Köpfe tiefer kreiste die zähe Masse der Tanzenden, Schulter an Schulter, Hüfte an Hüfte, in der Mitte aufgerissen von einem Rock 'n' Roll-Paar, Jungen und Mädchen mit den Gesichtern von Schlafenden, mit Körpern, deren Zuckungen exakt, mechanisch und ohne Leidenschaft waren. Am Rand der Tanzfläche standen Stühle kreuz und quer wie nach einer Schlägerei. Einzelne Gäste waren auf ihrem Platz zurückgeblieben wie Schiffbrüchige auf Inseln, hinter Flaschen, das Gesicht in die Hände gestützt.

Eben war die Musik zu Ende, aus der Masse lösten sich

verklammerte Paare, strebten auseinander, ein wenig unsicher auf den Beinen, weil sie plötzlich wieder allein waren, mit zwei Beinen und zwei Armen und einem einzigen Kopf.

Sie stand mit ihrem Begleiter am Eingang und sah zu und sah trotz Rauch und Dämmerung jedes einzelne Gesicht und stellte fest, daß keine so schön war wie sie. Über den Lärm der gerückten Stühle und Tische hinweg riefen Stimmen nach ihrem Begleiter, John, Jean, Jochen, es war ja ganz gleichgültig, wie er hieß, aber nun fing er an, sich aufzuspielen, der Kindskopf, weil er sie hatte, und er hatte sie doch gar nicht, niemand hatte sie, niemand würde sie haben, ergriff sie am Handgelenk und zog sie hinter sich her. Sie stolperte, ihr Pelz wischte ein Glas vom Tisch. »Das ist Jessika«, schrie er. »Das stimmt doch nicht«, sagte sie, »Jessika ist eine Katze, die weggelaufen ist«, er wiederholte, mit dem Finger auf sie weisend: »Jessika, eine Katze, die weggelaufen ist.« Alle schrien vor Lachen, nur sie blieb ernst, sie fand das nicht komisch, sie fand sich selbst nie komisch. Ihre Schultern bewegten sich nervös unter dem Pelz, bis er glitt, fiel und aufgefangen wurde. Nach und nach wurden alle still und sahen sie an. Sie stand gelassen, als merkte sie nichts davon, oder als sei sie dieses knisternde Schweigen gewöhnt. Dann bot ihr einer einen Stuhl an, und sie setzte sich mitten in die Stille hinein, mit träumerisch gelangweilter Miene, obwohl sie vor Vergnügen zitterte, bis in die Fußspitzen, bis in die Spitzen ihrer Finger hinein. Der Pianist präludierte samtige Akkorde, strich mit seinen dicken schwarzen Fingern zärtlich über die Tasten, ihretwegen! Und nur ihretwegen fielen Gitarre und Schlagbaß ein, stieg der einsame, klare, glatte Trompetenton hoch wie eine Spitze aus Stahl.

Sie tanzte mit einem oder mit Dutzenden, vielleicht mit allen. Sie konnte sie kaum unterscheiden, hatte keine Zeit, sie anzuschauen, denn schließlich war sie es ja, die von allen angeschaut und bewundert wurde, die Komplimente und Bewunderung vermischt mit heißem Atem einstrich, ohne mit der Wimper zu zucken, und nur selten, ganz selten, empfand sie einen Nadelstich von Unbehagen, eine versteckte Mahnung, daß soviel Bewunderung nicht umsonst verschenkt würde, aber wie konnte sie darüber nachdenken, wenn neben ihr der Drummer seine Stöcke gegen die rauchige Decke schleuderte, und immer noch der hohe Trompetenton dauerte, zitterte, abbrach, stürzte, während rote Lampen rote Kreise drehten, drehten, drehten, in ihrem Kopf weiterdrehten, wenn sie müde und übersatt die Augen schloß.

Jemand hob sie auf und setzte sie wie eine Puppe auf einen der hohen Schemel an der Bar, fremder Atem an ihrem Ohr, Glas an den Lippen und sie selbst hundertmal in hundert Spiegelscherben, die in die Rückwand der Bar eingelassen waren, weiß und starr, nur die Ohrringe zitterten, die roten Haare hatten sich über der Stirn aufgerichtet wie im Schrecken, und die Augen waren leer und trocken, und trotzdem hatte sie noch nie etwas Schöneres gesehen. Einer legte die Hand auf ihren Arm, und als er sie wegnahm, war sie erstaunt, daß nichts zurückblieb, kein Mal, kein Schatten eines Fleckens, seht nur, so rein und kühl war diese Haut, nichts haftete an ihr, nichts hinterließ Spuren auf dieser Haut, und trotzdem schauderte sie, als derselbe oder ein anderer seine Lippen auf ihre Schulter heftete, als wollte er sie abstempeln, und sie wollte doch nicht abgestempelt und gezeichnet sein, von nichts und von niemandem. Er bemerkte ihren Ekel sofort, und als er sich aufrichtete, flimmerten seine Augen vor Bosheit. Erschreckt wandte sie sich ab, aber der Kranz von solchen Augen hatte sich dicht um sie geschlossen, das hatte sie ja gewollt, alle sollten sie sehen, sie bewundern, aber nun auf einmal nahmen sie ihr diese Bewunderung übel, die sie ihr doch freiwillig gegeben hatten, und erwarteten eine Art Entschädigung für den Aufwand, eine Chance, ihre Vollkommenheit anzukratzen, zu beschädigen.

Ach sie war satt, ach sie hatte keine Lust mehr, ach sie wollte fort, und ehe die durstigen Verehrer die Hand noch einmal auf sie legen konnten, glitt sie vom Schemel, glitt einfach unter aller Augen weg mit geschmeidigen, unauffälligen Bewegungen, die Masse der Tanzenden schlug über ihrem weißen Rücken zusammen, mehrere Türen schlossen sich hinter ihr, erstickten die Musik, und in der Stille des Kellerschachtes klangen ihre hastigen Absätze wie eine Salve von Gewehrschüssen, Kälte strömte ihr entgegen, sie hatte den Pelz zurückgelassen und fror. Die Lichtstraße war versunken, war bis auf den stillen Grund des Meeres gesunken, alle Lichter erloschen, alle Stimmen erstickt, sie ganz allein im Abgrund eines Schachtes, winzig trotz der Stöckel unter ihren Fersen, deren hämmerndes Stakkato ihre Winzigkeit verspottete.

Sie schritt schnell aus, aber sie hatte keine Ahnung, wohin sie ging, nach welcher Richtung, mit welchem Ziel. Alle ihre Sinne waren nach hinten gewandt. Sie wußte, daß jemand hinter ihr war, war dessen so sicher, daß sie sich nicht einmal umwandte. Dann vernahm sie wirklich Schritte, fing an zu laufen, bog in enge Gassen ein, schlug Haken wie ein erschrecktes Kaninchen, aber sie wurde rasch müde, so viele Treppen, unzählige Tanzschritte, ein endloser Weg, den sie seither, seit wann? zurückgelegt hatte. Sie ging langsamer und noch langsamer, blieb endlich stehen, lehnte sich an den Pfahl einer Laterne und erwartete ihn.

»Was ist denn?« fragte sie zitternd. »Was wollen Sie von mir? Ich hab' Ihnen doch nichts getan.« Er antwortete nicht, was hätte er auch sagen sollen? Er hatte ja so recht, für die anderen, die geprellt zurückgeblieben waren, und besonders für sich selbst, denn er hatte sie aufgegabelt, und er hätte sie vielleicht geliebt, wie lächerlich, wie dumm, wie banal, wie kindisch. Er ging langsam auf sie zu, packte sie an beiden Armen, und davon würde ihre Haut Flecken tragen, vier an der Außenseite jedes Armes und einen dunkleren größeren an der empfindlichen Innenseite, drängte sie an die Hauswand, küßte sie mit Lippen und Zähnen, die kalt waren vor Zorn. Sie verabscheute ihn, weil er ihr weh tat, sie schmeckte ihr eigenes Blut auf der Zunge und fühlte tief unter ihrer fauchenden, kratzenden Wut die verdammte Lust, sich zu ergeben, wie den scharfen Einstich einer Spritze, die Trägheit und eine rasch sich verbreitende Betäubung in ihr Blut goß.

Irgendwann ergab sie sich vielleicht, indem sie die Stirn an seiner Schulter rieb, oder mit der Fingerspitze über den Streifen Haut zwischen Kragen und Haaransatz strich, oder nur einfach den Kopf in den Nacken sinken ließ, winziges Signal der Kapitulation, aber er merkte nichts in seiner kindischen Raserei, oder wenn er es merkte, war es doch zu spät, denn neben ihnen schrie die Katze klagend auf, es gab bestimmt viele Katzen in dieser Straße, aber das konnte doch nur die Eine sein, sie erschraken beide, horchten, und dann war der Augenblick schon vorbei, verpaßt, verloren.

Sie glitt aus seinem Griff und folgte dem Tier, das durch den Rinnstein davonhuschte und sich grünleuchtend nach ihr umsah. »Jessika«, murmelte sie keuchend, »warte, wir gehen ja nach Hause, Jessika, wir gehen schlafen.«

Die Katze glitt einen Häuserblock entlang und glitt um eine Ecke und in eine Mauernische, und das war ja die Haustür, wie war es möglich, daß sie die Straße nicht erkannt hatte, das Milchgeschäft, die Bäckerei, den Gemüseladen, wo immer noch die leeren Kisten vom vergangenen Tag vor der Tür standen. Niemand hatte die Tür abgeschlossen. Sie brauchte nur ganz leicht mit der Schulter dagegenzudrücken, sich durch den Spalt hineingleiten zu lassen in den vertrauten Geruch nach geölten Treppen und Abendessen, und Jessika auch, die um ihre Knöchel strich, Katzen sind ja klüger, sie kennen ihr Haus, sie wissen, wohin sie gehören.

Die Haustür fiel ins Schloß, und sie stieg im Dunkeln die Treppe hinauf. Die Stufen knackten, aber sonst war das Haus wie tot, als seien alle seine Bewohner ausgezogen, gestorben, vergessen, kein Radio, kein Kindergeschrei, keine Tür, die zufiel, nicht einmal Atemzüge, nur auf dem zweiten Stock gab es noch Licht, einen gelben Streifen, der geknickt über den Stufen lag, die Tür war nur angelehnt.

Er saß im Wohnzimmer und schlief. Sein Kopf war auf die Sessellehne gesunken, die Zeitung lag vor seinen Füßen. »Verzeih, Liebling, ich bin eingeschlafen«, murmelte er halb schlafend, und dann fuhr er hoch und rief: »Mein Gott, wie siehst du denn aus?«, und sie warf sich rasch in seinen Schoß, damit er sie nicht ansehen konnte, und flüsterte in seine Knie hinein: »Ich habe Jessika auf der Straße gefunden, und plötzlich bin ich krank geworden.« – »Wahrhaftig, du zitterst«, sagte er erschreckt, und wirklich, o Wunder, sie zitterte am ganzen Leib, ihre Zähne klapperten, während ihre Stirn vom Fieber brannte.

Er hob sie auf, durch ihre Wimpern sah sie die Zimmerdecke leicht gebläht wie ein Segel vorüberfliegen, dann die schräge Türöffnung voll Dunkelheit, die ihr entgegenglitt. Es war wunderbar, getragen zu werden, wunderbar, im richtigen Augenblick krank zu sein, in die Dämmerung einzutauchen, zwischen die kühlen Bettlaken zu gleiten, wie von einer sanften Strömung an den Strand gespült.

Das kühle Tuch lag über ihrem Gesicht, und sie hielt sich ganz still in der weißlichen Dämmerung, in dem guten Geruch frischer Wäsche, und als er murmelnd in die Küche ging, um Fliedertee zu kochen, kroch Jessika ins Bett und legte sich schnurrend auf ihre Brust.

V. S. PRITCHETT

Wer hat, dem wird gegeben

Jeden Morgen verließen die Corams die Pension, die wie eine weiße Schachtel mit Terracottadeckel in den Weingärten auf dem Hügel über der Stadt lag, und wanderten durch den Staub und den üppigen Schatten zum Strand: ein Ehepaar, beide in den Vierzigern.

Er war vorher nie über England hinausgekommen, sie hingegen hatte ihre halbe Jugend im Ausland verbracht. Sie trug einen billigen gelben Strandpyjama mit marineblauem, von der Sonne gebleichtem Oberteil. Sie war klein und mager, eine unschöne, aber zugleich anziehende Frau. Ihr Haar war am Ergrauen, ihr Teint wie Lehm, die Nase groß und lang, die Augen langgeschlitzt und gelblich. In ihrem Strandanzug hatte sie etwas von einer Ratte, mit der typischen Geschäftigkeit, der Neugier, der Intelligenz und selbst dem Charme der Ratten. Die Leute liefen ihr zu, unterhielten sich mit ihr und fanden amüsant, was sie redete. Das häßliche Gesicht und der schäbige Aufzug befremdeten sie, aber man mochte ihre träge Stimme, ihr rasches Denken, die guten Manieren und ihren Blick, aus dem Erfahrung und gesunder Menschenverstand sprachen.

Er war ein Jahr älter. Sogar an den heißesten Tagen saß er, wenn sie mit nacktem Rücken sonnentrunken im Sand lag, verlegen in einer dicken Tweedjacke und mit einem weißen Hut, den er über die Augen zog, neben ihr. Er war ein vierschrötiger, häßlicher Mann: Sie waren ein häßliches Paar. Verdrossen, wortarm, knochig, mit borstig kurzem Haar, das sich gegen die Sonne zu sträuben schien, saß er da und warf finstere, gelangweilte und fast böse Blicke aus runden, blauen Augen. Er hatte große Hände wie ein Bauer. Wenn jemand kam, um mit seiner Frau zu reden, zog er sich sofort zurück. Instinktiv mied er die Menschen. Er wollte hier schweigend neben ihr sitzen, ohne Gesellschaft. Wenn die Leute nicht Ruhe gaben, wurde er grob, unhöflich und aggressiv. Dann lag es bei ihr, seine Grobheiten auszugleichen und von ihnen abzulenken. Er jedoch pflegte die Person, mit der sie sprach, gar nicht zur Kenntnis zu nehmen, und fragte etwa, auf seine Frau hinunterblickend: »Was hast du gegen mich, Julia?« Gereiztes Selbstmitleid klang aus seiner Stimme. Sie hatte ein Faible für geistreiche Männer.

Das gab Anlaß zu Streit. Sie stritten ständig – über den Wagen, über das Essen, über den Platz am Strand oder in den Cafés, wo sie sitzen wollten, ob sie im Salon oder im Bett lesen sollten. Ihm war nicht wirklich bewußt, daß sie stritten, es kam ihm nur alles sehr kompliziert vor. Er machte sich Gedanken, aber er konnte sie nicht ausdrükken. Sie waren verknotet wie Schlangen, schnürten ihn ein und nahmen ihm die Luft. Wenn er einen Vorschlag oder eine Meinung von sich gab, schürzte seine niedere Stirn sich zu tiefen Falten, wie bei einem Stier, er lief dunkel an und senkte den Kopf – nicht als Übergang zu einem wütenden Angriff, sondern wie ein Mensch, der einen viel zu schweren Felsblock den Berg hinaufwälzen soll. Er war hilflos.

Sie bemerkte das und tat geschickt und taktvoll das Ihre, um sein Los zu erleichtern. Sie hatten keine Kinder, und weil das auf ihrem Gewissen lastete und er überall Schwierigkeiten sah, waren sie völlig voneinander abhängig geworden.

Zunächst waren sie die einzigen Gäste in der Pension. Es gab nur sie und Monsieur Pierre. Er war der Besitzer. Bei den Mahlzeiten saßen sie zusammen an einem Tisch. Monsieur Pierre war ein dicklicher, grauhaariger Sechziger mit einem kleinen, wehleidig-gemeinen Mund und einem Monokel. Ein kleiner, eitler Geck und ein manischer Angeber. Die Stadt war im Sommer voll fröhlichem Leben, wie eine rosarote Blume, die sich neben der pfauenblauen See geöffnet hatte, und Monsieur Pierre war der Schmetterling, der sie beflog. Er hatte Weiberhüften und lebte aus einem Vorrat von klugen Sprüchlein und kleinen Gewohnheiten. Bestimmte Stunden verbrachte er auf einem Sofa in einem verdunkelten Zimmer und las Kriminalromane, dann wieder saß er in seinem Eßzimmer und kurbelte an der patentierten Zigarettendrehmaschine. Jede Zigarette, die herauskam, leckte er ab. »Damit er keine anbieten muß«, behauptete Coram.

Am Nachmittag hatte Monsieur Pierre seinen großen Auftritt: In gelber Weste und roten Hosen holte er ein nagelneues Fahrrad hervor – grauer Lack mit chromfunkelndem Lenker, Gängen, Bremsen, Azetylenlampe und kunstvoll verschlungenen Drähten. Bei einem Baum, unter aufgeregten Kommentaren wie vor dem Aufbruch zu einer gefährlichen Expedition in die Alpen oder auf den Himalaja, bestieg er es und brauste in schwindelerregendem Tempo, das Handtuch und den gestreiften Bademantel auf dem Gepäckträger, hinunter zum Strand.

»Gehen Sie heute nachmittag schwimmen?« erkundigte sich Monsieur Pierre. »Ich schon.« Jedesmal beim Lunch richtete er diese Frage an den Briten. Auch mit seiner Liebe zum Meer brüstete Monsieur Pierre sich gern.

Coram blickte finster, lief dunkel an, und ein feuchter Schleier wie von Tränen, die sein innerer Kampf ausschwitzte, stieg ihm in die Augen.

»Was sagt er?« fragte er schließlich seine Frau, denn er verstand nicht gut Französisch.

»Er will wissen, ob wir mit ihm schwimmen gehen.«

»Mit ihm!« knurrte Coram. »Der im Wasser. Kann überhaupt nicht schwimmen. Keinen Meter. Er geht nur hin, weil er den Weibern nachschauen will.«

»Bitte, Tom!« verwies sie ihn leise, aber scharf. »Du darfst das nicht vor ihm sagen. Er versteht mehr, als du glaubst.«

Monsieur Pierre saß oben am Tisch, das graue Haar in der Mitte gescheitelt, Monokel im ausdruckslosen Gesicht.

»Gauner«, knurrte Coram auf seine rüde Art. »Wenn er Englisch kann – warum tut er dann, als ob er es nicht verstünde?«

»Parlez français, Monsieur Coram«, ließ sich die klare, altjüngferliche Stimme des Franzosen vernehmen.

»Oui«, schloß sich Mrs. Coram sofort an und zeigte das breite, bezaubernde Lächeln, das ihre häßlichen Züge verwandelte. »Il faut.«

Monsieur Pierre lächelte ihr zu, sie lächelte zurück. Er mochte ihren schlechten Akzent. Auch sie mochte Monsieur Pierre, obwohl sie ihrem Mann zuliebe tat, als könne sie ihn nicht leiden. Ihr Leben war voll von Vorwänden, kleinen Lügen und Übertreibungen, die sie ihrem Mann zuliebe auf sich nahm.

Coram hingegen konnte den Franzosen von Anfang an nicht ausstehen. Als Monsieur Pierre den Wagen der Corams sah, redete er ihnen ein, daß sie ihn in der Gegend herumkutschieren sollten. Er wollte ihnen die Sehenswürdigkeiten zeigen. Wie ein Fürst saß er im Wagen und deutete auf die ausgedörrten Städte, wie Scherbenhaufen in den Bergtälern zusammengescharrt, auf die bleichen Oliventerrassen an den graslosen Hängen und auf die Täler mit den Weingärten. Auf ihren Fahrten durch das starre, ständig gleiche Sonnenlicht führte Monsieur Pierre sie zu Stellen, wo man plötzlich das Meer in anderen Buchten von noch extravaganterer Färbung sah. Coram blickte finster. Das war etwas für seine Frau. Sie kannte solche Orte von früher. Ihre Familie hatte immer an solchen Plätzen gelebt. Das war es auch, was ihn immer wieder mit Respekt erfüllte, wenn er an sie dachte: Seit Generationen war es in ihrer Familie selbstverständlich, daß man seinem Vergnügen lebte. Ihm dagegen war es nicht selbstverständlich. Das alles war viel zu schön. Nie hatte er dergleichen gesehen. Er konnte es nicht in Worte fassen. Zu Mittag, wenn die Küstenberge wilden, keuchenden Tieren glichen, die mit ihren Köpfen im Wasser lagen, oder am Abend, wenn scharfe purpurne Schatten die Flanken und Gipfel zerklüfteten und das Meer zu einem murmelnden See aus milchigem Opal wurde, spürte er, daß dieser Ort ihm etwas angetan hatte. Er fühlte in seinem Herzen die aufgestaute Wut eines Menschen, der zwischen Glück und Pein zerrissen wird. Nach einem Leben in Häusern und chemischen Fabriken der Midlands, wo die Luft wie in einem Abgasschlauch ist und das Land eine verseuchte Ziegelwüste, konnte er nicht an dieses schöne Land glauben. Und weil er es nicht konnte, war er mißtrauisch.

»Garsong!« (Nahe beim Hafen gab es ein Café, wo die Corams vor dem Dinner eine Stunde zu sitzen pflegten.) »Garsong – encore – Drinks!« Das war sein einziges Mittel, um das Mißtrauen zu beschwichtigen.

Coram konnte nicht erklären, warum. Er war so verbiestert wie seine Heimat und konnte nur böse dreinschauen und über Monsieur Pierre herziehen.

»Er ist ein mieser Schnorrer«, sagte Coram.

»Er ist ein Lügner«, sagte er.

»Schau nur, wie er seine Zigaretten dreht!«

»Eine Woche kennt er uns, und schon säuft er auf unsere Rechnung und läßt sich spazierenfahren. Ein Gauner!«

Seine Frau hörte ihm zu. Ihr Mann war ein Mensch ohne Feingefühl oder Witz, vollkommen wehrlos gegenüber allem Ungewohnten. Er war ein Kind. Tagtäglich bemühte sie sich, den quälenden, schwelenden Kampf, der in ihm vorging, zu sänftigen.

Eine Woche nach ihrer Ankunft tauchte in der Pension ein neuer Gast auf. Er traf eines Tages mit dem Frühzug ein und kam mit seinem leichten, neuen Koffer vom Bahnhof, zu Fuß. Ein junger Mann, noch nicht dreißig, groß, dunkel, adlernasig. Ein Jude.

»Wir werden Sie Monsieur Alex nennen«, sagte Monsieur Pierre, ordnungsliebend wie alle Franzosen.

»Das ist hübsch«, fand der Jude.

Er sprach ein ausgezeichnetes Englisch, ein bißchen zu fehlerlos und ein bißchen zu rund in den Vokalen, und ein ausgezeichnetes, fast zu reines Französisch. Das Reden fiel ihm leicht. Er habe gehört, sagte er, daß es in den Kirchen der Bergstädte ein paar großartige Bilder gebe.

»Ein netter Mensch, nicht wahr?« meinte Mrs. Coram. Der Jude sah seriös und gut aus. Auch Coram bewunderte ihn, aber er war vorsichtiger.

»Doch«, sagte er. »Er wirkt recht nett.«

Seine Mutter, erzählte der Jude am ersten Abend, sei Französin, der Vater ein Deutscher, aber ursprünglich seien beide aus Österreich gekommen. In jedem Land Europas hatte er Verwandte. In England war er erzogen. Schlank, schmale Hände, ein etwas poriger Teint, wie das bei Juden vorkommt, graue, scharfe Augen. So jungenhaft, so ungezwungen in bezug auf die eigene Person, so schüchtern und willig in seinem Lachen – und doch – wie konnte Mrs. Coram es beschreiben? – doch hatte er etwas sehr Altes an sich, wie eine schöne, durch die Jahrhunderte zugeschliffene und in der Sonne gereifte Statue. Er hatte volle Lippen und eine leichte Hemmung beim Sprechen, eine Art Lispeln. Vielleicht hatte dieser Eindruck von ehrwürdigem Alter und Tiefsinn mit seiner Gewohnheit zu tun, vor jedem Satz eine Atempause einzulegen, als wäge er ihn ab. Mrs. Coram saß erwartungsvoll und neugierig dabei. Sie kannte die Hemmungen und inneren Kämpfe ihres Gatten, aber das hier war anders. Wenn der Jude endlich etwas sagte, war es vernünftig und wohlüberlegt, ein gefällig formulierter Beitrag zum Thema des Gesprächs.

Monsieur Pierre lechzte immer nach neuen Welten, um sie zu beschirmen, und er war von Alex entzückt. Allzusehr, fanden Coram und auch seine Frau. Wider ihren Willen war sie nahezu eifersüchtig, wenn Alex sich zu dem Franzosen setzte und mit ihm plauderte. Coram hingegen wollte den jungen Mann ganz einfach vor diesem »Gauner« bewahren.

»Klar stimmt was nicht – an der Gegend«, sagte Coram zu Alex. »Es gibt keine Industrie.«

»Oh, aber immerhin Landwirtschaft«, wandte Alex ein. »Den Wein.«

»Ja, ich weiß«, sagte Coram. »Aber keine richtige Industrie.«

»Mein Mann ist Chemiker«, erläuterte Mrs. Coram. »Industriechemiker.«

»Ich meine«, fuhr Coram hartnäckig fort und feixte dabei verächtlich: »Sie sitzen nur herum, bauen ihren Wein an und nehmen Touristen aus, so wie dieser Kerl hier. So eine Stadt braucht ein paar anständige Puffs und eine Fabrik –«

»Tom!« protestierte Mrs. Coram. »Was für exotische Wünsche!«

»Ich vermute, daß dafür reichlich vorgesorgt ist«, sagte der Jude.

»Nein«, beharrte Coram auf seine verquere, umwegige, aggressive Art. »Aber Sie verstehen, was ich meine.«

Er blickte bedeutsam. Er habe, sollte das heißen, nicht ganz die treffenden Worte für das gefunden, was er eigentlich sagen wollte.

Merkwürdig an dem Juden war, daß er, obwohl anscheinend wohlbetucht und kultiviert, keine Freunde in der Stadt hatte. Die Jugend brach hier immer scharenweise und in Busladungen ein. Ältere Leute traten auch einzeln oder zu zweit auf, aber die Jungen nie. Mrs. Coram stellte eine seltsame Kontaktarmut an ihm fest. So höflich und distanziert, wie er war, schien er manchmal wie nicht vorhanden. Warum war er gekommen? Warum in diese Pension? Es war ein billiges Haus, und er hatte offenbar Geld. Warum allein? Keine Verwandten, keine Frauen. Wenn er fortging, besuchte er niemanden, sprach mit niemandem. Warum nicht? Allein stieg er zu den Bergkirchen. Er war ausgeglichen, heiter, interessiert, glücklich – und doch allein. Anscheinend war er gern allein, und dennoch ging er, wenn sie mit ihm redeten und Coram, von ihr gedrängt, ihn einlud, mit zum Strand zu kommen oder im Wagen zu fahren, ohne Zögern mit, mit dieser gleichmäßigen, selbstverständlichen Wohlerzogenheit und dem seltsamen Mangel an Intimität, wie er sie immer hatte. Mrs. Coram war ratlos. Sie hätte ihn gern bemuttert.

»Der Judenbub«, nannte ihn Coram. Seine Frau mochte das nicht. Sie stritten.

»Ich mag dieses dumme Wort nicht hören!« sagte sie.

»Aber er ist einer«, sagte ihr Mann. »Ich habe nichts gegen ihn. Er ist gescheit. Aber ein Judenbub. Das ist alles.« Er hatte nichts gegen Judenbuben. Er hatte ihn sogar gern. Beinahe entwickelte auch Coram Beschützergefühle.

»Findest du dich nicht ziemlich vulgär?« sagte sie zu ihrem Mann.

Immerhin bewirkte der Jude, daß sie solche Streitereien nicht in der Öffentlichkeit austrugen. Coram änderte sich nicht. Er war ungehobelt wie immer. Aber seine Frau hielt sich zurück. In stummer Qual hörte sie sein ungeschlachtes Gestammel, unterbrach es und lenkte eilig ab, so daß Alex es nicht bemerkte. Entweder und vorzugsweise bemühte sie sich, ihren Gatten außer Hörweite zu steuern, oder sie setzte alles daran, ihn in den Augen des jungen Mannes anders erscheinen zu lassen. Am Ende des Tages war sie erschöpft.

Eines Abends, als sie ihre Betten in dem heißen Zimmer im Oberstock aufsuchten, sagte sie zu ihrem Mann: »Wie alt ist er, Tom?«

Coram glotzte sie an. Er wußte es nicht.

»Hast du dir überlegt«, fuhr sie fort, »daß wir fast alt genug wären, um seine Eltern zu sein?« Sie hatte keine Kinder. Für sie war er ein Sohn.

Sie zog sich aus. Das Zimmer war heiß. Sie legte sich auf das Bett. Coram entledigte sich, langsam und methodisch, seiner Schuhe, trug sie zum Fenster und beutelte den Sand aus. Er erwiderte nichts, sondern rechnete aus, wie alt er als Vater des jungen Mannes gewesen wäre. Bevor er zu einem Ergebnis gelangt war, sprach sie weiter.

»Wir vergessen, daß wir wahrscheinlich für ihn alte Leute sind«, sagte sie. »Meinst du, daß er uns so sieht? Meinst du, daß er begreift, um wieviel älter wir sind? Manchmal, wenn ich ihn ansehe, liegt es wie ein Jahrhundert zwischen uns – und dann wieder ist es, als gäbe es gar keinen Unterschied.«

»Juden wirken immer älter.«

Ihr Fragen verstummte. Tom hängte seine Jacke auf. Mit jedem Kleidungsstück, das er ablegte, durchquerte er schweren Schritts das Zimmer. Ihre Fragen arbeiteten stumm in ihrem Kopf weiter. Zweiundzwanzig? Und sie war vierzig. Was dachte er von ihr? Was dachte er über Tom? Fand er ihn grobschlächtig und primitiv? Oder begriffsstutzig? Was dachte der junge Mann über sie beide? Fiel ihm etwas an ihnen auf? Fiel ihm auf, daß sie stritten? Und warum verbrachte er so gern seine Zeit mit ihnen, unterhielt sich mit ihnen und ging mit ihnen aus? Was dachte er, was fühlte er? Warum war er so freundlich und im Grund doch so unnahbar?

Sie lag auf der Seite, die eckigen Knie angewinkelt. Wenn sie nicht ihre schäbigen Kleider anhatte, war ihr Körper mager, aber auch anmutig. Die Schultern waren schmal, am Hals freilich zogen sich Falten, und über dem Brustbein gab es eine rötliche, von den Jahren eingebrannte Verfärbung. Die kleinen Brüste lagen schlaff über den Rippen, die runzlige Haut unter ihnen war blaß. Sie strich mit den Händen über ihre Hüften, führte sie im Kreis über ihren flachen Bauch und streichelte ihren Körper, wo sie ihn so schön wußte. Wenige Tage erst schien es her, daß dies der Körper eines Mädchens gewesen war. Trauer um ihren Mann und um sich selbst erfüllte sie. Sie hörte ihr Herz schlagen. Ihr wurde bewußt, daß sie nach den Schritten des jungen Mannes auf der Treppe horchte. Ihr Herz schlug lauter. Um es zu beschwichtigen, sagte sie, indem sie ihre Knie senkte, mit ängstlicher Stimme zu ihrem Mann: »Tom? Liegt dir noch etwas an mir?«

Sie wußte, daß die Frage einen falschen Klang hatte.

Er zog sein Hemd hoch. »Was willst du?« sagte er.

Sein Gesicht sah komisch aus, wie es oben aus dem Hemd lugte.

»Nichts«, sagte sie.

Tom zog das Hemd aus und schaute aus dem Fenster. Dort im Tal lagen die weißen Bauernhäuser. Die Bauern hielten ihre Hunde an der Kette, und bei Mondschein bellten sie, ein Dutzend oder mehr, einer nach dem anderen, das ganze Tal entlang.

»Wenn diese Köter – heute nacht loslegen – schlafen wir nicht«, sagte er. Er kam zum Bett und wartete, bis sie unter dem Laken lag. Sie spürte seinen grobknochigen Körper neben sich und roch seinen scharfen, merkwürdigen Geruch.

»Gott«, sagte er. Er fühlte sich an diesem Ort total behämmert. Nach fünf Minuten schlief er. Sie aber lag wach. Vierzig, dachte sie. Eine vierzigjährige Frau mit einem Sohn. Nein, kein Sohn. Sie hörte, während sie wach lag, das tiefe Atmen ihres Mannes, das seltsame Pfeifen seines Atems. Sie lag und dachte über ihr Leben nach, grübelte, zweifelte. Warum hatte sie keinen Sohn? Sie schlief schon fast. Wachte wieder auf. Stieß das Laken von sich und seufzte, weil sie nicht schlafen konnte. Wenn sie überhaupt schlief, dann nur in Häppchen, zwischen denen sie mit heftig klopfendem Herz aufwachte und wieder nach dem Laut eines Schrittes auf der Treppe horchte. Ihr Körper verlangte unmäßig nach Nahrung und nach Luft.

Manchmal wartete der junge Jude am Morgen auf sie und ging mit ihnen hinunter zum Strand. Er trug ihren Korb oder ihr Buch. Er ging zurück, um etwas zu holen, das sie vergessen hatte.

»Tom«, sagte sie vor ihrem Mann, »hat keine Manieren.«

Sie ging zwischen ihnen und sprach angeregt mit dem jungen Mann über Gestalten aus Büchern, fremde Städte oder Bilder. Sie lachte, und Coram lächelte. Er hörte ihnen staunend zu.

Sie saßen am Strand. Unter seinen Kleidern trug der Jude eine schwarze Badehose. Er zog sich sofort aus und lief ins Wasser. Sein Körper war fremd und schlank, die Haut gebräunt wie dunkler Mais. Er sprang hinein und schwamm weit in das blaue Meer hinaus, weiter als die anderen Schwimmer. Er lachte nicht, winkte auch nicht oder rief herüber, sondern schwamm auf seine abwesende, unpersönliche Art in zügigen, leichten Tempi weit hinaus. Nach einer Meile ließ er sich in der Sonne treiben. Den ganzen Vormittag schien er da draußen zu verbringen. Sie konnte seinen schwarzen Kopf sehen. So jung sein und auf dem Meer in der Sonne zu liegen! Aber wie fade, so lang so zu liegen! Plötzlich überkam sie Angst. Sie sprach von der kalten Strömung vom Hafen her, die draußen im tieferen Wasser hochstieg. Jedesmal war sie froh und erleichtert, wenn sie sah, daß sein Kopf sich aufs Land zu bewegte. Wenn er aus dem Wasser kam, schien er sofort trocken zu sein, als ob seine Haut geölt wäre. Nur ein paar Tropfen in seinem Nacken sah sie, auf dem kurzen, schwarzen Haar.

»Sie sind ein guter Schwimmer«, sagte sie.

Er lächelte. »Nicht besonders«, sagte er. »Warum schwimmen Sie nicht?«

Die Frage gefiel ihr. Das Vergnügen, das sie ihr bereitete, verblüffte sie.

»Ich darf nicht«, sagte sie. »Erzählen Sie mir, was Sie da draußen tun. Sie waren so lange fort.«

Seine dunklen Augen waren groß und unschuldig, als er sich zu ihr wandte. Sie hielt den Atem an. Drei oder vier schwarze Pünktchen waren auf seiner Haut. Ihre gelben, älteren Augen erwiderten seinen arglosen Blick, Herrjesus! dachte sie. Mit solchen Augen müßte er ein Mädchen sein. Sie wußte und fühlte nicht, daß ihre Augen älter waren als die seinen.

»Ich bin fast eingeschlafen«, sagte er. »Das Meer ist wie ein Federbett.«

Er und Coram diskutierten über die Möglichkeit, auf dem Wasser zu schlafen.

Sie wußte, wie absurd es war, aber sie fühlte sich enttäuscht. Hatte er nicht an sie gedacht? Sie hatte die ganze Zeit an ihn gedacht. Coram saß neben ihr. Er redete von Wirtschaftsskandalen und Betrügereien in der chemischen Industrie. Der Jude mit seinem raschen Verstand hatte alle die Geschichten schon lange begriffen, ehe Coram umständlich zum Ende kam. Corams Denken kreiste um Betrügereien. Sein schwerfälliger Geist ärgerte sich über diese Art von quickem Intellekt, durch den die Betrügereien erst möglich wurden. Er saß unbewegt und verständnislos da, völlig unberührt von dem fröhlichen Strandleben. Nicht, daß er verdrossen oder schlechter Laune gewesen wäre. Er schmollte auch nicht. Seine blauen Augen schimmerten, und seine nachdenkliche Miene erinnerte an einen Hund, der sich um Verständnis bemüht. Er saß da und rang um die rechten Worte, mit denen er ausdrücken könnte, was er in diesen zwei Wochen empfunden hatte. Er dachte lange über das Meer und den jungen Mann nach. Dann zog er sich aus. Seine Beine waren, soweit die dunkelrote Badehose sie nicht bedeckte. weiß und mit goldenen Haaren bewachsen, sein Nacken, wo er der Sonne ausgesetzt gewesen war, rosig. Unbeholfen stelzte er über den Kies, verzog das Gesicht, weil die Sonne so brannte, und stolperte bis zu den Knien ins Wasser. Dann warf er sich ratlos, fast wütend hinein und fing an, um sich zu schlagen, als ob er mit geballten Fäusten schwimme. Sie sahen, wie er drauflosschlug und kraulte, hochgetragen von der sanften, blauen Dünung. Etwa hundert Meter schwamm er – nicht geradeaus, sondern in einem Halbkreis, als wäre er nicht fähig, geradeaus zu schwimmen, oder wisse nicht, wohin er sich wenden sollte. Dann watete er mißmutig und triefend ans Land.

»Das Wasser ist schmutzig«, stellte er fest, wenn er herauskam. Das Mittelmeer war ein fauler Zauber: zu warm und dick wie Sirup. Triefend saß er auf den Büchern seiner Frau.

Eines Morgens, als er aus dem Wasser kam und sich abtrocknete, den Kopf mit dem Handtuch frottierend, fiel sein Blick auf Monsieur Pierre. Der Franzose saß nicht weit von ihnen. Offensichtlich hatte der kurzsichtige Monsieur Pierre sie nicht erkannt. Neben ihm lagen seine Handtücher, seine Sandalen, die rote Badehaube, das Zigarettenetui, der gestreifte Bademantel und die Flasche mit dem Kokosnußöl. Er war in der Schwimmhose. Bis auf die kurzen, grauen Haare sah er, als er seine kurzen braunen Arme mit Kokosnußöl salbte, mehr denn je wie eine dickliche Matrone aus. Er hatte sein Monokel eingesetzt. Mit dem Monokel erinnerte er an eine Lesbierin.

Coram feixte.

»Siehst du«, knurrte er laut. »Er war nicht im Wasser. Er geht auch nicht hinein. Er kommt nur – herunter – wie ein Mannequin – weil er den Weibern nachschauen will.«

»Nicht so laut«, sagte Mrs. Coram. »Bitte!« Besorgt blickte sie zu dem Juden. »Der arme Monsieur Pierre! Du mußt sein Alter bedenken. Sechzig! Vielleicht mag er nicht ins Wasser. Ich wette, du wirst nicht mehr schwimmen, wenn du erst sechzig bist.«

»Er schwimmt recht gut«, bemerkte der junge Jude höflich. »Vor ein paar Tagen bin ich mit ihm vom anderen Strand hinausgeschwommen.« Er deutete über die kleine Landzunge. »Er ist zu dem Schiff in der Bucht geschwommen. Das sind immerhin drei Meilen.«

»Da hast du's, Tom!« rief Mrs. Coram. Seine Attacken gegen Monsieur Pierre gingen ihr nachgerade auf die Nerven.

»Ein Gauner ist er. Ein mieser Gauner«, beharrte Tom auf seine bockige, verquälte Art.

»Aber Alex war dabei«, sagte sie.

»Mir egal, wer dabei war«, beharrte Tom. »Er ist ein Gauner. Warten Sie, bis Sie ihn besser kennen«, versicherte er dem Juden. »Glauben Sie mir, er ist ein mieser, kleiner Erpresser.«

»Psst! Du hast keine Ahnung. Du darfst so etwas nicht nachreden«, sagte sie.

»Du weißt es so gut wie ich!« widersprach Tom.

»Leise, bitte! Er sitzt doch dort!«

»Er erpreßt seinen Schwager.« Tom war nicht davon abzubringen. Er wandte sich zu dem Juden. »Und Sie? Was meinen Sie?«

Sie war wütend. Monsieur Pierre konnte es unschwer hören. Und wütend war sie, vor Wut kochte sie auch deshalb, weil sie nicht wollte, daß der junge Mann zum Zeugen von Toms Primitivitäten und ihrer Verlegenheit wurde.

»Pierres Schwester hat einen schwerreichen Autofabrikanten geheiratet, und daraus schlägt Pierre nun Geld: Er wartet ab, bis sein Schwager eine neue Freundin hat, und dann geht er zu seiner Schwester und quatscht. Worauf sie ihrem Mann eine Szene macht und er ihr gibt, was sie für Pierre braucht, um ihr den Mund zu stopfen.«

»Das weißt du nicht«, sagte sie.

»Ich weiß es so gut wie du«, sagte er. »Die ganze Stadt weiß es. Er ist ein Gauner.«

»Brüll wenigstens nicht so! Und laß dir ein anderes Wort einfallen. Es geht mir auf die Nerven.«

»Ich habe nichts für Menschen übrig, die nicht anständig ihr Brot verdienen«, stellte Coram fest. (Oh Gott! dachte sie. Jetzt legt er sich mit dem Jungen an.)

Der Jude hob eine Braue.

»Führt er denn nicht die Pension?« fragte er ruhig.

»Sie meinen, daß seine Leute sie führen«, plusterte Coram sich auf. »Haben Sie jemals gesehen, daß er einen Finger rührt?«

»Wir können nicht alle sein wie du«, sagte sie. »Meine Eltern haben nie auch nur einen Penny verdient. Die Zumutung allein hätte sie entsetzt.«

Es war Entrüstung, die aus ihr sprach, nicht Ironie. Im selben Augenblick wußte sie, daß sie zu weit gegangen war. Ein einziges Mal hatte sie versäumt, ihn zu beschwichtigen.

»Ja! Waren sich zu gut für die dreckige Arbeit«, sagte Coram, indem er in seinen Midlandakzent verfiel. Er ärgerte sich nicht. Er verhielt sich, von seinem Standpunkt aus gesehen, durchaus vernünftig und großmütig. Er fragte sich, warum sie so explodierte.

»In der Tat, mein Schatz«, pflichtete sie bei, wohlbewußt, wie sehr Ironie seine Eitelkeit verletzte. »Du hast's getroffen. Den Nagel auf den Kopf. Bravo! Sie machten sich keine Illusionen, was den Adel der Arbeit betrifft.« Sie mokierte sich über ihn.

»Sie glauben doch nicht etwa an den Adel der Arbeit?« sagte sie zu dem Juden. »Mein Mann ist eine Sklavennatur.«

»Arbeiten ist eine Gewohnheit, so wie Schlafen und Essen«, meinte der Jude ganz ernsthaft, in seiner bedächtigen, allzu perfekten Ausdrucksweise. Es hatte etwas von der ölglatten Präzision, mit der ein System von kleinen Kolben in einer unpersönlichen Maschine funktioniert. Sie hatte ihn mit derselben Geläufigkeit deutsch und französisch sprechen gehört. Es war ihm angeboren.

Durch das lange Leben mit ihrem Mann, immer im Umgang mit Spracharmut, hatte auch ihre Artikulationsfähigkeit gelitten. Der Jude reizte ihre Zunge, ihre Lippen. Sie hatte den Wunsch, ihre Lippen an die seinen zu legen, nicht in Liebe, sondern um etwas von dem Zauber der Sprache einzusaugen. Sie wollte ihren Kopf mit seinem Kopf in einem Kuß vereinen, ihre Schläfe an seiner Schläfe. Sein junges Gesicht sollte ihre Falten glätten, ihr Grau mit dem dunklen, frischen, leuchtenden Firnis der Jugend färben. Nie hatte sie wirklich zu glauben vermocht, daß ihr Haar grau war. Ihre Lippen zuckten und teilten sich, als sie ihn, hingerissen von dieser Vorstellung, anstarrte. Unschuldig und kühl erwiderte er ihren Blick. Sie schlug die Augen nicht nieder. Wie jung war sie gewesen! Ein Schauder von Schwäche lief über ihren Rücken, und ein Schmerz, wie ein Brennen, zog sich von der Kehle über die Brüste zur Magengrube. Sie befeuchtete ihre Lippen. Sie sah sich, vor zwanzig Jahren, in der Augustsonne auf einer teerblauen englischen Landstraße fahren, die wie ein glänzendes Stahlband in dichte Bäume lief und nach einer Kurve verschwand. Dieser Tag mit seinem Wetter und den harzigen Düften der Landschaft stieg jedesmal vor ihr auf, wenn sie daran dachte, wie jung sie gewesen war. Sie war wie in Trance.

Die Sonne hatte sich verzogen. Das Meer war grau und dunstig, und das Wasser schien bei diesem Licht schwerer und drohend, höher und tiefer beim Ufer, wie eine aufgezogene Mauer. Die schmalen Schaumkronen schienen zu dürsten, so wie ihr unerklärliches, plötzliches Dürsten nach seinen Lippen.

Dann vernahm sie Toms Stimme. Er hatte eine Erklärung zu geben. Wenn er zwischen plaudernden Menschen saß, rang er sich manchmal zu Ergebnissen durch, die sich auf etwas bezogen, das ihm in einer früheren Phase des

Gesprächs aufgefallen war. Oft hatte sie liebevoll über dieses Nachzügeln seines Schneckenhirns gelacht.

Tiefe Falten furchten die dicke, rosige Haut seiner Stirn, und in seinen Augen stand der gewisse Glanz, fast wie Tränen.

»Sie mögen die Dreckarbeit nicht«, sagte er. Es war an den jungen Mann gerichtet. »Sie haben einen Butler. Sie halten sich erwachsene Menschen zum Türenaufmachen und Posthereinbringen. Ihre Familie hat so einen gehabt. Sie korrumpieren Menschen, indem sie Sklaven aus ihnen machen...«

Der Jude hörte höflich zu. Coram hatte das Gefühl, daß das Wesentliche noch nicht gesagt war. Die Falten vertieften sich, als der klare Blick des Juden auf seinem Gesicht ruhte.

»Ich war einmal Beisitzer bei Gericht«, fuhr Coram fort. »Da mußten wir über einen Mann urteilen –«

»Nein, Tom, nicht die Geschichte von dem Butler, der elf Pennies stahl! Ja, Tom war Beisitzer, und ein Mann wurde zu sechs Monaten verurteilt, weil er in irgendeinem Schnellimbiß –«

»Ja«, bestätigte Coram eifrig, und seine glänzenden Augen baten den Juden, doch zu begreifen.

Er wollte erklären, daß jemand, der sich Dienerschaft hält, Korruption betreibt. Nein, das nicht. Was Coram wirklich drückte, war die Tatsache, daß seine Frau aus einer reichen Familie stammte und er ihr das nicht verzeihen konnte. Und dann noch etwas anderes, darüber hinaus – etwas nicht so Lächerliches, aber um so schmerzender: etwas Schicksalhaftes, das sie beide von der übrigen Menschheit trennte. Er dachte an die Wunde, die ihm dieser Ort am schönen Meer zugefügt hatte. Er rang nach Worten, gab auf.

Sie maß ihn voll Verachtung. Sie wischte ihn aus ihrem

Blickfeld. Sie war wütend auf ihn, weil er vor dem jungen Juden gezeigt hatte, wie dumm er war. Tagelang hatte sie das abgewehrt und viel Scharfsinn darauf verwendet, um es zu verbergen. Aber jetzt war sie geschlagen. Es war herausgekommen. Verärgert erhob sie sich.

»Heb mir das Buch auf!« befahl sie ihrem Gatten. Der Jude unterdrückte nur halb sein Erstaunen. Sie sah seinen Blick und ärgerte sich noch mehr über sich selbst. Taktvoll ließ er ihren Mann das Buch aufheben.

Sie gingen zurück zur Pension. Den ganzen Weg entlang der Straße sprach sie kaum mit ihrem Mann. In ihrem Zimmer nahm sie den Hut ab und trat vor den Spiegel. Sie sah ihn in dem Glas: Er stand da und machte ein zutiefst beleidigtes Gesicht, weil sie ihn verwirrte.

Sie selbst sah sich entgegen, rotgeschwollen vor Ärger und faltig. Ihr graues Haar war zerzaust. Der physische Zerfall entsetzte sie. Sie war häßlich. Als sie den Schritt des jungen Mannes auf der Treppe hörte, hätte sie am liebsten losgeweint. Sie wartete. Er ließ seine Tür offen. Das war mehr, als sie ertragen konnte. Sie wandte sich an ihren Mann, mit erhobener Stimme. Sie wollte, daß der junge Mann sie in ihrem Zorn hörte.

Warum hatte sie so einen Tölpel, einen so primitiven Kerl geheiratet? Ihre Familie hatte sie angefleht, es nicht zu tun. Sie verhöhnte ihn. Er war ein totaler Versager. Vierzig Jahre und am Ende – am Ende seiner Karriere und seines Lebens!

Hin und wieder stieß er bei diesem Streit etwas hervor, aber im allgemeinen blieb er stumm. Er stand, seine Tweedjacke in der Hand, am Fußende des Bettes, schaute sie aus seinen trägen blauen Augen an, und sein Gesicht rötete sich unter ihren Anwürfen, seine Zunge rang nach Antworten, der Kehlkopf zuckte. Es traf ihn, sie reizte ihn zur Weißglut. Und doch tat er nichts. Die Kräfte in seinem

Inneren waren wie Ringer ineinander verknotet, verbissen, machtlos. Als das Thema sich erschöpfte, sank sie auf das Bett. Seine monströse Unbeholfenheit faszinierte sie. Immer hatte sie diese Wirkung auf sie gehabt. Von allem Anfang an.

Er hatte sich während dieser Szene nicht bewegt, aber als sie sich auf dem Bett ausstreckte und den Kopf auf das Kissen legte, ging er still zu der Kleiderablage und hängte seine Jacke auf. Dann rollte er die Hemdsärmel hoch. Er wollte sich waschen. Aber sie hatte gehört, wie er sich bewegte. Plötzlich konnte sie es nicht ertragen, daß er sich von ihr entfernte, nicht einmal diese zwei Schritte. Sie ertrug nicht, daß er nun zu sich sagte: »Eine von Julias Szenen. Nur nicht reizen. Sie wird sich schon beruhigen«, um bei günstiger Gelegenheit sich zu verdrücken und weiterzuleben, als wäre nichts geschehen.

Sie setzte sich auf dem Bettrand auf. Die Tränen brannten auf ihren Wangen. »Tom!« rief sie. »Was sollen wir tun? Was sollen wir tun?«

Er wandte sich schuldbewußt um. Sie hatte bewirkt, daß er sich umwandte.

»Ich will ein Kind, Tom! Was sollen wir tun? Ich muß ein Kind haben!«

Ihm schauderte bei diesen Worten. Ihre Stimme war wild und verzweifelt. Sie hörte sich an wie ein schrilles Schreien aus einer Höhle, fern von allem übrigen Leben, rasend, tierisch und unverständlich.

Gott! dachte er. Fängt das alles von vorne an? Ich hätte gemeint, daß wir uns damit abgefunden haben.

Er wollte sagen: »Du bist vierzig. Du kannst kein Kind haben.« Aber das durfte er nicht. Er hatte den Verdacht, daß sie spielte. So sagte er statt dessen, was sie so oft zu ihm sagte: Das war offenbar das Kreuz, das sie in ihrer Einsamkeit zu tragen hatten.

»Still«, sagte er. »Was sollen die Leute denken?«

»Sonst fällt dir nichts ein!« rief sie. »Die Leute! Sich treiben lassen. Nichts tun.«

Sie gingen über die gefliesten Stufen hinunter ins Eßzimmer. Die Sonne war wieder da, aber nur bläßlich. Ein dünner Wolkenschleier stieg im Osten hoch. Die Läden des Eßzimmers wurden schon früh am Morgen geschlossen, und zu Mittag war das Haus dunkel und kühl. Vor dem Erscheinen der Gäste ging Monsieur Pierre mit einer Fliegenklappe herum. Dann wurde der Wein in einem Wassereimer hereingebracht; er stellte ihn hinter seinen Stuhl und wartete. Die Uhr an der Wand gluckste wie eine schläfrige Henne, und auf den schwarzen, geschnitzten Borden des Buffets leuchteten die bunten Teller in dem verdunkelten Raum wie primitive Karnevalattrappen.

Mrs. Coram trat ein. Sie hörte, wie draußen der Staub in der Brise zischelte und die Blätter an den Rebstöcken sich bewegten. Ein Riegel klopfte gegen die Läden. Ihre Gesichter waren dunkel in dem Raum, nur Mrs. Corams Gesicht war weiß und dick gepudert. Sie hatte befürchtet, daß sie kein Wort herausbringen würde, aufspringen und hinauslaufen müßte, wenn sie Alex sah. Als er aber nun da bei seinem Stuhl stand, einen nackten, braunen Arm auf der Rückenlehne, konnte sie zu ihrer Überraschung sprechen. So leicht fiel es ihr, daß sie sehr viel sprach.

»Rot oder weiß? Was eine schöne Frau begehrt, ist Gottes Wille«, sagte Monsieur Pierre zu ihr, mit einem hübschen Kompliment an die eigene Adresse.

Sie machte sich über den jungen Mann lustig. Er lachte. Er genoß ihren Spott. »Was eine schöne Frau begehrt, liegt dem Teufel im Magen«, gab er sich diabolisch. Sie verlagerte ihren Spott auf Monsieur Pierre. Er war entzückt. Auf ihre Weise wiederholte sie, was ihr Mann über ihn sagte.

»Monsieur Pierre ist ein Gauner«, sagte sie. »Er geht an den Strand und tut so, als ob er schwimmen wollte. Aber nein! Hinter den Mädchen her ist er. Und Alex – der hat eine Maschine eingebaut. Er schwimmt hinaus und wirft Anker. Man würde meinen, daß er schwimmt, aber er treibt nur so dahin.«

»Ich kann zehn Meilen schwimmen«, sagte Monsieur Pierre. Er nahm einen kleinen Schluck Wein und prahlte auf eine nette, halb entschuldigende Art. »Einmal bin ich halb über den Kanal geschwommen.«

»Wirklich?« fragte der junge Mann. Sein Interesse war echt.

Nun, da Monsieur Pierre zu prahlen angefangen hatte, war er nicht mehr zu bremsen. Sie stachelte ihn noch weiter an.

»Schwimmen Sie doch mit ihm um die Wette«, sagte Coram, an einem Stück Fleisch kauend, zu dem jungen Mann.

»Ich werde mit ihm um die Wette schwimmen!« korrigierte Monsieur Pierre.

Aber nicht am Strand vor der Stadt, sondern drüben. Es war richtig, daß er nur selten vor der Stadt schwamm. Er schwamm gern allein... Einsamkeit! Freiheit...

»Das schaue ich mir an!« grunzte Coram.

»Und mit Monsieur Coram auch«, bot Monsieur Pierre an.

»Ich bin schon einmal im Wasser gewesen«, sagte Coram.

»Das waren die beiden auch!« rief sie.

Als sie aufstanden, nahm Coram seine Frau beiseite. Er durchschaute alles, sagte er zu ihr: Es war ein Trick von Monsieur Pierre, der im Wagen mitgenommen werden wollte. Sie war verblüfft. Noch gestern wäre sie das nicht gewesen, sondern hätte versucht, die Komplikationen, die er vor sich sah, aus dem Weg zu räumen. Aber jetzt war alles anders. Er war für sie wie ein Fremder. Sie sah es ganz klar: Er war geizig. Männer seiner Herkunft, die sich aus dem Nichts hinaufgearbeitet haben, sind oft geizig. Man bewundert solche Erfolge. Auch sie hatte Tom bewundert. Jetzt fand sie es nur mehr komisch und lächerlich. Warum war ihr das noch nie aufgegangen? Blind war sie gewesen.

Nach dem Lunch pflegte sie auf ihr Zimmer zu gehen und zu schlafen. Sie wartete. Zuerst zog sich Monsieur Pierre mit seinem Schundroman zurück. Der Jude und ihr Mann blieben sitzen. »Das Beste hier ist noch der Wein«, sagte er. »Spottbillig. Jeder trinkt, soviel er will. In den Hotels drunten in der Stadt lassen sie die Flasche nicht auf dem Tisch.« Er war erhitzt und müde. Nach einer Weile teilte er mit: »Ich gehe hinauf.«

»Ich bleibe unten«, sagte sie. »Ich nehme mir einen Liegestuhl nach draußen. Im Zimmer ist es zu heiß.«

Er zögerte. »Geh nur! Geh!« Sie schrie fast. Sie sah auf das schwarze, glänzende Haar des jungen Mannes, auf seine vollen Lippen, auf die braunen, bloßen Arme, die aus der Jacke kamen, auf die kräftigen, dunkleren, vom angestauten Blut röteren Hände. Sie lagen flach auf dem Tisch und strichen über das Tischtuch. In ihrer Phantasie spürte sie diese Hände auf ihrem Körper. Ihr Herz schlug so rasch, daß es sie schüttelte. Sie beide allein! Sie wollte mit ihm reden – nicht ihm zuhören: Er sollte nicht seine eigenen Worte, diese perfekten, vorgeformten, unpersönlichen Worte haben. Sie war es, die reden würde. Sie wollte ihn aus seiner Fassung bringen, daß er nur mehr stammeln konnte. Sie würde diesen glatten Panzer von unpersönlicher Konversation aufbrechen. Sie wollte reden, sich ihm zu erkennen geben. Erst wollte sie ihn mit ihren Worten an sich ziehen, dann mit den Händen... Sie würde ihn berühren. Er war jung und willenlos: Er würde sie berühren. In ihrer Phantasie sah sie die offene Tür seines Zimmers. Das alles ging ihr durch den Kopf, während ihr Mann noch ratlos beim Tisch stand und nicht wußte, was er tun sollte.

Als er dann aber fort und sie mit Alex allein war, stockte ihr Herz, und ihre Kehle war wie ausgedörrt. Ihr Körper zitterte, und die Knochen ihrer Knie waren hart unter ihren Händen.

»Ich denke«, sagte Alex, wie schon so oft, »ich denke, ich werde noch eine Runde drehen. Zum Schwimmen bin ich wieder zurück.«

Sie schnappte nach Luft, warf einen Blick voll gebündeltem Spott auf ihn. Sie sah zu, wie er aufstand und hinausging, auf seine seltsam gemessene Art, als gelte es, in seiner Einsamkeit auf etwas, das niemand sonst wissen konnte, Rücksicht zu nehmen.

»Idiotin«, sagte sie zu sich selbst. Als sie jedoch aus der offenen Tür schaute und seine trockenen Schritte auf dem Kies draußen hörte, bis das Rascheln der Brise im Weinlaub sie verschluckte, war sie wie trunken vor Erleichterung.

In einem Liegestuhl unter dem Maulbeerbaum dachte sie über sich und ihren Mann nach. Die Früchte waren reif und fielen ab – auf den Kies, auf den Tisch und in die Zisterne, in der abends die Frösche quakten. Die Beeren platzten. Einige fielen in ihren Schoß, wie kleine, feste Herzen, und wenn sie eine nahm, zerquetschten ihre Finger sie, daß der rote Saft herausquoll. Sie atmete tief, fast keuchend.

Sie hatte einen Mann geheiratet, der nirgends hingehörte. Einen Ausgestoßenen. Ihre Familie hatte sie gewarnt und recht damit gehabt. Ein paar von denen, die recht gehabt hatten – etwa ihre Eltern – waren schon tot. Toms Vater hatte in Leicester eine kleine Flickschusterei betrieben, im Gassenzimmer eines Hauses mit Erkerfenster. *Coram. Sofortreparaturen.* Sieben Kinder hatte er mit seiner Frau in die Welt gesetzt. Was für ein Leben! Tom hatte studiert, Stipendien bekommen, Prüfungen bestanden. Immer war er anders gewesen als seine Geschwister. Jetzt war er Chemiker. Es hatte ausgesehen, als würde er ein berühmter Chemiker, aber dann war er in die Industrie gegangen und hatte in den Labors großer Unternehmen gearbeitet. Er war kein Arbeiter mehr. Er gehörte nicht zu der Klasse, aus der seine Frau stammte, und auch nicht zu den wohlbestallten Fachleuten, mit denen er hinfort zu tun hatte. Er gehörte nirgends hin. Er war verloren, unfertig, häßlich, ungeformt von der weisen, milden Wirkung einer günstigen Umgebung.

Und im Grund war auch sie in einer solchen Lage gewesen. Das war es, was sie zusammengeführt hatte. Er war existentiell häßlich, sie war es körperlich: zwei häßliche Menschen, von der übrigen Welt abgeschnitten auf einer einsamen Insel.

Ihre Familie kam aus dem Kleinadel, nicht sehr begütert, aber mit bescheidenem Einkommen aus gesichertem Vermögen und komplizierten, mühsamen Allüren. Männliche Nachkommen gingen zum Militär, weibliche heirateten Offiziere. Wer einen einzigen kannte, kannte sie alle. Sie war klein und mager gewesen; ihre lange Nase, der breite Mund, die nahezu gelben Augen und der stumpfe, lehmige Teint machten sie häßlich. Sie mußte klug und lebhaft sein, sonst hätte man sie einfach übersehen. Eine Zeitlang hatte sie vermutet, daß ihr einer von diesen langweiligen Jünglingen mit toten Augen und blondem Schnurrbärtchen, der für Schießeisen und Autos schwärmte, beschieden sei. Sie war ihnen auf die Pelle gerückt wie mit einem Bajonett. Das hatte den fortschrittlichen Militärs nicht gepaßt. Aus ihrer Sicht waren sie kleine Beamte. Sie zupften an ihren Schnurrbärtchen, glotzten sie träg und betreten an, stellten fest, daß sie »überdrehte« Mädchen nicht ausstehen konnten, und verdrückten sich so rasch wie möglich. Sie waren schokkiert, weil sie keine Handschuhe trug. Nackte Finger fanden sie unanständig. »Wenn ich Handschuhe getragen hätte, könnte ich jetzt die Frau eines Generals sein«, pflegte sie zu sagen. Bevor sie ihr einen Korb geben und sie als das naseweise, vorlaute und unmögliche Weibsstück, das es in jeder Familie gibt, auf ihren Platz verweisen konnten, waren sie von ihr vor die Tür gesetzt worden.

Dann heiratete sie also Tom. Sie zog von zu Hause fort, lebte mit einer Freundin zusammen, lernte Tom kennen und heiratete ihn. Natürlich gab es großen Krach. »Der Zahnpastavertreter« hieß er bei ihren Verwandten. Man glaubte, sie werde in einer Drogerie hausen. Er wurde der Prügel, mit dem sie ihre Familie traktierte: Ein großer Mann wird aus ihm, ein großer Wissenschaftler – das prügelte sie ihnen ein. Ein viel größerer Mann als alle diese »netten« Subalternen mit ihren Flanellhosen, Tanzrekorden und Schnurrbärtchen – oder diese verkniffenen Majore, die sich für ihren Egoismus schämten.

Sie dachte zurück an jene Tage. Immer hatte sie darauf gewartet, daß etwas Dramatisches, Unvorhergesehenes eintreten werde. Aber – wie kam das nur? – aus Tom wurde kein großer Mann. Die Abnabelung von seiner Klasse war bei ihm zur Obsession und schließlich zu einer Gewohnheit geworden. Er kämpfte um diese Abnabelung, nachdem sie ihm längst schon gelungen war. Ständig verbrauchte er seine Energien, indem er auf etwas reagierte, was es längst nicht mehr gab. Er lebte – ganz verstehen konnte sie es nie – unter dem Zwang eines quälenden inneren Zwiespalts; all seine Kraft verzehrte sich in diesem Kampf. Adern und Muskeln schwollen wie zum Bersten. Zerrissen zwischen ihr – das heißt der einfachen Aufgabe, sie auf einfache, natürliche Art glücklich zu machen – und sich selbst war er wie gelähmt. Und sie hatten keine Kinder. Wer war schuld daran? Anfangs war es eine Gnade, weil sie arm waren, aber später? Sie schlief mit ihm. Ihr Körper war alt geworden über dem Bemühen, ihm ein Kind abzupressen. Nachher machte sie ihm Vorwürfe. Er hörte verwirrt zu.

Warum war ihr das widerfahren? Und warum fühlte sie sich so vor ihm schuldig, so daß sie ihn jetzt bemitleidete und ihre Tage damit verbrachte, zwischen ihm und seinen Problemen zu vermitteln? Sie hatte ihn mit ihrer Enttäuschung angesteckt, er sie mit seiner Frustration. Warum? Und warum konnten sie diesen Teufelskreis, in dem sie sich bewegten, nicht durchbrechen? Warum hatten sie so lange darin gelebt, bis sie auf einmal vierzig und eine Frau mit grauen Haaren war?

Sie überschaute das alles, ohne zu denken, nur mit dem Gefühl. Der sanfte Pulsschlag zwischen ihren Brüsten nahm ihr den Atem. Ihr Blut regte sich beim Anblick des bewegten Weinlaubs, der roten Erde in den Olivenhainen und des windgebleichten Himmels. Ihre Lippen teilten sich, weil sie nach den so beredten Lippen des jungen Juden dürsteten. Sie konnte weder schlafen noch lesen.

Schließlich ging sie in das kühle Haus. Die Fliegen, vom Wind hineingetrieben, schwammen im Zwielicht. Sie stieg die Treppe zu ihrem Zimmer hinauf.

»Steh auf«, sagte sie zu ihrem Mann. »Wir müssen gehen.«

In diesem Aufzug aber nicht, fand sie. Er mußte den Wagen holen. Sie schüchterte ihn ein. Zog ein grünes Kleid an. Murrend zog auch er sich um.

Sie sah aus dem Fenster. Alex kam nicht. Vor ihr lag das Tal mit den vom Wind gewiegten, vom Wind versilberten

Bäumen. Staub blies die Straßen entlang zwischen Erde und Sonne, ein seltsames, irisierendes Licht wie das Glitzern von Kristallen in Granit.

Tom ging hinunter. Seine Kleider waren im ganzen Zimmer verstreut.

»Wir warten auf dich«, sagte er, als sie nachkam. Da war der schwarze Wagen und Monsieur Pierre. Er stand daneben, als ob es sein Wagen wäre.

»Frauen«, sagte Monsieur Pierre, »sind wie der Bon Dieu. Sie leben nicht in der Zeit, sondern in der Ewigkeit.«

Coram warf ihm einen bösen Blick zu. Alex war da, hochgewachsen und distanziert. Er war, teilte er mit, auf einem anderen Weg zurückgekommen. Ernsthaft bedachte er Monsieur Pierres Bonmot und zitierte dazu einen Dichter, von dem sie und die beiden anderen nie gehört hatten.

»Und wo soll jetzt dieses Picknick stattfinden?« fragte Coram.

Sie stritten, wer wo sitzen sollte. Sie sagte hier, ihr Gatte sagte dort. Zuletzt fand sich Monsieur Pierre auf dem Vordersitz, sie und der junge Mann teilten die Hinterbank. Coram stieg mürrisch ein. Niemand hatte seine Frage beantwortet. »Wenn jemand weiß, wohin wir wollen, darf er selber fahren«, sagte er.

»Zum anderen Strand!« rief sie.

»Gott behüte«, brummte er, fuhr aber los.

»Habt ihr genug Platz da hinten?« erkundigte er sich später. Sie fühlte sich auf einmal heiter wie ein Backfisch.

»Wir mögen das!« rief sie laut und kicherte, indem sie ihre Beine an Alex preßte. »Sind wir nicht ein hübsches Paar?«

Sie hakte sich in Alex' Arm und lachte laut, dicht an seinem Gesicht. Ihr Benehmen entsetzte sie. Er lachte reserviert, nachsichtig und altherrenhaft. So holperten sie über die schlechten Straßen strandwärts. Coram schimpfte, die Federung des Wagens würde kaputtgehen – eine Schnapsidee! Sie konnte den Schweiß auf dem massigen, rosigen Nacken ihres Mannes sehen. Sie reizte ihn. So ein Schneckentempo, rief sie, so eine Beutelei, und warum er auf der Straße zur Stadt und nicht auf der anderen fahre. Coram drehte sich ärgerlich nach ihr um.

Sie wollte, daß der junge Mann es sah. »Wie egal mir das ist! Mir ist es schnuppe, wenn ich unleidlich bin: Alles ist mir schnuppe, alles ist mir zuwider – bis auf die Sehnsucht, die in mir brennt. Nur sie allein zählt für mich!«

Der Wagen hatte die Kuppe des Hügels erreicht, und sie wandte den Kopf, um zurück auf die Stadt zu schauen. Sie war überrascht. Zwei Glockentürme, die sie noch nie gesehen hatte, überragten die Dächer. Die lehmfarbenen Häuser drängten sich eng zwischen den Hügeln, die von der Sonne beschienenen waren weiß und groß. Die Dächer waren dicht gestaffelt, und unter jedem starrte ein Fensterpaar wie zwei Augen. Wie eine Front von weißen Zeugen aus einer anderen Welt standen die Häuser da. Der Gedanke, daß sie sich an einen Ort versetzt hatte, der ihr so fremd war, beunruhigte sie. Sogar in diesem Urlaub hatten sie und ihr Mann sich in ihren ausgefahrenen Gleisen bewegt und die Umgebung nicht wahrgenommen. Sie wurde stiller.

Die Villen, die hier außerhalb der Stadt lagen, waren noch nicht alt, und die Luft glühte vom frischen Harzduft der Pinien, der flammenden See und dem flammenden Himmel.

»Ich komme oft hierher«, sagte der Jude. »Weil hier mehr Luft ist. Kennen Sie den Kellner vom Hafencafé? Vergangenes Jahr hat er an einem heißen Tag den Liebhaber seiner Frau die Straße entlanggejagt und ihm mit einem Revolver nachgeschossen. Einmal jedes Jahr dreht er durch, die übrige Zeit ist er ein durchaus zufriedener und gutartiger Ehemann. Wenn das Café hier oben wäre, könnte das nicht passieren – oder er wäre vielleicht nur einmal im Jahr gutartig. Vielleicht hängt unser gesamtes Gefühlsleben von Temperaturen und Luftströmungen ab.«

Sie sah ihn an. »Sie haben Ihren Huxley brav gelesen«, sagte sie trocken. »Nicht wahr?« Aber gleich bereute sie es. Wenn er angibt, dachte sie, dann wegen seiner Jugend. »Ich könnte ihn davon kurieren.«

Da hielt auch schon der Wagen an. Sie waren am Strand. Eine Minute blieben sie noch im Wagen sitzen und schauten. Ein langer, sauberer Strand zwischen zwei Felsvorsprüngen, wilder als der Strand bei der Stadt, an dem die Leute picknickten. Jetzt war niemand um die Wege, und das Meer war nicht die Pfanne voll emailglattem Wasser, wie sie es kannten, sondern offen und hoch gegen den Strand wie eine schwankende, lose Mauer, grün, windzerrissen, sonnenzerschlissen und rebellisch. Der Himmel war weiß gegen den Horizont. Der Leuchtturm auf der roten Klippe, acht Meilen vor der Bucht, schien wie das Periskop eines Unterseeboots durch das Wasser zu rasen. Die ganze Küste erinnerte an Pulks von roten Reitern, welche die Wellen in einen Pferch trieben.

»Ostwind«, stellte Monsieur Pierre abwägend von seinem Fenster aus fest.

Sie stiegen aus und gingen auf dem Sand weiter. Welle um Welle rollte, im Takt einander ablösend, das Ufer entlang. Jeder für sich, getrennt durch den Wind, standen die drei Männer und Mrs. Coram und blickten in das Gewoge. Sie sprachen und drehten sich um, weil sie sehen wollten, wohin es die Worte geweht hatte. Der Wind riß sie von ihren Lippen, niemand hörte sie.

Alex blieb zurück, lief aber gleich darauf in der Badehose heran.

»Sie werden doch nicht hineingehen!« sagte Tom. Der Seegang war zu stark. Der Jude hörte ihn nicht und lief zum Ufer hinunter.

»Oh!« rief Mrs. Coram besorgt und trat zu Pierre.

Ohne ein Wort war der Jude hineingesprungen. Jetzt schwamm er hinaus. Sie umklammerte Pierres Arm, dann aber lösten sich ihre Finger. Sie lächelte, lachte. Es war, als beobachteten sie ein Wunder: Alex hob sich und sank mit den hohen Wogen, schwamm immer weiter hinaus und spielte wie ein ferner Gott mit ihren schäumenden Stürzen. Manchmal war es, als fiele er wie ein Stein bis zum Grund, dann wieder schoß er hoch, als tanzte er auf dem Wasser. Wie in einem Traum sah sie ihm zu.

»Gut macht er's!« rief sie. Sie schaute sich nach Tom um. Er stand hinter ihnen und sah verdrossen und verwirrt auf das Meer. Plötzlich vereinte ihr Herz sich mit dem Schwimmer draußen, ihr Denken war wie reingewaschen von der reinigenden See. Ihre Furcht um ihn verflog. Sie liebte diese Gefahr, in der er war; sie liebte ihn, wie er die Gefahr suchte, wie er sich Zeit ließ, sich die mächtigsten Wogen aussuchte und sie durchstieß.

»Tom!« rief sie.

Ehe er erfaßte, was sie wollte, sagte Coram: »Ich gehe da nicht hinein.«

»Pierre geht«, rief sie. »Magst du nicht auch?«

Der alte Mann setzte sich in das Geröll. Ja, sagte er, er gehe ins Wasser.

Alex kam zurück zum Ufer. Nun stand er, etwa fünfzig Meter draußen, brachte es aber nicht über sich, das Meer zu verlassen. Plötzlich tauchte er wieder hinein. Dann kam er abermals heraus und warf Steine ins Wasser. Sie sah, wie er sich bückte und sein langer Arm mit dem Stein ausholte. Er lächelte, als er zu ihnen zurückkehrte.

Sie setzten sich hin, redeten über den rauhen Seegang

und warteten darauf, daß nun Pierre hineinginge. Er tat nichts dergleichen. Auch er setzte sich hin und redete. Der Jude beobachtete ihn. Er wollte Pierre im Wasser sehen. Die Zeit verstrich, und Pierre meinte, daß so ein Seegang ganz harmlos sei. Er prahlte von einer Fahrt mit einer Jacht, deren Mast der Sturm geknickt hatte. »Ich habe dem Tod ins Auge gesehen«, sagte er. Coram nickte finster und warf dem Juden einen Blick zu.

Dem Juden wurde das Warten zu lang. Er sagte, er wolle das andere Ende der Bucht erforschen. Sie schaute ihm nach, wie er über den Sand ging und unterwegs, wie ein kleiner Junge, Steine aufhob und warf. Es kränkte sie, daß er sie verlassen hatte, und doch bewunderte sie ihn darum nur noch mehr. Sie lehnte sich, auf ihren Ellbogen gestützt, zurück. Sanft pulsten Freude und Schmerz zwischen ihren Brüsten, ein Schlag für jeden Schritt, den seine braunen Beine im Sand taten, ein Schlag für jede Welle, die an den Strand spülte. Zuletzt sah sie, wie er zum Wasser lief und hineinstieg. So weit entfernte er sich aus ihrem Blickfeld, daß ein Stich von Furcht jeden sehnsüchtigen Atemzug begleitete. Er ist schon weit genug, dachte sie, weit genug von mir.

Sie erhob sich. Hätte sie doch mit diesem Wind über das Meer fliegen, ihn wie eine Möwe von oben anrufen und unter dem Vorwand, daß sie verfolgt werde, zum Strand locken können! Dann, zu ihrer Überraschung, war er auf einmal wieder am Ufer und stand dort wie vorher und betrachtete die Wogen, denen er entstiegen war. Lange stand er so. Darauf setzte er sich hin und schaute herüber. Sie rief nach ihm. Es war zu weit. Zeitlos lebte er in seiner fernen Jugend. Was tat er, was dachte er, während er dort so abgeschieden in der Anderwelt seiner Jugend saß?

Jetzt hatte Monsieur Pierre den Strand für sich allein, ohne Konkurrenten, und er ging sich umziehen. Gleich wieder kam er zurück, klein und fett in seiner Badehose und den roten Sandalen. Er bat Mrs. Coram, auf sein Monokel achtzugeben. Er setzte seine Badehaube auf. Herausgeputzt und Nachsicht heischend wie die Vortänzerin einer Girltruppe baute er sich vor ihnen auf.

»Ich kann im Meer nicht untergehen«, teilte er mit, als sei er ein wissenschaftliches Demonstrationsobjekt, »weil in meinem Fall der Verdrängungsausgleich genau stimmt.«

Wie ein König, alle paar Meter stehenbleibend und nikkend, begab er sich an die Wasserlinie.

»Sehen Sie«, sagte er.

Es berührte sie seltsam, daß sie gerade jetzt mit ihrem Mann allein und sich bewußt war, daß nur sie beide dies sahen, so wie sie allein so vieles in der Welt gesehen hatten.

»Er geht nicht hinein«, sagte Coram.

Monsieur Pierre hatte die Wasserlinie erreicht. Unversehens brandete eine hohe Welle heran, und er stand überrascht da wie eine Zierfigur auf einem Spitzendeckchen aus Schaum. Er wartete ab, bis das Wasser halbwegs abgeströmt war, bückte sich und netzte sich die Stirn. Abermals wartete er. Eine grüne Woge bäumte sich auf, an drei Meter hoch, eingewölbt und durchscheinend wie ein ornamentales Fenster in einer Kirche. Hochgezogen hing sie da, um sich zu überschlagen. Zuvor jedoch geschah etwas Erstaunliches. Der dicke kleine Mann war vorgesprungen und durch sie durchgetaucht! Die Corams sahen die Sohlen seiner roten Gummibadeschuhe, als er sich hineinwarf und verschwand. Da war er – drüben im Wellental! Und schon wieder tauchte er durch die nächste, die übernächste Woge, krabbelte wie ein kleiner Käfer über die Schaumkronen. Schaum spritzte um ihn, Schaumflocken kleckerten sein Gesicht. Eben hob sich sein Kopf mit der roten Badehaube würdevoll-erstaunt aus einem Wellenkamm, gleich darauf trudelte er weiter und weiter – hinaus in das aufgewühlte Meer.

»Er läßt sich treiben«, sagte Tom.

»Er schwimmt«, sagte sie.

Sie sprachen und schauten. Mrs. Coram sah den Strand entlang nach Alex aus. Er lag ausgestreckt in der Sonne.

Pierre war weit draußen – sie konnten nicht sagen, wie weit. Manchmal sahen sie seinen Kopf aus dem Wasser ragen, dann wieder war er fort. Sie verloren ihn aus den Augen. Es war schwierig, gegen die blendende Sonne zu schauen. Näher bei ihnen donnerte das smaragdene Wasser in Katarakten immer wieder gegen das Ufer, und der Kies prasselte im Sog der Gegenströmung. Überrascht sah sie, daß der Leuchtturm noch immer wie ein Periskop durch die Wogen stürmte und doch nicht weiterkam. Warum liegt er dort? Warum kommt er nicht her? Sie schaute sehnsüchtig zu dem jungen Mann, der dort ausgestreckt am Ufer lag.

»Gehen wir auf einen Schluck zum Wagen«, schlug Tom vor.

»Nein«, sagte sie. »Warte.«

Sie sah nach Pierre aus. Geradeaus vor ihnen war er nicht.

»Wo ist Pierre?«

Ah, dort! Weit draußen. Offenbar schwamm er parallel zur Küste. Sie stand auf und ging den Strand entlang.

Das schwellende Chaos der See glich der Verwirrung in ihrem Herzen. Das Meer hatte sich von dem ruhigen Himmel und dem festen Land geschieden, und auch ihr Dasein löste sich von allem, was ihr vertraut gewesen war. Frei und wachsam wurde ihr Leben. Jede der Wellen, die sich über den Sand hinbreiteten, gaukelte ihr ein Begehren vor, das sich immer wieder erfüllte und sättigte, sättigte und erfüllte. Benommen und unsicher, als bliese es sie hin, ging sie auf Alex zu. Ihr Kleid bauschte sich, der Wind trieb ihr Tränen in die Augen, preßte den Rock an ihren Leib. Sie hielt an. Sah er sie? Sah er, wie sie mit dem Wind ihre Leidenschaft tanzte?

Sie stapfte zu ihrem Gatten zurück. Der Wind packte sie und trieb sie, rascher als sie wollte, zu ihm.

»Tom!« sagte sie. »Ich werde ein Kind von einem anderen haben!«

Er sah sie an, erschrocken und sprachlos wie immer. Er haßte dieses Meer, diesen Strand, dieses unbegreifliche Land. Er glaubte einfach nicht daran. Auch diese Worte kamen ihm vor wie das Land, verrückt und unwirklich. Er glaubte sie einfach nicht, so wie er nicht glaubte, daß der Wind reden konnte. Herrgott, sie hatte doch heute schon ihre Szene gehabt und war darüber hinweg gewesen!

Er kämpfte mit sich.

»Ich habe mich entschlossen«, sagte sie. Es war ein Ultimatum.

Er lächelte, weil er nicht reden konnte.

»Du glaubst mir nicht.«

»Wenn du es sagst, glaube ich es dir.«

Sie hatte ihn entsetzt. Er war wie ein Mann, der in einem finsteren Zimmer herumtappt. Sagen? Was konnte er sagen? Noch vor Abend würde sie beteuern, daß sie ihn nie verlassen könnte. Oder doch? Erleichtert sah er, daß sie sich entfernte und er wieder in seine gewohnte Lethargie sinken durfte. Als sie gegangen war, hätte er sie gern gepackt und geschüttelt. Er sah einen fremden, nackten Mann auf ihr: Das Bild empörte ihn, und doch teilte es ihm die Seligkeit einer unaussprechlichen Eifersucht mit. Dann stiegen ihm Tränen in die Augen, und er fühlte sich wie ein Kind.

Sie ging von ihm fort, sah nach Pierre aus und dachte: Tom glaubt mir nicht. Er ist ein Schwein.

Sie beobachtete Pierre, während sie ging. Ein alter Mann, ein netter alter Mann, ein komischer alter Mann. Und sehr tapfer. Zwei furchtlose Männer, die keine Umstände machten, ein Alter und ein Junger: Pierre und der Jude.

Die Anmut des Juden, der komische Kraftakt Pierres – sie gehörten einer freien, klaren Welt an. Nun befand sie sich mit Pierre auf derselben Höhe. Der Seegang war dort mächtiger, die Wogen breiter, und hin und wieder brach sich eine, während er sie hochschwamm. Aber er kam näher, sah sie. Sehr langsam kam er herein, viel weiter unten. Sie kehrte zu Tom zurück.

»Schau nur!« spottete sie. Scheinbar hatte sie ihre Worte von vorhin vergessen. »Du hast behauptet, er kann nicht schwimmen!«

Coram verzog sein Gesicht. Sie ging wieder zu der Stelle, wo Pierre landen würde. Das Brausen der Wogen war hier konzentrierter und chaotischer. Tom kam hinter ihr her. Pierre schien kaum viel näher. Bis er eintraf, würde es noch lange dauern.

An diesem Ende des Strands waren Felsen, die von den Vorbergen hinaus ins Wasser reichten. Sie kletterte hinauf, um bessere Sicht zu haben.

Plötzlich rief sie, mühsam beherrscht: »Tom! Komm her! Schau!«

Er kletterte ihr nach. Sie blickte nach unten. Als er bei ihr anlangte, erfaßte auch er, was sie sah. »Teufel!« sagte er.

Unter ihnen gähnte eine weite Grotte mit zwei Felsspornen, die zu beiden Seiten des Eingangs ins Meer vorstießen. Die gewaltigen Wogen prallten an die äußeren Sporne, fuhren dann ineinander, brachen sich an den Felsplatten, die unter der Wasserfläche lagen, quirlten, schäumten und teilten sich in der Grotte zu grünen Klumpen. Mit dumpfem Dröhnen schlugen sie zu, um danach auf der grünen Zunge des Rückstroms abzuziehen. Die Grotte erinnerte an einen aufgesperrten Riesenrachen mit schartigen Zähnen. Die Corams konnten einander nicht verstehen, obwohl sie dicht beisammen standen. Neugierig und besorgt spähten sie in das Loch.

»Tom!« rief sie und packte ihn am Arm. Er schüttelte sie ab. Auch er hatte Angst.

»Tom!« rief sie. »Wird er's machen können?«

»Was?«

»Pierre – Er schwimmt doch nicht hierher?«

Er schaute in das Loch und wich zurück.

»Tom, er kommt! Er kommt!« schrie sie auf einmal in einem Ton, der ihm das Herz stocken ließ. »Er treibt! Er wird hierher getrieben! Es wird ihn an den Felsen zerschmettern!«

Tom blickte angestrengt auf das Meer hinaus. Er sah es so gut wie sie und kehrte sich ab.

»Der Narr«, sagte er. »Aber er wird es schon schaffen.«

»Nein. Sieh nur!«

Pierre trieb dahin. Die ganze Zeit, während sie geredet hatte, war er getrieben. Sie hatten gedacht, daß er parallel zum Ufer schwimme, aber in Wahrheit hatte er sich nur treiben lassen.

Sie konnten ihn genau sehen. Noch fünf Minuten, dann würde es ihn über den ersten Sporn in das Loch spülen.

Als er näher kam, erkannten sie auch, wie er sich wehrte. Sie sahen ihn mit Armen und Beinen strampeln. Seine Haube hatte sich gelöst, das graue Haar klebte ihm am Schädel. Noch immer trug er seine leicht verlegene Miene, aber er keuchte und spuckte, und sein Blick war düster und verstört, als hätte er nicht genug Zeit zu überlegen, gegen welche von den Wellen, die ihm ins Gesicht schlugen, er sich verteidigen sollte. Er sah aus wie ein

Mann, an dessen gestikulierenden Armen Hunde hochspringen. Die Corams befanden sich über ihm auf dem Felsen, und Mrs. Coram rief und winkte, aber er schaute nicht auf.

»Schaffen Sie es?« rief sie.

»Natürlich schafft er's«, sagte Coram.

Ihr kam vor, daß Pierre absichtlich vermied, zu ihnen hochzublicken. Während er in die äußere Brandung gezogen wurde, machte er immer mehr den Eindruck einer Leiche, die sich nicht mehr zur Wehr setzen kann, hilflos ihren Verfolgern vorgeworfen wird. Wie hypnotisiert standen die zwei Zuschauer auf dem Felsen. Dann schrie Mrs. Coram auf. Eine besonders mächtige Woge schien unter Pierre zu tauchen und ihn halb aus dem Wasser zu schleudern. In absurder Theatralik breitete er seine Arme im Leeren, und ein Ausdruck von Bestürzung stand in seinem Gesicht, als er in den Trog stürzte. Die Sonne am Himmel blitzte wie sein Monokel auf ihn und den brodelnden Schaum.

»Rasch! Er geht unter!« rief sie ihrem Mann zu und kletterte den Felsen hinab zum Ufer.

»Komm schon!« befahl sie. Er folgte ihr. Sie lief auf die Brandung zu. »Wir machen eine Kette. Schnell! Nimm meine Hand – er kann nicht mehr. Wir kriegen ihn noch, bevor er untergeht.« Sie streckte ihre Hand aus.

»Hol Alex!« sagte sie. »Lauf und hol ihn! Wir machen eine Kette ... Lauf schon und hol ihn!«

Aber Tom trat zurück: einen Meter, zwei Meter.

»Nein«, sagte er gereizt, schlug mit seinem Arm, als wollte er sie wegstoßen. Dabei war sie gar nicht in Reichweite.

»Tom!« rief sie. »Schnell! Du kannst schwimmen. Ich komme!«

»Nein!«

Sie begriff nicht gleich, daß es Angst war, die aus der zornigen Verwirrtheit seiner Züge sprach, und daß er entschlossen war, Pierre ertrinken zu lassen: Erst als er die Uferböschung bis auf halbe Höhe hinauflief, erfaßte sie es. Er würde sich nicht hineinwagen. Er würde auch nicht Alex holen: Da stand er und ließ Pierre ertrinken. Sie sah sein fleischiges, rotglänzendes Gesicht, seinen finsteren, gequälten Blick. Er stand da wie angekettet. So würde er dastehen, nichts tun und Pierre ertrinken lassen. Sie war erschüttert.

So lief also sie los. Sie lief den Strand hinunter, rief und winkte dem Juden zu.

Der Zufall wollte, daß er sich erhoben hatte und der Brandung entlang in ihrer Richtung schlenderte. Er hatte ihr Rufen gehört und vermutet, es wäre der Wind, der sie dazu veranlaßte. Dann sah er.

»Schnell!« rief sie. »Pierre ertrinkt!«

Sie packte ihn am Arm, als er sie erreichte. Der Jude blickte sie an, schüttelte ihre Hand ab und rannte. Sie lief hinter ihm her. Sie sah ihn lächeln, während er lief, das schmale Leuchten seiner Zähne. Als er zu dem Felsen kam, lachte er vor Freude kurz auf und stürzte sich ins Wasser. Mit zwei Stößen war er bei Pierre.

Sie hatte Angst um beide. Sie sah, wie sich eine Woge, wie ein Tier, langsam hinter Pierre aufrichtete; eine zweite, größere, eisgrün und schneeig von stäubendem Schaum, folgte dicht auf die erste. Die zwei Schwimmer starrten einander kurz und fast höflich überrascht an, dann warf sich der Jude auf Pierre. Ein Arm stieß hoch. Beider Beine fuhren in die Luft. Wie zwei Ringer schleuderte es sie in die Flut. Jemand schrie. Der Jude tauchte auf, streckte den Arm aus, und seine Hand – die kräftige Hand, die sie am selben Morgen auf dem Tisch in der Pension gesehen hatte – fing den alten Herrn unter der Achsel.

Der Felsen war umrundet. Wie zwei Walzertänzer schwankten sie, dann ergriff sie die riesige Woge, hob sie auf ihren Kamm und warf sie der Länge nach, Kopf voran ans Ufer. Die auslaufende Woge durchnäßte, als sie stürzten, auch Mrs. Coram.

Monsieur Pierre krabbelte triefend über den Schotter herauf und sank keuchend nieder. Sein Gesicht war grünlich, der übrige Körper purpurn vor Kälte. Er schien erstaunt, daß er dem Meer entronnen war. Der Jude hatte eine große Beule am Schienbein.

»Ich habe gemeint, es ist aus mit mir«, sagte Pierre.

»Ich hole den Kognak«, sagte Mrs. Coram.

»Nein«, sagte er. »Das ist nicht nötig.«

»Sie haben ihm das Leben gerettet!« wandte sie sich erregt zu dem Juden.

»Keine große Tat«, meinte er. »Auch ich habe gefunden, daß die Strömung dort draußen sehr stark ist.«

»Ich bin gegen sie nicht angekommen«, berichtete Pierre. »Ich war am Ende. Das«, stellte er auf seine absurd beiläufige Art fest, »war das zweite Mal, daß ich dem Tod ins Auge gesehen habe.«

»Nehmen Sie das Handtuch und trocknen Sie sich ab«, forderte sie ihn auf.

Er mochte nicht als alter Mann behandelt werden.

»Ich bin ganz in Ordnung«, behauptete er. Immerhin hatte er einmal versucht, über den Kanal zu schwimmen. Vielleicht glaubten sie jetzt, daß er schwimmen konnte.

»Es sind immer die besten Schwimmer, die ertrinken«, sagte sie taktvoll.

»Ja«, prahlte Pierre, der nun, als er sich erwärmte, stolz auf sich wurde. »Ich bin fast ertrunken! Ja, fast ertrunken!«

Die dramatische Rettung hatte sie alles andere vergessen lassen. Das Bild stand ihr noch vor Augen. Voll Furcht schaute sie auf das ungerührt weitertobende Wasser bei dem Felsen, wo sie vor ein paar Minuten Pierre fast ertrinken sehen hatte. Ewig würde ihr sein ausdrucksloses Gesicht dort unten im Gedächtnis bleiben. Entrückt und ernst hatte der Kopf mit den halbgeschlossenen Lidern gewirkt, wie abgehackt. Sie zitterte, ihre Finger waren noch immer fest zusammengepreßt. Sich vorzustellen, daß nun Monsieur Pierres toter Kopf da läge! Wie nah am Tod war sie gewesen! Ihr schauderte. Das Meer, grün und dunkel wie windzerwühltes Gebüsch, Schaum darübergespuckt, machte ihr übel.

Nicht sehr dankbar ist er, dachte sie und sagte laut: »Aber, Monsieur Pierre, ohne Alex wären Sie jetzt tot.«

»Oh, gewiß«, bestätigte Monsieur Pierre und wandte sich ohne besondere Wärme zu dem Juden. »Ich bin Ihnen sehr zu Dank verpflichtet. Das ist das zweite Mal, daß ich –«

»Seinen Hausorden kriegen Sie nicht verliehen«, sagte sie auf englisch zu Alex, ganz in der Art ihres Mannes. Es war seltsam, wie sie in einer Situation nervlicher Überlastung seine Attitüde annahm. »Er bildet sich ein, daß er unsterblich ist.«

»Parlez français«, sagte Monsieur Pierre.

»Sie meint«, sagte Alex rasch, »daß Sie unsterblich seien.«

Während dieser kurzen Szene stand sie aufrecht. Die eine Seite ihres Kleides war von der Woge, welche die zwei ans Ufer getragen hatte, durchnäßt. Sie sprach und sah zugleich auf Tom. Er stand beim Wagen, etwa vierzig Meter drüben, als nehme er dort Deckung, halb abgewandt vom Meer. Sie war noch zu erregt von der Rettungsaktion, die immer wieder vor ihrem inneren Auge ablief, um zu erfassen, daß sie zu ihm blickte, oder sich bewußt zu werden, was sie von ihm dachte.

»Wir müssen Sie heimbringen«, sagte sie zu Monsieur Pierre. »Jetzt sofort.«

»Damit hat es keine Eile«, wehrte er würdevoll ab. »Setzen Sie sich doch, Madame. Beruhigen Sie sich. Wenn man dem Tod ins Auge geblickt hat –«

Sie tat wie geheißen. Es überraschte sie, daß man fand, sie sei aufgeregt. Nun saß sie so neben Alex, wie sie es den ganzen Nachmittag lang, als er fort gewesen war, gewünscht hatte. Sie betrachtete seine Arme, seine Brust und seine Beine, als wollte sie sehen, wie der Mut aus seinem Körper strahlte.

»Es war keine große Tat.« Sie begriff, daß das stimmte. Für ihn war es keine große Tat. Nur keine Übertreibung. Er war jung. Sein schwarzes Haar war dicht, glänzend und jung. Auch seine Augen waren jung. Er besaß, wie sie immer schon vermutet hatte, jene charakteristische und ewige Jugend der griechischen Statuen, die man hin und wieder aus dieser mediterranen Erde gräbt. Er war ausgeglichen und beherrscht, er war am Ursprung allen Seins, am Ursprung von Geist und Körper. Es gab keine Probleme, alles war so leicht wie sein Lächeln, wenn er ins Wasser lief. War auch sie so gewesen – in ihrer Jugend? Wie anders? War alles leicht gewesen? Nein: Kompliziert. Sie erinnerte sich nicht genau, aber sie konnte nicht glauben, daß sie jemals so jung gewesen war. Ohne zu wissen, was sie tat, berührte sie mit zwei Fingern sein Bein und strich daran entlang bis zum Knie. Die Haut war ganz hart.

»Ihnen ist kalt«, sagte sie. Die Kälte überraschte sie. Wahrscheinlich hatte er nie mit einer Frau geschlafen, und als sie diesen harten Körper berührte, tat ihr die Frau leid, die mit diesem vollkommenen, unpersönlichen, unverletzbaren Mann schlafen sollte.

Seine Vollkommenheit war ein Ärgernis, auch sein Lachen im Wasser, sein müheloser Sieg. Er hatte keine Schwäche. In ihm war nichts Verwirrtes. Er wies nicht die Spur irgendeines Lasters auf. Sie fand keine Worte.

Und da nun, als sie sich beruhigte und ihr Blick auf Tom fiel, schlug ihr Herz schneller. Jetzt zum ersten Mal seit Pierres Rettung sah sie Tom und ging über den schmerzenden Schotter zu ihm. Er stand neben dem Wagen.

»So ein Narr«, begann Coram, bevor seine Frau etwas sagen konnte. »Nicht einmal allein absaufen kann er. So sind sie alle.«

»Du hast freilich nichts dazu beigetragen, daß wir ihn gerettet haben. Mich vorschieben! Du bist davongelaufen!« sagte sie zornig.

»Das bin ich nicht«, sagte er. »Soll ich mich wegen eines solchen Narren umbringen? Wofür hältst du mich? Und überhaupt war er gar nicht am Ertrinken.«

»Doch«, widersprach sie. »Und du bist davongelaufen! Nicht einmal Alex hast du holen wollen. Ich habe gehen müssen.«

»Du brauchst mich nicht anzubrüllen«, sagte er. Sie stand unter ihm im Geröll, und er krümmte sich, als ob sie mit Steinen nach ihm würfe. »Diese Menschen hier machen mich fertig«, sagte er. »Bei so einem Seegang schwimmen!«

»Du bist davongelaufen!« beharrte sie.

»Willst du behaupten, daß ich ein Feigling bin?« fragte er. Er blickte auf ihre schmächtige, wütende Gestalt. Sie war häßlich, wenn sie in Wut geriet, wie ein knochiger, linkischer, unansehnlicher Teenager. Alles, was gegen ihn war, konzentrierte sich jetzt in ihr. Die Schönheit dieses Landes war ein Betrug, ein Verrat an den Dingen, die ihm vertraut waren. Er sah die rote Straße seiner Kinderjahre vor sich, hörte das Klopfen von Vaters Hammer, sah die Arbeiter mit ihren Bündeln und kleinen Tragtaschen aus der Tram steigen, Ölflecken auf den Drillichhosen. Er hörte die Pendeltür seines Labors, das Dröhnen der Maschinen, sah den Rauch wie Wolle im Regen der Midlands hängen, sah die nebelfeuchten Plakate. Das war seine Welt. Zu dem Smaragd und Ultramarin dieses Meeres und der rötlichen, föhrengefiederten Küste fielen ihm die aufgetakelten Kokotten ein, die er in Paris gesehen hatte. Ihre Schönheit war Verderbnis und Betrug. Er wußte nicht, wie er das ausdrücken sollte. In seinem Kopf ging alles durcheinander. Er stammelte und rollte die Augen. Sie erkannte in seinem empörten Blick den verzweifelten Kampf, die hilflose Angst. Er war häßlich. Da stand er, stotternd und einsam, bei seinem staubigen Wagen: ein Ausgestoßener.

»Ich behaupte nur, du hättest helfen können«, sagte sie.

Zornig sah sie auf ihn. Ihr Herz schlug laut, ihr Blut toste. Es war nicht die gelungene Rettung, die sie erregte, sondern – wie sie halb erfaßte – das Scheitern. In dem Augenblick, als er fortlief, war ein Teil von ihr hinter ihm hergelaufen, hatte nach ihm geschrien und versucht, ihn zurückzuziehen. Jetzt, schien es, wurde sie ganz von diesem Zweifel angesteckt.

»Diesem Schwein helfen!« sagte er.

Monsieur Pierre und Alex kamen mit ihren Badetüchern zum Wagen.

»Du denkst überhaupt nur an dich«, sagte sie vor ihnen zu ihrem Mann. »Fahren wir also in Gottes Namen nach Hause.«

Alle drei sahen sie besorgt an. Coram stieg ein. Sie war entschlossen, ihm nichts von ihrer Verachtung zu ersparen, und setzte sich neben ihn. Pierre und Alex saßen hinten. Schweigend fuhren sie vom Strand über den Hügel, wo man die weißen Häuser der Stadt dicht gestaffelt wie große Spielkarten in der Sonne liegen sah. Als der Wagen durch die engen Straßen zuckelte, wo sich am Abend Urlauber und Arbeiter drängten, die vom Hafen herauf oder von den Feldern herunter kamen, steckte Pierre seinen Kopf aus dem Fenster und winkte Freunden zu, die vor den Cafés saßen.

»Ich bin fast ertrunken!« rief er. »Ich bin fast ertrunken!«

»Ertrunken?« Die Leute lachten, erhoben sich von ihren Tischen.

»Das zweite Mal in meinem Leben«, rief er, »habe ich dem Tod ins Auge gesehen!«

»Tiens!«

»Ja, ich bin fast –«

Coram trat auf den Gashebel. Monsieur Pierre fiel auf seinen Sitz zurück, sein kurzer Auftritt war vorbei, als sie in die staubige Straße zur Pension einschwenkten.

Coram schwieg. Sie stiegen aus, und er stellte den Wagen ab. Pierre zog sich zurück, und Mrs. Coram und Alex stiegen über die Treppe des verdunkelten Hauses hinauf zu ihren Zimmern. Sie ging voran. Als sie zu seinem Zimmer kamen, sah sie, daß die Tür offen stand.

»Darf ich einmal hineinschauen?«

»Natürlich«, sagte er.

Sie trat vor ihm hinein. Die Läden waren geschlossen, der Raum war dunkel und kühl. Da war der weiße Umriß des Betts, der Bücherstapel daneben, die weiße Waschschüssel auf dem Eisengestell und der Koffer auf einem Stuhl. Er ging zum Fenster, um die Läden zu öffnen.

»Nein, tun Sie das nicht!« sagte sie. Aber ein Laden schwang auf. Ihr Gesicht war weiß und hart, tragisch und jeden Ausdrucks entleert, als sie sich ihm, der höfliche Miene machte, zukehrte.

Nichts gab es da.

Sie ging zu seinem Bett und legte sich darauf. Er hob leicht die Brauen, und sie bemerkte es.

»Hart sind sie hier im Haus«, sagte sie. »Die Betten.«
»Ein bißchen«, bestätigte er.
Sie stützte sich auf einem Ellbogen hoch.
»Sehr mutig waren Sie heute nachmittag«, sagte sie. »Während mein Mann davongelaufen ist.«
»Oh, nein«, wehrte er ab. »Er war nicht ausgezogen. Er war nicht im Wasser gewesen.«
»Er ist davongelaufen«, wiederholte sie. »Er war nicht einmal bereit, Sie zu holen.«
»Man kann nicht erwarten –«, setzte Alex an.
»Weil Sie jung sind, meinen Sie?«
»Ja.«
»Mein Mann ist so alt wie ich. Vierzig vorbei«, stellte sie trocken fest. »Ich war sehr von Ihnen beeindruckt«, fügte sie hinzu.
Er murmelte etwas Wohlerzogenes. Sie richtete sich auf und setzte sich auf die Bettkante.
»Mein Rock ist naß geworden«, sagte sie. »Hier –« Sie zog ihn über die Knie hoch. »Fühlen Sie!«
Er kam heran und befühlte ihr Kleid. Sie sah ihm in die Augen, als er den Stoff berührte. Sie zitterte.
»Machen Sie die Tür zu«, sagte sie plötzlich. »Ich muß es ausziehen. Ich mag nicht, daß Monsieur Pierre mich sieht.« Er schloß die Tür. Während er ihr den Rücken kehrte, faßte sie den Rocksaum und zog sich das Kleid über den Kopf. Mit nackten Beinen stand sie in ihrem weißen Unterkleid da. Ein Träger rutschte ihr über den Arm. Sie wußte, daß er ihre weiße Brust sah.
»In England könnte man das mißverstehen«, sagte sie mit einem lauten, nervösen Lachen. »Aber nicht in Frankreich.« Sie lachte und starrte ihn erschrocken an.
»Ich bin alt genug, um Ihre Mutter zu sein, nicht wahr?«
»Nicht ganz«, sagte er.

Sie erstickte fast. Schreien hätte sie mögen. Sie war häßlich, abstoßend. Sie hatte sich ihm zu erkennen geben wollen. »Fühlen Sie, wie kalt mir ist!« sagte sie, ein Bein vorschiebend. Er legte seine Hand auf ihren weißen Schenkel. Sie war warm und weich. Er war verwirrt.

»Stört Sie das?« fragte sie. Sie legte sich zurück auf das Bett. Tränen kamen ihr, als sie sprach.

»Sie sind jung«, sagte sie. »Kommen Sie! Setzen Sie sich hierher.«

Er kam und setzte sich neben sie auf die Bettkante. Er war sehr verwirrt. Sie nahm seine Hand. Aber in ihr war kein Begehren. Es hatte sich verflüchtigt. Wohin nur? Sie ließ seine Hand fallen und starrte ihn hilflos an. Sie begriff, daß er sie nicht begehrte – daß ihm so etwas gar nicht in den Sinn gekommen war. Sie wäre kalt geblieben, wenn sie jetzt seinen Kopf an ihre Brust gezogen hätte. Kein Begehren, nur Scham und Wut war in ihrem Herzen.

»Ich nehme an«, sagte sie unvermittelt, mit einem gespielten Gähnen, »das ist eine etwas ungewöhnliche Situation.«

Zu ihrem Erstaunen stand er auf.

»Waren Sie jemals verliebt?« fragte sie mit spöttischer Stimme, um ihn zurückzulocken. »Vermutlich nicht – noch nicht. Sie sind noch ein Kind.«

Bevor er darauf erwidern konnte, fuhr sie fort: »Zu jung, um mit einer Frau zu schlafen.«

Jetzt blickte er entrüstet und zornig. Sie lachte. Erhob sich. Sie freute sich, daß sie ihn erzürnt hatte.

Sie nahm ihr Kleid und wartete. Vielleicht würde er versuchen, sie zu küssen. Sie stand da und wartete auf ihn. Aber er rührte sich nicht. Allmählich überkam sie Abscheu vor dem, was sie hier tat. Wünsche waren nicht vorhanden. Eine Spur Furcht vor ihr sah sie in seinen braunen Augen.

»Vielen Dank«, sagte sie, drückte das Kleid an die Brust und ging zur Tür. Sie erhoffte sich noch eine weitere Erniedrigung, als sie hinaustrat: Daß man sie sehen würde, halbnackt, wie sie sein Zimmer verließ. Aber es war niemand auf der Treppe.

Aus dem Fenster auf dem Treppenabsatz sah sie das gewohnte Bild: die schnurgerade ausgerichteten Weinstöcke in der roten Erde. Die schattengefleckten Berge. Die Pinien. Es war wie auf einer Ansichtskarte, eine Aufnahme bei sonnigem Wetter – nicht diese Sonne, sondern eine Sonne aus anderen Tagen, die nicht wärmte. Der neutrale, harte, tote Glanz der Vergangenheit, der ihr Leben umgab.

Sie legte sich auf ihr eigenes Bett und schluchzte vor Elend und Scham wie ein geschlagenes Geschöpf, das sich vor einem blutlosen, unantastbaren Götzen erniedrigt. Sie beweinte ihre Häßlichkeit, beweinte die Schmach, nicht zu begehren. Sie hatte sich erniedrigt und gedemütigt. Wann war ihr Begehren abhanden gekommen? Bevor Alex sich ins Meer gestürzt hatte, um Pierre zu retten, war es noch dagewesen. Wann?

Es war geschehen, als sie gehört hatte, wie ihr Mann sich weigerte, und sie die Angst und Hilflosigkeit in seinen Augen, den Widerstreit in seinem Herzen erkannt hatte. Ihr Begehren war nicht dem Retter nachgeflogen, sondern hatte sich zornig, verletzt, befremdet und entsetzt dem Gatten zugewandt. Sie wußte das.

Sie hörte zu weinen auf und horchte nach ihm. Und in der Klarheit dieses Lauschens wußte sie, daß sie nicht aus Lebenshunger in Alex' Zimmer gegangen war, auch nicht, um Lebenshunger aus ihm zu erzwingen, sondern um sich bis in den Abgrund der Erniedrigung ihres Gatten zu erniedrigen. So waren sie beide: hilflose, verklemmte, verquere Menschen – Ausgestoßene in allem, was sie taten.

Sie hörte ihn die Treppe heraufkommen.

»Tom!« rief sie. »Tom!«

Voll Begier nach ihm lief sie zur Tür.

In der stillen Stunde nach dem Dinner kamen an jenem Abend einige Freunde Monsieur Pierres, um Genaueres über seine Rettung zu erfahren. Er hatte seine Jachtmütze aufgesetzt. Der Tod, verkündete er, habe für ihn keine Schrecken, so wenig wie die See. Er war ein Fall von präzisem Verdrängungsausgleich: Schon einmal hatte er dem Tod ins Auge gesehen... Er war ein Held. Auch nicht ein einziges Mal erwähnte er seinen Retter.

Zwei von den Gästen waren Briten, ein Oberst und seine Frau, und ihnen erzählte auch Coram die Geschichte. Er stolperte von Wort zu Wort, kämpfte sich voran. Sie saßen unter dem dichten schwarzen Laub des Maulbeerbaums – auch Mrs. Coram: ruhig, klug und welterfahren wie immer. Hin und wieder, wie immer, half sie ihrem Mann bei seiner Erzählung weiter. »Ich werde Ihnen schildern, was passiert ist«, sagte sie lächelnd. Erleichtert kehrten sich die Gäste zu ihr, und auch Coram selbst war ihr dankbar.

Fabelhaft, fand man, wie sie das beschrieb. Schreiben sollte sie. Warum nicht? »Weiter, Mrs. Coram! Sie haben noch ein Atout im Ärmel!«

Alle unter den Bäumen lachten, nur Pierre nicht. Ihr Englisch war für ihn zu viel und zu rasch.

»Einfach blödsinnig«, sagte sie, so rasch sie konnte und mit einem Blick auf Alex, »einfach blödsinnig, bei solchem Seegang zu schwimmen.«

»Tom hat versucht, ihn davon abzuhalten, aber er war nicht zu bremsen. Sie wissen ja, wie eitel sie sind«, sagte sie. »Und dann«, fuhr sie fort, als man zustimmend lachte und gespannt auf das Ende der Geschichte wartete, »hat mein armer Tom ins Wasser müssen, um ihn herauszuziehen.« Sie sah in die Runde. Ihre Augen leuchteten, ihr ganzer Körper vibrierte, als sie herausfordernd den Blick von den Gästen zu Alex und Tom wandte.

»A –«, setzte Tom an.

»Alex war am anderen Ende des Strands, und Tom mußte ins Wasser, um Monsieur herauszuziehen.«

Trotzig, mit einer Pause des Mitgefühls für Alex, begegnete sie ihren Blicken. Tom duckte sich wie ein zahmer Löwe beim Knallen der Peitsche: zwei Corams gegen eine Welt.

JOHN UPDIKE

Zweibettzimmer in Rom

Die Maples hatten schon so lange an eine Trennung gedacht und darüber geredet, daß es schien, sie würden dieses Vorhaben nie verwirklichen. Denn ihre Gespräche, die sich in zunehmendem Maße ambivalent und erbarmungslos gestalteten, weil Anklage, Widerruf, Schlag und Liebkosung miteinander wechselten und sich aufhoben, knüpften sie letztlich in einer schmerzhaften, hilflosen, demütigenden Intimität nur noch enger zusammen. Ihre körperliche Liebe blieb bestehen, gleich einem pervers robusten Kind, dem selbst die mangelhafteste Ernährung nichts anhaben kann; wenn ihre Zungen endlich schwiegen, vereinigten sich ihre Körper – gleichsam zwei stumme Armeen, die sich zusammentun, endlich erlöst von den absurden Feindseligkeiten, die zwei verrückte Könige verfügt haben. Blutend, zerfleischt, ein dutzendmal ehrerbietig zu Grabe getragen, konnte ihre Ehe doch nicht sterben. Sie brannten darauf, einander zu verlassen, und aus ehelicher Gewohnheit verließen sie ihr Heim gemeinsam. Sie reisten nach Rom.

Sie trafen nachts ein. Die Maschine hatte Verspätung, der Flughafen war verwirrend groß. Sie waren in aller Eile aufgebrochen, ohne irgendwelche Pläne zu machen, und doch, wie von ihrer Ankunft verständigt, tauchten behende, fließend englisch sprechende Italiener auf, trennten sie geschickt von ihrem Gepäck, bestellten telefonisch vom Flughafen aus ein Hotelzimmer für sie und komplimentierten sie in einen Bus. Der Bus fuhr zu ihrer Überraschung in eine ländliche Gegend hinein. Ein paar ferne Fenster hingen wie Laternen in der Dunkelheit; tief unten entblößte ein Fluß unmittelbar seine silbrige Brust; die vorüberfliegenden Silhouetten von Olivenbäumen und Pinien glichen schwarzen Federzeichnungen in einem alten lateinischen Lehrbuch. »Ich könnte ewig in diesem Bus fahren«, sagte Joan, und Richard fühlte sich schmerzlich berührt, weil er daran denken mußte, daß sie ihm einmal, als sie noch glücklich miteinander gewesen waren, gestanden hatte, sie sei sexuell erregt worden, als der junge Mann an der Tankstelle, der die Windschutzscheibe mit kräftigen, kreisenden Bewegungen blank rieb, den Wagen und damit auch sie in ein leises Schaukeln versetzte. Von allem, was sie ihm je offenbart hatte, war dies in seinem Gedächtnis haftengeblieben als der tiefste, enthüllendste Einblick in die verborgene Frau, die zu erreichen ihm nie gelungen war, so daß er seine Versuche schließlich aufgegeben hatte.

Aber es freute ihn, wenn sie glücklich war. Das war seine Schwäche. Er wollte, daß sie glücklich sei, und die Tatsache, daß er, fern von ihr, nicht wissen konnte, ob sie glücklich war oder nicht, bildete die letzte Schranke, die ihm unerwartet den Weg versperrte, als alle anderen Schranken schon gefallen waren. So trocknete er gerade die Tränen, die er ihren Augen entlockt hatte, widerrief jede Beteuerung der Hoffnungslosigkeit genau in dem Augenblick, da sie bereit schien, die Hoffnung aufzugeben – und ihrer beider Qual ging weiter. »Nichts dauert ewig«, sagte er jetzt.

»Kannst du mir nicht wenigstens einen Moment Ruhe gönnen?«

»Entschuldige. Ich wollte dich nicht stören.«

Sie starrte eine Zeitlang aus dem Fenster, dann drehte

sie sich wieder zu ihm um. »Es kommt mir gar nicht so vor, als ob wir nach Rom fahren.«

»Wohin führt unser Weg?« Er wollte es wirklich wissen, hoffte aufrichtig, sie könnte es ihm sagen.

»Zurück zu dem, was war?«

»Nein, zurück will ich nicht. Mir scheint, wir haben einen sehr weiten Weg hinter uns und sind kurz vor einem Ziel.«

Sie blickte geraume Zeit auf die Landschaft hinaus, bevor er merkte, daß sie weinte. Er unterdrückte den Impuls, sie zu trösten, verdammte ihn innerlich als feige und grausam, doch seine Hand, als wäre sie durch eine Kraft, mächtig wie das Verlangen, von einem Zwang befreit, kroch zu ihrem Arm. Sie legte den Kopf an seine Schulter. Die Frau im Umschlagtuch auf der anderen Gangseite hielt sie für Hochzeitsreisende und wandte diskret den Blick ab.

Der Bus ließ die ländliche Gegend hinter sich. Fabriken und Wohnhäuser verengten die Straße. Plötzlich ragte ein Denkmal neben ihnen auf, eine mächtige weiße Pyramide mit einer lateinischen Inschrift, von Scheinwerfern angestrahlt. Wenig später preßten sie beide das Gesicht an die Scheibe, um das Colosseum zu bewundern, das einem zusammengefallenen Hochzeitskuchen glich. Vom Bus aus gesehen schien es sich langsam zu drehen, bevor es lautlos ihren Blicken entschwand. An der Endstation brachte eine andere lebhafte Kette von Händen und Stimmen sie wieder mit ihrem Gepäck zusammen, verfrachtete sie in ein Taxi und expedierte sie zum Hotel. Als Richard sechs Hundert-Lire-Stücke in die Hand des Fahrers fallen ließ, dünkten sie ihn die glattesten, rundesten, am taktvollsten abgewogenen Münzen, die er je ausgegeben hatte. Zur Hotelrezeption ging es eine Treppe hinauf. Der Empfangschef war ein junger, zu Scherzen aufgelegter Mann. Er sprach ihren Namen mehrmals aus und fragte, warum sie nicht lieber nach Neapel gefahren seien, dessen englischer Name – Naples – sich so schön auf ihren Namen reime. Am Flughafen hatte man ihnen gesagt, das Hotel sei »gute Mittelklasse«, aber die Fußböden der Korridore waren immerhin aus rosenfarbenem Marmor. Auch ihr Zimmer hatte einen Marmorfußboden. Dies und die Geräumigkeit des Badezimmers und der kaiserliche Purpur der Vorhänge blendeten Richard so sehr, daß er erst wieder zu sich kam, als der Page, der aus Freude über das vielleicht zu reichlich bemessene Trinkgeld die Hacken zusammengeknallt hatte, schon außer Sicht war.

»Zwei Betten«, sagte er. Sie hatten sonst immer ein Doppelbett gehabt.

»Willst du ihn zurückrufen?« fragte Joan.

»Legst du großen Wert darauf?«

»Ach, so wichtig ist das doch nicht. Kannst du allein schlafen?«

»Ich denke schon. Aber...« Es war eine heikle Angelegenheit. Er hatte das Gefühl, sie seien beleidigt worden. Solange sie sich noch nicht endgültig getrennt hatten, schien es unerhört, daß sich irgend etwas zwischen sie schob, und sei es auch nur der Raum zwischen zwei Betten. Wenn diese Reise über Sein oder Nichtsein ihrer Ehe entscheiden sollte (und das war zum zehntenmal ihr Slogan), dann mußte das Streben nach einem positiven Ergebnis eine gewisse technische Reinheit besitzen, selbst wenn – besser gesagt, um so mehr als – Richard diesen Versuch in seinem Innern schon zum Scheitern verurteilt hatte. Außerdem war da die materielle Frage, ob er schlafen konnte, wenn er keinen warmen Körper neben sich hatte, der seinem Schlaf Form verlieh.

»Aber was?«

»Aber ich finde es irgendwie... traurig.«

»Richard, sei nicht traurig. Du bist lange genug traurig gewesen. Du sollst dich hier entspannen und erholen. Wir sind ja nicht auf der Hochzeitsreise oder so, wir versuchen nur, uns gegenseitig etwas Ruhe zu gönnen. Und wenn du gar nicht schlafen kannst, darfst du gern zu mir ins Bett kommen.«

»Du bist eine so nette Frau«, sagte er. »Ich begreife einfach nicht, warum ich mit dir so unglücklich bin.«

Er hatte dies oder ähnliches schon so oft gesagt, daß sie, angeekelt von dem Honig-Galle-Gemisch, die Bemerkung ignorierte und mit betonter Ruhe ans Auspacken ging. Auf ihren Vorschlag hin machten sie dann noch einen Bummel durch die Stadt, obwohl es schon 10 Uhr war. Ihr Hotel lag in einer Geschäftsstraße, die um diese Zeit von heruntergelassenen Rolläden gesäumt war. In einiger Entfernung plätscherte ein beleuchteter Brunnen. Richards Füße, die ihn sonst nie schmerzten, taten auf einmal entsetzlich weh. In der weichen, feuchten Luft des römischen Winters schienen sich in seinen Schuhen heiße Wölbungen gebildet zu haben, die ihn bei jedem Schritt drückten. Er konnte sich nicht erklären, woher das kam – vielleicht war er empfindlich gegen Marmor. Seiner Füße wegen setzten sie sich in eine amerikanische Bar und bestellten Kaffee. Irgendwo im Hintergrund tönte eine betrunkene männliche amerikanische Stimme monoton durch die Rillen eines unverständlichen, aber eindeutig weiblichen Klagegeleiers; tatsächlich klang die Stimme gar nicht männlich, sondern eher wie die einer Frau, nur dunkler getönt durch eine zu langsame Umdrehungszahl des Plattenspielers. In der Hoffnung, eines wachsenden Schwindel- und Leeregefühls Herr zu werden, bestellte Richard einen ›Hamburger‹, der mehr aus Tomatensauce als aus Fleisch bestand. Auf der Straße kaufte er dann einem Händler eine Tüte gerösteter Kastanien ab. Der Mann, dessen Daumen und

Fingerspitzen kohlschwarz waren, bewegte die Hand, bis 300 Lire in ihr lagen. In gewisser Hinsicht begrüßte es Richard, daß man ihn ausnahm; es verlieh ihm einen Platz in der römischen Wirtschaft. Die Maples kehrten ins Hotel zurück und fielen nebeneinander in ihren zwei Einzelbetten mühelos in tiefen Schlaf.

Das heißt, Richard nahm in den Buchführungsgewölben seines Unterbewußtseins an, daß auch Joan gut schlief. Aber als sie am nächsten Morgen aufwachten, sagte sie: »Du warst schrecklich komisch heute nacht. Ich konnte nicht einschlafen, und jedesmal, wenn ich den Arm ausstreckte und dir einen kleinen Klaps gab, damit du denken solltest, du wärst in einem Doppelbett, hast du ›Geh weg‹ geknurrt und mich abgeschüttelt.«

Er lachte entzückt. »Hab ich das wirklich getan? Im Schlaf?«

»Es muß wohl im Schlaf gewesen sein. Einmal hast du so laut ›Laß mich in Ruhe‹ gerufen, daß ich dachte, du wärst wach, aber als ich dann mit dir sprechen wollte, hast du geschnarcht.«

»Na, so was! Hoffentlich habe ich dich damit nicht gekränkt.«

»Nein. Es war sehr erfrischend, dich einmal frei von der Leber weg reden zu hören.«

Er putzte sich die Zähne und aß ein paar von den übriggebliebenen, jetzt kalten Kastanien. Nach dem Frühstück im Hotel – es gab zähe Brötchen und bitteren Kaffee – gingen die Maples wieder auf Besichtigungstour. Wie am Vorabend machten Richard die drückenden Schuhe zu schaffen. Die Stadt schien zu erraten, was er am dringendsten brauchte, denn sie präsentierte sogleich mit eigenartiger, fast spöttischer Zuvorkommenheit ein Schuhgeschäft. Sie traten ein, und Richard erstand bei einem schlangenhaft anmutigen jungen Verkäufer ein Paar leichte schwarze Alligatorslipper. Sie hatten zwar eine modisch schmale Form, aber sie waren wenigstens tot – sie zwickten ihn nicht so brutal und rachsüchtig wie die anderen. Dann wanderten die Maples, sie mit dem Hachette-Reiseführer in der Hand, er mit dem Karton, der seine amerikanischen Schuhe enthielt, die Via Nazionale hinunter zum Monumento Vittorio Emanuele, einer gigantischen Treppe, die ins Nichts führte. »Was war so groß an ihm?« fragte Richard. »Hat er Italien geeint? Oder war das Cavour?«

»Ist er der komische kleine König aus Hemingways *In einem andern Land*?«

»Ich weiß nicht. Aber so groß *kann* niemand sein.«

»Verstehst du jetzt, weshalb die Italiener keine Minderwertigkeitskomplexe haben? Hier ist alles so riesenhaft.«

Sie betrachteten den Palazzo Venezia, bis sie glaubten, Mussolini stirnrunzelnd an einem Fenster stehen zu sehen, stiegen die vielen Stufen zur Piazza del Campidoglio hinauf und kamen zu dem Reiterstandbild Marc Aurels auf dem Sockel von Michelangelo. Joan meinte, es erinnere sehr an Marino Marini, und das stimmte; ihre Intuition hatte achtzehn Jahrhunderte übersprungen. Sie war so klug. Vielleicht war es das, was ein Fortgehen von ihr als Geste in der Konzeption so köstlich und in der Ausführung so schwierig machte. Sie gingen um den Platz herum. Die Portale und Türen aller Gebäude schienen wie die Türen auf einem Bild für ewige Zeiten geschlossen zu sein. Nur eine Seitentür der Kirche Santa Maria in Aracoeli war offen, und dort traten sie ein. Sie entdeckten, daß sie über Schlafende hinwegschritten, über lebensgroße, von ungezählten Füßen fast zur Unkenntlichkeit abgewetzte Grabreliefs. Die Finger der auf steinernen Brüsten gefalteten Hände waren zu fingerförmigen Schemen geglättet. Ein

Gesicht, das hinter einer Säule der Abnutzung entgangen war, schien eine lebende Seele zu sein, die sich von ihrem nahezu ausgelöschten Körper zu erheben suchte. Die Reliefs waren in einen Boden eingelassen, der einmal ein glitzernder Mosaiksee gewesen sein mußte. Nur die Maples betrachteten diese Grabmäler; die anderen Touristen drängten sich um die Kapelle, in der hinter Glas die kindergroßen grünlichen Überreste eines Papstes in Pantoffeln und Ornat aufbewahrt wurden. Joan und Richard verließen die Kirche durch die Seitentür, stiegen mehrere Stufen hinunter und lösten Eintrittskarten für das Forum Romanum. Die Renaissance hatte das Ruinenfeld als Steinbruch benutzt; überall lagen geborstene Säulen herum, mit Perspektive befrachtet wie ein Gemälde von de Chirico. Joan war entzückt, daß Vögel und Unkraut in den Ritzen und Spalten dieser Traumrelikte lebten. Ein ganz leichter Regen hatte eingesetzt. Am Ende eines Weges spähten sie durch Glastüren, und ein kleiner uniformierter Mann mit einem Besen kam herbeigehinkt und ließ sie in die leere Kirche Santa Maria Antiqua eintreten, verstohlen wie in eine Kneipe mit verbotenem Alkoholausschank. Die bleiche, gewölbte Luft wirkte frei von frommer Andacht; die Fresken aus dem 7. Jahrhundert schienen erst vor kurzem in nervöser Eile gemalt worden zu sein. Beim Hinausgehen las Richard die Frage in dem Lächeln des Mannes mit dem Besen und drückte ihm eine taktvolle Münze in die Hand. Wieder stäubte der feine Regen auf sie herab. Joan hakte sich bei ihrem Mann ein, als suche sie Schutz. Richard begann der Magen zu schmerzen – ein leichter, reibender Schmerz zunächst, kaum ausreichend, ihn von dem Brennen in seinen Füßen abzulenken. Sie gingen die Via Sacra entlang, durch heidnische Tempel ohne Dach, ausgelegt mit Grasteppichen. Der Schmerz in Richards Magen wurde heftiger. Uniformierte Wächter, alte

Männer, die hier und dort im Regen standen wie hungrige Möwen, winkten ihnen, um sie auf weitere Ruinen, weitere Kirchen aufmerksam zu machen, doch Richard konnte jetzt nur noch daran denken, wie weit er von allem entfernt war, was ihm vielleicht Linderung verschaffen konnte. Er lehnte den Besuch der Basilica Constantini ab und fragte statt dessen nach einer *uscita*. Er hatte einfach nicht mehr die Kraft, zum Eingang zurückzugehen. Der Wächter, der eine Trinkgeldquelle entschwinden sah, deutete mürrisch auf ein Pförtchen in einem Drahtzaun. Die Maples öffneten das Schnappschloß, traten hinaus und standen auf der Anhöhe, von der aus man das Colosseum überblickte.

Richard ging ein Stück und lehnte sich dann an eine niedrige Mauer.

»Ist es so schlimm?« fragte Joan.

»Scheußlich«, sagte er. »Entschuldige, ich weiß gar nicht, was mit mir los ist.«

»Mußt du dich übergeben?«

»Nein. Das ist es nicht.« Er sprach mühsam, abgehackt. »Es ist nur... eine Art Bauchgrimmen.«

»Oben oder unten?«

»In der Mitte.«

»Wovon kann das kommen? Von den Kastanien?«

»Nein. Ich glaube, es liegt einfach daran... daß ich hier bin, so weit fort von allem mit dir... und nicht weiß... warum.«

»Möchtest du zurück ins Hotel?«

»Ja. Wenn ich mich hinlege...«

»Wollen wir ein Taxi nehmen?«

»Die hauen mich wieder... übers Ohr.«

»Das spielt doch jetzt keine Rolle.«

»Ich weiß... die Adresse nicht.«

»Wir wissen aber so ungefähr, wo es ist. Ganz in der

Nähe dieses großen Brunnens. Ich sehe gleich mal im Wörterbuch nach, was Brunnen auf italienisch heißt.«

»Rom ist... voll von... Brunnen.«

»Richard, du machst das doch nicht nur meinetwegen?«

Er mußte lachen, sie war so klug. »Nicht bewußt. Es hat etwas zu tun... mit dem ewigen... Trinkgeldgeben. Ich habe wirklich Schmerzen. Es ist unglaublich.«

»Kannst du gehen?«

»Klar. Faß mich unter.«

»Soll ich dir nicht den Schuhkarton abnehmen?«

»Nein. Mach dir keine Sorgen, Schatz. Es hängt mit den Nerven zusammen. Ich hatte es oft... als ich klein war. Aber damals war ich... tapferer.«

Eine Treppe führte zu einer Straße hinunter, auf der starker Verkehr herrschte. Die Taxis, denen sie winkten, waren alle besetzt und hielten nicht an. Sie überquerten die Via dei Fori Imperiali und versuchten, sich durch die Fahrzeugströme aus den Nebenstraßen in das Viertel mit dem Brunnen, der amerikanischen Bar, dem Schuhgeschäft und ihrem Hotel vorzuarbeiten. Dabei gerieten sie auf einen grellbunten Viktualienmarkt. Wurstgirlanden hingen von gestreiften Markisendächern herab. Haufen von Salatköpfen lagen auf der Straße. Richard ging steifbeinig, als wäre der Schmerz, den er in sich trug, eine kostbare, zerbrechliche Last; wenn er den einen Arm auf den Leib preßte, schien es ein bißchen besser zu werden. Der Regen und Joan waren in gewisser Weise die Kräfte gewesen, die den Schmerz ausgelöst hatten, und jetzt wurden sie zu den Kräften, die ihm halfen, ihn zu ertragen. Joan stützte ihn beim Gehen, und der Regen verschleierte ihn, ließ seine Gestalt für die Passanten und dadurch auch für ihn selbst verschwommen erscheinen und nahm auf diese Weise dem Schmerz die Schärfe. Die Straßen, die sie hinauf- und hinabstiegen, kamen ihm grausam steil vor. Neben der Banca d'Italia mußten sie einen langen, schmalen Bürgersteig erklimmen. Es regnete nicht mehr. Der Schmerz, der in jeden Winkel des Raumes unter den Rippen vorgedrungen war, hatte sich mit einem Messer bewaffnet und begann wild um sich zu schlagen, als wollte er die Bauchwand aufschlitzen und sich so einen Weg ins Freie bahnen. Ein paar Querstraßen vom Hotel entfernt erreichten sie die Via Nazionale. Die Läden waren jetzt geöffnet, den Brunnen hatte man abgestellt. Richard kam es vor, als lehne er sich zurück; sein Denken schien so etwas wie ein Zweig zu sein, ein Zweig, der sich von seinem Stamm entfernt hatte und lieber an dieser Stelle sitzen wollte als an jener oder doch lieber anderswo und der bei jedem Wechsel etwas dünner geworden war, bis ihm schließlich nichts anderes übrigblieb, als sich in Luft aufzulösen. Im Hotelzimmer legte Richard sich auf sein Bett, rollte sich, in den Mantel gehüllt, zusammen und schlief sofort ein.

Etwa eine Stunde später wachte er auf, und alles war anders. Er hatte keine Schmerzen mehr. Joan lag auf ihrem Bett und las in dem Hachette-Reiseführer. Er sah sie, als er sich zu ihr umdrehte, mit ganz anderen Augen: in jenem kühlen Bibliothekslicht, in dem er sie zum erstenmal gesehen hatte; nur wußte er, und es war ein ruhiger Gedanke, daß sie inzwischen zu ihm gekommen war, um sein Zimmer zu teilen. »Die Schmerzen sind weg«, sagte er.

»Du machst wohl Witze. Ich war drauf und dran, nach einem Arzt zu schicken und dich ins Krankenhaus bringen zu lassen.«

»Nein, so schlimm war es nicht. Ich hab's gleich gewußt. Eine Nervensache, weiter nichts.«

»Du warst leichenblaß.«

»Es ist zu vieles auf mich eingestürmt. Ich glaube, das Forum hat sich mir auf die Seele gelegt. Die Vergangenheit wirkt da so drückend. Und gedrückt haben mich auch meine Schuhe.«

»Liebling, das ist eben Rom. Hier hast du glücklich zu sein.«

»Jetzt bin ich's ja auch. Komm, laß uns essen gehen, du bist bestimmt schon ganz schwach vor Hunger.«

»Willst du wirklich aufstehen? Fühlst du dich kräftig genug?«

»Unbedingt. Ich bin wieder ganz in Ordnung.« Und so war es auch, bis auf ein angenehm nachklingendes Grimmen, das schon beim ersten Bissen Mailänder Salami verschwand. Die Maples nahmen abermals Rom in Angriff, und in dieser Stadt der Stufen, der gleitenden, sich entfaltenden Perspektiven, der vielfenstrigen Flächen von Sepia und rosigem Ocker, der weitläufigen Gebäude, in denen man sich wie im Freien vorkam, in dieser Stadt trennten sie sich. Nicht physisch – es kam selten vor, daß sie einander aus den Augen verloren. Aber sie waren endlich getrennt worden, und sie wußten es beide. Im Umgang miteinander waren sie wie in der Zeit ihrer jungen Liebe: höflich, heiter und ruhig. Ihre Ehe löste sich gleich einer übermäßig gewachsenen Kletterpflanze, in deren halb verborgenen Stamm ein alter Gärtner im Morgengrauen seine Axt geschlagen hat. Sie gingen Arm in Arm durch scheinbar fest zusammenhängende Gebäudeblocks, die bei näherer Betrachtung in deutlich getrennte Stil- und Zeitschichten zerfielen. Einmal wandte sie sich ihm zu und sagte: »Liebling, ich weiß, was mit uns nicht gestimmt hat. Ich bin klassisch, und du bist barock.« Sie kauften ein, besichtigten, schliefen, aßen. Als Richard ihr gegenübersaß in dem letzten der Restaurants, die wie Oasen aus Tischleinen und Wein die Stützpunkte dieser ausgeglichenen elegischen Tage gewesen waren, sah er, daß sie glücklich war. Ihr von der Anspannung des Hoffens befreites Gesicht war weich und glatt geworden; ihre Gesten hatten jetzt die flirtende Ironie der Jugend; sie interessierte sich ekstatisch für alles, was um sie herum geschah; und sie sprach, als sie sich vorbeugte, um ihm eine Bemerkung über eine Frau und einen gut aussehenden Mann an einem Nachbartisch zuzuflüstern, mit schneller Stimme, als wäre sogar ihre Atemluft dünn und frei geworden. Sie war glücklich, und er, eifersüchtig auf ihr Glück, wurde wieder wankend in seinem Entschluß, sie zu verlassen.

Nachbemerkung

Der kluge Montaigne hat die Ehe einmal mit einer »forteresse assiégée«, einer belagerten Festung verglichen: die draußen sind, wollen mit aller Macht hinein, und die drinnen wollen rausgelassen werden. Damit hat er offenbar ein höchst schlüssiges Bild gefunden, das nicht nur die gegensätzliche Einschätzung der Ehe zu einer Art Gesetzmäßigkeit erhebt, sondern sogar noch unsere heutige Ehesituation – ziemlich genau vier Jahrhunderte später – zu beschreiben vermag: den paradoxen Tatbestand eines verstärkten Trends zur Ehe bei gleichzeitig steigender Scheidungsrate in Ländern mit vergleichsweise liberaler Ehegesetzgebung. Auch die daraus folgende Zweit- und Drittehe widerspricht nicht dem Montaigneschen Bild, denn es schließt die radikale Wandlung des Urteils über die Ehe nach Eheleid und -scheidung ja mit ein.

Zu erklären ist das Eingehen einer neuen Ehe nach dem Scheitern einer früheren vor allem durch die Unerschütterlichkeit hoher, ja höchster Erwartungen an die eheliche Zweisamkeit. Sie scheinen auf der Vorstellung vom unbedingten Recht auf privates Glück zu basieren, wie es unter dem klotzigen Schlagwort von der Selbstverwirklichung zumeist als Forderung an den anderen herangetragen wird. Doch je höher die Erwartungen an die Ehe, um so eher stellt sich Enttäuschung ein, und nur der fromme Selbstbetrug, daß man eben den falschen Partner gewählt habe, bewahrt dann vor der Einsicht in die Überzogenheit der in die Ehe investierten Hoffnungen und Ansprüche auf Glück und Erfüllung.

Der wohlfeile Zweifel am Partner eröffnet die neuerliche Aussicht auf einen romantischen Höhenflug mit einem oder einer anderen – und eine weitere Chance der Desillusionierung. Dabei wäre der nüchterne Schluß, wie ihn Bertrand Russell beispielsweise zieht: »Eine Ehe hat die meiste Aussicht, das zu sein, was man glücklich nennt, wenn keiner der beiden Partner damit rechnet, viel Glück darin zu finden«, in den meisten Fällen bestimmt das aussichtsreichste und verläßlichste Konzept zur Begründung einer dauerhaft befriedigenden ehelichen Gemeinschaft.

Daß es in der Literatur so viele Liebesgeschichten gibt und viele davon – »zu guter Letzt« – mit der glücklichen Heirat der beiden Liebenden enden, daß es dagegen aber vergleichsweise wenig Ehegeschichten gibt, von denen wiederum nur der kleinste Teil das Glück der Ehe preist, dieses Faktum mag nun außerdem damit zusammenhängen, daß die Literatur da, wo sie wahr ist und ihren Namen verdient, die ihren Themen und Gegenständen innewohnenden Widersprüche aufzusuchen pflegt, und da befindet sie sich mit dem Thema der Ehe, anders als bei dem der wie immer gearteten romantischen Liebe, auf ohnehin schwierigem Terrain, im Spannungsfeld zwischen illusionsträchtiger Gefühlswelt und nüchterner Alltagswirklichkeit. Das Gegeneinander dieser beiden Wirklichkeitsbereiche ruft notwendig zwiespältige, im besten Falle gemischte Gefühle auf den Plan, und so ist es denn auch kaum verwunderlich, wenn in Ehegeschichten viel häufiger der Konflikt das Thema ist als Harmonie und Beständigkeit des Ehelebens.

Den meisten der hier versammelten Erzählungen, ob sie nun zu einer eher positiven oder einer sehr kritischen Einschätzung neigen, ist die Ehe zumindest problematisch, unabhängig davon, ob es eine jüngere oder ältere ist, ob sie aus der Sicht des Mannes oder der der Frau gezeichnet ist oder wie einige der intelligentesten, tiefsinnigsten Erzählungen dieses Bandes, die etwa von Katherine Anne Porter und die von D. H. Lawrence, die Perspektiven raffiniert mischt und dadurch die Ambivalenz der Sichtweisen kunstvoll unterstreicht. Die Gründe, aus denen die Beziehung zwischen den beiden Gatten jeweils problematisch wird, sind vielfältig, doch bleiben sie auf diese beiden beschränkt – Familiengeschichten sozusagen, Geschichten mit größerem Personal, insbesondere mit Kindern, wurden bei dieser Auswahl nicht berücksichtigt.

Da gibt es die Probleme der Eingewöhnung und der Gewohnheit, Konflikte, die aus einem unterschiedlichen Bedürfnis der Nähe, aus unterschiedlichen Erwartungen an Gemeinsamkeit, aus dem Anspruch auf Ausschließlichkeit erwachsen; da gibt es, immer wieder, die gegenseitigen Machtkämpfe, von der subtilen Form des Terrors, etwa in der Erzählung von Sylvia Plath, bis hin zu den rabiaten Lösungen bei Hans Jürgen Fröhlich und Friedrich Georg Jünger; da gibt es erotische Verwirrungen, von listiger Hintergründigkeit bei Dacia Maraini und von hinreißend-selbstverständlicher Unkompliziertheit bei André Maurois, und es gibt die tiefgreifenden, unüberwindlichen Probleme gegenseitigen Nichtverstehen-Könnens aufgrund gesellschaftlicher und individueller Widersprüche und veränderter Haltungen gegenüber der Institution der Ehe und ihren Konventionen, zum Beispiel in D. H. Lawrences herausragender Erzählung ›Neue Eva und alter Adam‹, die hier in einer Neuübersetzung erscheint: bereits 1912 geschrieben, ist sie eine der am modernsten anmutenden und uns am unmittelbarsten betreffenden Erzählungen dieser Sammlung.

Nun kann es in einer solchen Anthologie natürlich nicht

um einen möglichst umfassenden Katalog von Eheleiden und -freuden, schon gar nicht um eine Auflistung von Argumenten für und wider die Ehe gehen, wenn solche thematisch gebundenen Zusammenstellungen literarischer Texte mit ihrem konzentrierten und notwendigerweise verengten Blick auf ihren Gegenstand auch leicht dazu verführen, das Literarische zu übersehen und die einzelne Erzählung auf die bloße Illustration bestimmter stofflicher Gegebenheiten zu reduzieren. Doch sagt die pure Nennung des Gegenstands oder eines inhaltlichen Stichworts fast nichts oder doch nichts Wesentliches über die Wahrheit der jeweiligen Geschichte; ohne ihre literarische Argumentation ist sie nichts.

So ist zum Beispiel eine der beglückendsten Erzählungen dieser Sammlung, Schnitzlers Novelle ›Die Frau des Weisen‹, vordergründig zwar auch die Geschichte einer ehelichen Verfehlung, doch ist sie in Wahrheit die Geschichte der Rettung einer Ehe durch die überlegene Großmut des hintergangenen Gatten; die Komposition der Erzählung ist ganz darauf angelegt, diese Rettung zu beglaubigen: indem sie das Geschehen aus der Rückschau, im Abstand mehrerer Jahre zeigt, und indem sie auf eine Situation der Bewährung hindrängt, in der der Akt der Verzeihung ein zweites Mal seine rettende Wirkung erweisen kann. Oder James Stephens' Erzählung ›Pferde‹, die über die Geschlossenheit und Schlüssigkeit des Bildes von den Pferden eindeutig für den gepeinigten Ehemann Partei ergreift und durch ihre heiter-ausgelassene Metaphorik die Flucht aus einer quälend beengenden Ehe zu einer herrlichen Angelegenheit erklärt; oder Hans Jürgen Fröhlichs Geschichte ›Ende einer Auseinandersetzung‹, die die fürchterliche Eskalation eines Ehekrachs mit den Stilformen des Komischen als bloßes groteskes Ritual entlarvt. Ein anderes augenfälliges Beispiel für die Bedeutsamkeit der Formensprache wäre ›Das Wunschkästchen‹ von Sylvia Plath, eine Erzählung, deren verletzliche Schönheit mit dem Schrecken ihrer Mitteilung versöhnt und die Phantasie gleichsam für ihre verzweifelte Heldin rettet. Und endlich Katherine Anne Porters Erzählung ›Ein Tagewerk‹, die einen Tag aus dem jahrzehntelangen täglichen Ehekrieg der Hallorans vorführt und in Wahrheit doch nichts anderes beweist als die unbedingte Zusammengehörigkeit der beiden Kontrahenten; sie mögen noch so streiten und gegeneinander wüten, die Ökonomie der Erzählung hält sie in einem stabilen Gleichgewicht und zeigt den einen als notwendiges Gegenstück des anderen. Da liegen die eigentlichen Wahrheiten dieser Erzählungen, und so werden zuletzt sogar aus schlimmen schöne Geschichten.

Wissen auch längst nicht alle der hier vorgeführten Paare, wie sehr sie zusammengehören, so gibt es doch eines, das sich der Berge versetzenden Kraft seiner ehelichen Liebe bewußt ist, Agnes und Henry in Mark Helprins Erzählung ›Wegen der Hochwasserfluten‹. Diese beiden haben sich mit eben jener Unbedingtheit zu ihrer Ehe bekannt, die nach dem Ratschluß der Erzählung allein deren glücklichen Bestand verheißt. »Das sind die einzigen Ehen, die gutgehen – wo du auf alles pfeifst und drei oder vier Dutzend Leute vor den Kopf stößt und fünfzig anderen sagst, sie könnten dich mal, und dann wegziehst, nach Nevada oder Alaska oder Brasilien. Wenn du das nicht tust, bist du auch nicht richtig verheiratet.«

Ursula Köhler

Zu den Autoren

OTTO FLAKE wurde am 29. Oktober 1880 in Metz als Sohn deutscher Eltern geboren und wuchs im Elsaß auf. Nach dem Studium der Germanistik, Philosophie und Kunstgeschichte in Straßburg hielt er sich längere Zeit in Paris und Berlin auf. Während des Ersten Weltkriegs war er in der Zivilverwaltung in Brüssel tätig. 1918 ging er nach Zürich und schloß sich dem Dada-Kreis an. Seit 1928 lebte er ständig in Baden-Baden, wo er am 10. November 1963 starb.

Flake hat als Erzähler, Essayist, Kulturphilosoph und -kritiker ein umfangreiches Werk hinterlassen, u. a. die großen Romane ›Ruland‹ (1922), ›Freund aller Welt‹ (1928), ›Hortense‹ (1933), ›Fortunat‹ (1947) und zahlreiche Erzählungen, die gesammelt 1966 in dem Band ›Finnische Nächte‹ erschienen.

Die Geschichte *Das Bild* ist datiert: 1930.

HANS JÜRGEN FRÖHLICH, der am 4. August 1932 in Hannover geboren wurde, hat nach dem Studium der Musik bei Wolfgang Fortner im Buchhandel, im Antiquariat und im Verlag, zuletzt als Lektor bei Claassen in Hamburg, gearbeitet; von 1963 an freier Schriftsteller. Nach Aufenthalten in Wien, Rom und am Gardasee lebte er in München, wo er am 22. November 1986 starb. Neben Aufsätzen, Rezensionen, Hörspielen und Dramen veröffentlichte er mehrere Romane, u. a. ›Tandelkeller‹ (1967), ›Anhand meines Bruders‹ (1974) und ›Im Garten der Gefühle‹ (1975), die Biographie ›Schubert‹ (1978) und Erzählungen.

MARK HELPRIN, der am 28. Juni 1947 in New York als Sohn eines Filmproduzenten und einer Schauspielerin geboren wurde, wuchs auf in New York, im Tal des Hudson River und in British West-Indien. Er promovierte in Harvard und diente bei der Britischen Handelsmarine und in der Israelischen Armee. Helprin hat bisher zwei Romane, zuletzt ›Wintermärchen‹ (deutsche Ausgabe 1984), und zwei Bände mit Erzählungen publiziert, für die er 1982 mit dem ›National Jewish Book Award‹ ausgezeichnet wurde. Helprin lebt in Rom und New York.

Die Erzählung *Wegen der Hochwasserfluten* erschien in dem Band ›Eine Taube aus dem Osten und andere Erzählungen‹ (1981; dt. 1984); Hans Hermann hat sie aus dem Amerikanischen übersetzt.

FRIEDRICH GEORG JÜNGER, der am 1. September 1898 als Sohn eines Chemikers in Hannover geboren wurde, ging als Gymnasiast in den Krieg, wo er schwer verwundet wurde. 1920 begann er ein Jurastudium und arbeitete nach seiner Promotion 1924 einige Zeit als Rechtsanwalt. Von 1926 bis 1936 lebte er als freier Schriftsteller in Berlin, danach in Überlingen am Bodensee, wo er am 20. Juli 1977 starb. Er ist vor allem als Lyriker und Essayist (›Die Perfektion der Technik‹, 1944) bekanntgeworden, seit 1950 zunehmend auch als Autor von Romanen, Erzählungen und autobiographischen Arbeiten.

Die Erzählung *Der Knopf* ist zuerst 1967 in dem Band seiner ›Gesammelten Erzählungen‹ erschienen.

DAVID HERBERT LAWRENCE wurde am 11. September 1885 als fünftes Kind eines Bergarbeiters in Eastwood/Nottinghamshire geboren. Er war zunächst eine Zeitlang als Lehrer tätig, bevor er sich 1912 entschloß, als freier Schriftsteller zu leben. Im selben Jahr brannte er mit Frieda Weekley geb. von Richthofen, der Frau seines ehemaligen Professors, durch und heiratete sie nach ihrer Scheidung 1914. Nach dem Krieg begann Lawrence seine »wilde Pilgerfahrt« auf der Suche nach einer erfüllenderen Lebensweise, als sie die industrielle Zivilisation des Westens bot. Diese Suche führte ihn nach Sizilien, Ceylon, Australien und 1922 schließlich nach Neu-Mexiko. 1925 kehrte er nach England zurück, verließ es jedoch endgültig, als 1928 sein Roman ›Lady Chatterley's Lover‹ von der Zensur verboten wurde. Er starb am 2. März 1930 in Vence bei Nizza.

Lawrence hat außer zahlreichen Romanen und Erzählungen auch Reisebücher, Essays und Lyrik veröffentlicht.

Die Erzählung *New Eve and Old Adam* wurde Ende 1912 geschrieben, jedoch erst 1934 publiziert, in ›A Modern Lover‹. Sie erscheint hier in einer neuen deutschen Übersetzung, die Reinhard Kaiser besorgt hat.

KATHERINE MANSFIELD (eigentlich Kathleen Beauchamp) wurde am 14. Oktober 1888 in Wellington (Neuseeland) als Tochter eines englischen Bankiers geboren. Als 14jährige ging sie nach London, um Musik zu studieren; 1908 siedelte sie endgültig nach England über. Dort führte sie ein hektisches und rastloses Leben, zeitweilig mit einer Wanderoper in der Provinz umherziehend. Als sie 1918 an Tuberkulose erkrankte, sah sie sich zu längeren Kuraufenthalten in der Schweiz und in Frankreich gezwungen. Katherine Mansfield starb am 9. Januar 1923 in der Nähe von Fontainebleau. Berühmtheit erlangte sie durch ihre meisterlichen, psychologisch subtilen und oft von leiser Schwermut geprägten Kurzgeschichten.

Die Erzählung *Flitterwochen* (›Honeymoon‹) erschien erstmals in dem 1923 von John Middleton Murry posthum herausgegebenen Erzählungsband ›The Doves' Nest‹. Die Erzählung *Der Fremde* (›The Stranger‹) erschien in dem 1922 publizierten Erzählungsband ›The Garden-Party‹. Beide Erzählungen hat Elisabeth Schnack aus dem Englischen übersetzt.

DACIA MARAINI, die am 13. November 1936 als Tochter eines bekannten Orientalisten in Florenz geboren wurde, studierte in Florenz, Palermo und Rom. Heute arbeitet sie als Schriftstellerin, Journalistin, Theater- und Filmregisseurin und Übersetzerin in Rom. 1961 erschien ihr erster Roman ›La Vacanza‹; für ihren zweiten, ›L'eta del malessere‹ erhielt sie 1963 den ›Prix Formentor‹. Außer Romanen hat sie Erzählungen, Theaterstücke, Essays und Gedichte veröffentlicht. Dacia Maraini lebt in Rom.

Die Erzählung *Das rote Heft* erschien in dem Erzählungsband ›Mio Marito‹ (1968; dt. 1984); Gudrun Jäger hat sie aus dem Italienischen übersetzt.

ANDRÉ MAUROIS wurde am 26. Juli 1885 in Elbeuf (Normandie) geboren. Er arbeitete nach dem Philologiestudium zehn Jahre in der väterlichen Tuchfabrik, war dann Französischlehrer Edwards VII. von England; im Ersten Weltkrieg Dolmetscher; seit 1926 freier Schriftsteller. Sein umfangreiches literarisches Œuvre umfaßt Romane, Erzählungen, Essays, historische Studien und zahlreiche Biographien, u. a. über Shelley, Byron, Edward VII., Voltaire, Proust. Maurois starb am 9. Oktober 1967 in Paris.

Die Originalausgabe der Erzählung *Im Zickzack* erschien 1960 unter dem Titel ›Les Ricochets‹; die deutsche Übersetzung stammt von Marlies Bek.

HENRI MICHAUX wurde am 24. Mai 1899 in Namur (Belgien) geboren und verbrachte seine Kindheit in Brüssel. Nach Abbruch des Medizinstudiums 1920 ausgedehnte Reisen als Matrose an Bord eines Kohlendampfers. Ab 1924 in Paris, wo er u. a. als Sekretär Supervielles arbeitete und, angeregt durch die Bekanntschaft mit surrealistischen Malern, selbst zu malen begann. Reisen nach Afrika, Indien, Lateinamerika, Indonesien, China, Brasilien. Mitarbeiter und Redakteur bei literarischen Zeitschriften. 1955 französische Staatsbürgerschaft. 1956–1969 Experimente mit halluzinogenen Drogen. Er starb am 19. August 1984 in Paris.

Das literarische Werk von Michaux, das Essays, Gedichte, Reisebücher, Traumdichtungen und erzählerische Prosa umfaßt und sich an den Grenzen der Einbildungs- und Erfindungskraft bewegt, ist stark vom Surrealismus geprägt.

Fingerzeig für junge Ehen (›Avis aux jeunes ménages‹) erschien 1945 in dem Band ›Liberté d'action‹; die deutsche Übersetzung stammt von Kurt Leonhard.

FRANK O'CONNOR wurde am 17. September 1903 in Cork (Irland) geboren. Er entstammte einer armen Familie und schlug sich zunächst als Lehrer für Gälisch durch. Ab 1935 leitete er für einige Jahre das Abbey Theatre in Dublin. Wegen Teilnahme an der irischen Revolutionsbewegung (1921–1925) wurde er eineinhalb Jahre inhaftiert. O'Connor ist Verfasser von Schauspielen, Gedichten, Romanen (u. a. ›Die Reise nach Dublin‹, 1932) und vor allem von über hundert meisterlichen Kurzgeschichten, die ihm den Beinamen eines irischen Tschechow eingetragen haben. O'Connor starb am 10. März 1966 in Dublin.

Die deutsche Erstausgabe der Erzählung *Eine unmögliche Ehe* (›An Impossible Marriage‹) erschien 1976; Elisabeth Schnack hat sie aus dem Irischen übersetzt.

SYLVIA PLATH, die am 27. Oktober 1932 in Jamaica Plain (Massachusetts) geboren wurde, veröffentlichte 1952 als Studentin des elitären Smith College ihre erste, sogleich preisgekrönte Erzählung und machte 1955 ihren Hochschulabschluß mit Auszeichnungen für ihre Lyrik. 1956 lernte sie während eines Studienjahrs in Cambridge den Lyriker Ted Hughes kennen, den sie wenige Monate später heiratete. Nach zwei gemeinsamen Jahren in Amerika, wo Sylvia Plath Englisch am Smith College unterrichtete, Ende 1959 Übersiedlung nach England; erst London, dann Devon. 1960 Geburt einer Tochter, 1962 Geburt eines Sohnes. Am 11. Februar 1963, wenige Wochen nach Erscheinen ihres Romans ›Die Glasglocke‹, nahm Sylvia Plath sich in London das Leben. Durch ihren Roman und ihre Lyrik, nicht zuletzt auch durch ihr kompliziertes Leben ist Sylvia Plath zu einer Kultfigur der neueren Frauenbewegung geworden.

Die 1956 entstandene, 1957 in der Zeitschrift ›Granta‹ erstveröffentlichte Erzählung ›The Wishing Box‹ erschien 1987 unter dem Titel *Das Wunschkästchen* erstmals auf deutsch; Julia Bachstein besorgte die deutsche Übersetzung.

KATHERINE ANNE PORTER, die am 15. Mai 1894 als Tochter eines Pflanzers »in einer texanischen Holzhütte« (wie sie selbst sagte) in Indian Creek (Texas) zur Welt kam, wohnte schon als Kind nie längere Zeit hintereinander am selben Ort, und als Journalistin war sie später in Mexiko, Berlin, Basel, Paris, Hollywood, Washington und anderswo. Als Literaturdozentin war sie an mehreren Universitäten der USA tätig.

Ihr schmales Werk, für das sie mit dem Pulitzer-Preis und dem ›National Book Award‹ ausgezeichnet wurde, umfaßt drei Bände Kurzgeschichten und Erzählungen, einen Band mit kritischen Studien und den Roman ›Das Narrenschiff‹ (1962).

Katherine Anne Porter starb am 2. Oktober 1980.

Die Erzählung *Ein Tagewerk* wurde dem Erzählungsband ›The Leaning Tower‹ (1944) entnommen. Die deutsche Übersetzung besorgte Helga Huisgen.

VICTOR SAWDON PRITCHETT wurde am 16. Dezember 1900 in Ipswich geboren. Mit zwanzig ging er als Korrespondent nach Frankreich, später nach Spanien, Marokko und in die USA. 1928 erschien sein erstes Buch, ein Reisebuch, ein Jahr später sein erster Roman. Seine Rezensionen und literarischen Essays, u. a. beim ›New Statesman‹ und in der ›New York Times‹, haben ihm den Ruf eines der führenden Literaturkritiker der angelsächsischen Länder eingetragen. Pritchett hat zahlreiche Romane und Essays geschrieben und bisher 10 Bände mit Erzählungen veröffentlicht. In England gilt er als der beste Autor von Kurzgeschichten nach D. H. Lawrence. Pritchett lebt in London.

Die Erzählung *Wer hat, dem wird gegeben* erschien 1987 erstmals auf deutsch; Peter Marginter hat die Übersetzung besorgt.

RUTH REHMANN wurde am 1. Juni 1922 in Siegburg bei Bonn als Tochter eines Pfarrers geboren. Nach dem Besuch der Dolmetscherschule in Hamburg studierte sie Kunstgeschichte, Archäologie und Musik in Berlin und Köln. Nach dem Krieg erste Veröffentlichungen von Feuilletons, Reiseberichten, Hörspielen, Erzählungen. 1959 erschien ihr erster Roman, ›Illusionen‹, 1968 ›Die Leute im Tal‹ und 1979 ihr bisher wichtigster, ›Der Mann auf der Kanzel‹. Sie lebt heute als freie Schriftstellerin in Altenmarkt/Obb.

Die Erzählung *Suche nach Jessika* erschien 1978 in dem Erzählungsband ›Paare‹.

JAMES STEPHENS, der am 18. Februar 1882 in Dublin geboren wurde, ist in den Dubliner Slums aufgewachsen und hat sich als Autodidakt zum Buchhalter ausgebildet. 1911 hat er die Zeitschrift ›Irish Review‹ mitbegründet. Nach 1924 lebte er in London, dann in Paris. 1925 und 1935 Vortragsreisen durch die USA. Stephens hat Gedichte, Erzählungen und Romane geschrieben. Er starb am 26. Dezember 1950 in London.

Die Erzählung *Pferde* (›The Horses‹) stammt aus dem 1913 erschienenen Band ›Here are Ladies‹; Elisabeth Schnack hat sie ins Deutsche übersetzt.

ARTHUR SCHNITZLER wurde am 15. Mai 1862 in Wien geboren. Nach dem Studium der Medizin arbeitete er fünf Jahre als Assistent seines Vaters in der Allgemeinen Poliklinik in Wien und eröffnete nach dessen Tod eine Privatpraxis. Ab 1886 literarische Veröffentlichungen; das dramatische und das erzählerische Werk entstanden parallel. Freundschaften u. a. mit Hugo von Hofmannsthal, Felix Salten und Sigmund Freud. Schnitzler, der seine Stoffe durchweg im Wien der Jahrhundertwende ansiedelte, gilt als typischer Repräsentant des Wiener Impressionismus und brillantester, psychologisch tiefgründigster Schilderer der Decadence der großbürgerlichen Gesellschaft. Mit seinem umfangreichen, vor allem Novellen und Dramen umfassenden literarischen Werk ist er einer der bedeutendsten österreichischen Autoren des frühen 20. Jahrhunderts. Schnitzler starb am 21. Oktober 1931 in Wien.

Die Erzählung *Die Frau des Weisen* erschien 1898 als Titelgeschichte eines Bandes mit Novelletten.

JOHN UPDIKE wurde am 13. März 1932 in Shillington (Pennsylvania) geboren, studierte in Harvard und in Oxford (England) und war von 1955 bis 1957 Redakteur beim ›New Yorker‹, wo auch seine ersten Erzählungen und Essays erschienen. John Updike lebt in New York. Seine Romane, u. a. ›Hasenherz‹ (1960), ›Ehepaare‹ (1968), ›Bessere Verhältnisse‹ (1982), seine Erzählungen, u. a. in ›Werben um die eigene Frau‹ (1983), und seine Essays haben ihm den Ruf eines der unterhaltsamsten und brillantesten Autoren der amerikanischen Gegenwartsliteratur eingetragen. John Updike lebt in New York.

Die Erzählung *Zweibettzimmer in Rom* (›Twin Beds in Rome‹), zuerst veröffentlicht im ›New Yorker‹, erschien auf deutsch erstmals in dem Erzählungsband ›Der weite Weg zu zweit. Szenen einer Liebe‹ (1982), in der Übersetzung von Hermann Stiehl.

VIRGINIA WOOLF wurde am 25. Januar 1882 als Tochter des Biographen und Literaten Sir Leslie Stephen in London geboren. Bereits mit 22 Jahren bildete sie gemeinsam mit ihrem Bruder den Mittelpunkt der intellektuellen ›Bloomsbury Group‹. Zusammen mit ihrem Mann, dem Kritiker Leonard Woolf, gründete sie 1917 den Verlag ›The Hogarth Press‹. Ihre Romane, die zur Weltliteratur gehören, stellen sie als Schriftstellerin neben James Joyce und Marcel Proust. Schon sehr früh engagierte sie sich für die Frauenbewegung. Am 28. März 1941 schied sie freiwillig aus dem Leben. Zu ihren bekanntesten Werken gehören die Romane ›Orlando‹ (1928), ›Die Wellen‹ (1931), ›Die Jahre‹ (1937).

Die Erzählung *Lappin und Lapinova*, die Virginia Woolf nach eigenen Aussagen um 1918 entworfen hat, wurde 1938 in ›Harper's Bazaar‹ erstmalig veröffentlicht. Die hier vorliegende deutsche Übersetzung hat Claudia Wenner besorgt.

Quellenhinweise

OTTO FLAKE, Das Bild
© C. Bertelsmann Verlag, Gütersloh 1966. Mit Genehmigung des S. Fischer Verlags GmbH, Frankfurt am Main

HANS JÜRGEN FRÖHLICH, Ende einer Auseinandersetzung/ Ein Verhaltensmuster
© F. A. Herbig Verlagsbuchhandlung, München – Berlin 1974. Mit Genehmigung von Ingrid Fröhlich

MARK HELPRIN, Wegen der Hochwasserfluten
aus: Mark Helprin: Eine Taube aus dem Osten und andere Erzählungen
© Klett-Cotta, Stuttgart 1984

FRIEDRICH GEORG JÜNGER, Der Knopf
aus: Friedrich Georg Jünger, Werke, hg. v. Citta Jünger, Erzählungen 1
© Klett-Cotta, Stuttgart 1978

DAVID HERBERT LAWRENCE, Neue Eva und alter Adam
© für die deutsche Übersetzung von Reinhard Kaiser: Fischer Taschenbuch Verlag GmbH, Frankfurt am Main 1990

KATHERINE MANSFIELD, Flitterwochen
aus: Katherine Mansfield: Das Taubennest
© Büchergilde Gutenberg, Frankfurt am Main 1980
– Der Fremde
aus: Katherine Mansfield: Das Gartenfest
© Büchergilde Gutenberg, Frankfurt am Main 1980

DACIA MARAINI, Das rote Heft
aus: Dacia Maraini: Winterschlaf

ANDRÉ MAUROIS, Im Zickzack
aus: André Maurois: Fleurs de Saison/Blumen der Jahreszeit

HENRI MICHAUX, Fingerzeig für junge Ehen
aus: Henri Michaux: In der Gesellschaft der Ungeheuer, Ausgewählte Dichtungen, S. Fischer Verlag GmbH, Frankfurt am Main 1986

FRANK O'CONNOR, Eine unmögliche Ehe
aus: Frank O'Connor: Eine unmögliche Ehe, Gesammelte Erzählungen IV

SILVIA PLATH, Das Wunschkästchen
aus: Sylvia Plath: Die Bibel der Träume

KATHERINE ANNE PORTER, Ein Tagewerk
aus: Katherine Anne Porter: Der schiefe Turm und andere Erzählungen

V. S. PRITCHETT, Wer hat, dem wird gegeben
aus: V. S. Pritchett: Die Launen der Natur

RUTH REHMANN, Suche nach Jessika
aus: Ruth Rehmann: Paare

ARTHUR SCHNITZLER, Die Frau des Weisen

JAMES STEPHENS, Pferde

JOHN UPDIKE, Zweibettzimmer in Rom
aus: John Updike: Werben um die eigene Frau, Gesammelte Erzählungen

VIRGINIA WOOLF, Lappin und Lapinova
aus: Virginia Woolf: Das Mal an der Wand, Gesammelte Kurzprosa

Die Herausgeberin und der Fischer Taschenbuch Verlag danken allen Rechteinhabern für die Abdruckgenehmigung.

Virginia Woolf
Gesammelte Werke
Herausgegeben von Klaus Reichert

»Um eine neue Bahn einzuschlagen, muß ein Romanautor nicht nur große Gaben besitzen, sondern auch eine große Unabhängigkeit des Geistes. Virginia Woolfs Stil ist von erstaunlicher Schönheit. Ihre Art zu beobachten setzt eine unermeßliche und angespannte Arbeit voraus. Sie erleuchtet nicht nur durch plötzliche Blitze, sondern verbreitet ein ruhiges und sanftes Licht.« *T.S. Eliot*

Zur Ausgabe

Virginia Woolf ist vielleicht die bedeutendste, gewiß ist sie die fruchtbarste Schriftstellerin dieses Jahrhunderts gewesen. Sie hat die Form des Romans von Grund auf erneuert, und ohne sie und James Joyce hätte die Entwicklung des Romans einen anderen Verlauf genommen. Sie hat die in England hochentwickelte Form des Essays auf neue, ungeahnte Höhen geführt, und sie hat mit ihrem großen Tagebuch ein Dokument der *condition humaine* geschaffen, das nur mit den großen Beispielen der Gattung – Pepys, John Evelyn, Saint-Simon – zu vergleichen ist. Nicht zuletzt ist Virginia Woolf eine der ersten Autorinnen, die sich konsequent um Geschichte und Zukunft weiblichen Schreibens in unserer Gesellschaft gekümmert haben. Durch diesen Aspekt ihres Werkes wurde sie zur zentralen, nicht unumstrittenen Figur der internationalen Frauenbewegung. Bisher war nur ein kleiner Teil des Werkes Virginia Woolfs zugänglich: die Romane bis auf einen, die kurze Erzählprosa etwa zu einem Drittel, von den über tausend Essays rund eine Handvoll, ein paar autobiographische Texte, nichts von dem ebenfalls opulenten Briefwerk. Mit der geplanten Ausgabe soll das Werk der Autorin in angemessener Vollständigkeit vor dem deutschen Publikum ausgebreitet werden.

fi 889/2 a

Editionsplan

Virginia Woolf
Gesammelte Werke

bereits erschienen	*Die Fahrt hinaus.* Roman *Das Mal an der Wand.* Gesammelte Kurzprosa *Tagebücher.* Band 1 (1915–1919) *Orlando.* Roman *Die Wellen.* Roman *Zum Leuchtturm.* Roman
in Vorbereitung	*Nacht und Tag.* Roman *Jakobs Zimmer.* Roman *Mrs. Dalloway.* Roman *Die Jahre.* Roman *Zwischen den Akten.* Roman *Tagebücher 1915–1941* in fünf Bänden *Briefe 1888–1941* in drei Bänden *Gesammelte Essays* in vier Bänden *Roger Fry.* Biographie *Flush. Die Geschichte eines berühmten Hundes*

Neben der Edition der *Gesammelten Werke* erscheinen einige ausgewählte Titel als englische Broschur und werden zu einem späteren Zeitpunkt in die Ausgabe integriert:

bereits erschienen	*Der gewöhnliche Leser. Band 1* Essays *Der gewöhnliche Leser. Band 2* Essays *Frauen und Literatur* Essays
in Vorbereitung	*Tagebuch einer Schriftstellerin* *Ein eigenes Zimmer* *Drei Guineen*

S. Fischer

889/4b

Joseph Conrad
Die Rückkehr
Erzählung
Aus dem Englischen von Fritz Lorch

Band 9309

Die in ihrem Flair und Charakter an Stendhal erinnernde Erzählung, eine Ehegeschichte, beobachtet die dramatisch zugespitzte, feindselig-wortkarge Situation zwischen einer Frau, die ihren Mann verlassen wollte, ihren Entschluß jedoch revidiert hat, und ihrem Mann, in dem Moment, in dem sie zu ihm zurückgekehrt ist. Mit erregender psychologischer Subtilität inszeniert Conrad den Sturm widerstreitender Gefühle, das Hin- und Herwogen der Kränkungen, auftrumpfenden Gereiztheiten und Mißverständnisse und das Oszillieren zwischen falschen und echten Gefühlen – bis hin zu dem überraschenden Ausgang der Szene.

Fischer Taschenbuch Verlag

fi 1302/2

D. H. Lawrence

Die Frau, die davonritt

Erzählung

Band 9324

Von ihrem eintönigen Dasein als Ehefrau enttäuscht und einer törichten romantischen Sehnsucht folgend, reitet eine Frau über die Berge der Sierra Madre zu dem geheimnisvollen alten Stamm der Chilchui-Indianer, um, wie sie dort erklärt, nach dem Gott der Chilchui zu sehen. Doch nehmen die Indianer die Ankunft der weißen Frau als göttliches Zeichen und bestimmen sie zum Dienst an ihren Göttern. Sie wird gefangengenommen und zum Opfer ausersehen, um durch ihren Tod die Götter zu versöhnen und so den Indianern die Macht über die Sonne und die Kräfte zur Beherrschung des Lebens zurückzugewinnen.

Fischer Taschenbuch Verlag

fi 1318/2

Edith Wharton
Granatapfelkerne
Erzählung

Band 10180

Diese 1931 erschienene Erzählung von Edith Wharton, eine ihrer sogenannten »Geistergeschichten«, handelt von einer Serie geheimnisvoller Briefe – immer gleich aussehend und von derselben Hand geschrieben –, die im Eheleben der erst seit kurzem verheirateten Ashbys eine schicksalhaft-unheilvolle Rolle spielen. Eine Reise scheint die einzige Möglichkeit, diesen ominösen Briefen zu entrinnen.

Die Meisterschaft dieser Erzählung und die Subtilität der Schilderung, wie das Übernatürliche fast unmerklich in die Alltagswirklichkeit eindringt und diese zuletzt vollends mit seinem heimlichen Schrecken überzieht, zeigen Edith Wharton als würdige Repräsentantin der »Geistergeschichte« zwischen Henry James und Daphne Du Maurier.

Fischer Taschenbuch Verlag

fi 1319/3

William Saroyan
Tracys Tiger
Roman

Band 9325

Die Geschichte handelt von Tracy in der großen Stadt New York und seinem wunderbaren Tiger, der eigentlich gar kein Tiger, sondern ein schwarzer Panther ist und den niemand außer Tracy sehen kann. Sie handelt von Laura Luthy und wie Tracy sich in sie verliebt, wie er ihr aber untreu wird und Laura und den Tiger verliert, wie jämmerlich es ihm hernach ergeht und was alles Schreckliches mit Tracy passiert, wie aber am Ende doch alles gut wird, als Tracy einfach ein Stückchen Vergangenheit noch einmal lebt. Tracys Tiger ist die Liebe.
Saroyans Geschichte erzählt von der Wirklichkeit des Wunderbaren inmitten der alltäglichen Großstadt.

Fischer Taschenbuch Verlag

fi 1317 / 1

Hotelgeschichten

Herausgegeben von Ronald Glomb und
Hans Ulrich Hirschfelder

Einer der reizvollsten und beliebtesten Schauplätze der Weltliteratur ist das Hotel: Liebesgeschichten fangen hier an, Phantastisches spielt sich ab, Kriminal- und Spionagegeschichten hören hier auf. Ob feudales Grand-Hotel mit dem Flair morbider Décadence, ob solides Haus der Mittelklasse oder zwielichtige Absteige, jedes Hotel hat seine ihm eigene Atmosphäre, ist eine Welt für sich. Wer in sie eintritt, ob für einen flüchtigen Moment oder einen Zeitraum von Tagen, von Wochen, taucht ein, in ein Leben, das geschäftiger, hektischer, distinguierter, künstlicher, konzentrierter ist als das Leben draußen, allemal schillernd und geheimnisvoll durch die hier gegebene Möglichkeit des Spiels mit der Identität.

Band 9246

Es erzählen: *Peter Altenberg, Victor Auburtin, Dino Buzzati, Hermann Hesse, Erich Kästner, Kurt Kusenberg, Graham Greene, Ernest Hemingway, V.S. Naipaul, George Orwell, Raymond Queneau, Anton Tschechow, Stefan Zweig und viele andere.*

Fischer Taschenbuch Verlag

fi 1075 / 2

Kinderleben

Dichter erzählen von Kindern

Eine Sammlung

Herausgegeben von Ursula Köhler

Die Dichter wissen es, daß Kindheit eine sehr schwierige, entsetzlich aufregende und anstrengende Lebensphase ist, bestimmt von intensiven und bedrohlich unbekannten Gefühlen, Gefühlen der Verzauberung, der Beglückung und leidenschaftlicher Anteilnahme ebenso wie von verschiedensten Ängsten, Gewissensqualen und kleinen, unendlich großen Tragödien – die fast das Leben kosten, wäre da nicht der gnädige tiefe Kinderschlaf, der über »Unordnung und frühes Leid« heilsames Vergessen breitet.

Der Band enthält Erzählungen von H. Chr. Andersen, William Heinesen, Thomas Mann, Hermann Hesse, Franz Nabl, Tibor Déry, Valery Larbaud, Katherine Mansfield, Elizabeth Bowen, William Saroyan, Katherine Anne Porter, Wolfgang Borchert, Elisabeth Langgässer, Ilse Aichinger, Mark Helprin, Cristina Peri Rossi und Jamaica Kincaid.

Band 9180

Fischer Taschenbuch Verlag

fi 656/2

Arthur Schnitzler

Casanovas Heimfahrt
Erzählungen. Band 1343

Der blinde Geronimo und sein Bruder
Erzählungen 1900-1907
Band 9404

Doktor Gräsler, Badearzt
Erzählung 1914
Band 9407

Flucht in die Finsternis
Erzählungen 1917
Band 9408

Frau Berta Garlan
Erzählungen 1899-1900
Band 9403

Die Frau des Richters
Erzählungen 1923–1924
Band 9409

Fräulein Else und andere Erzählungen
Band 9102

Die Hirtenflöte
Erzählungen 1909-1912
Band 9406

Ich
Erzählungen
Band 9411

Komödiantinnen
Erzählungen 1893-1898
Band 9402

Reigen/Liebelei
Vorwort von Günther Rühle. Nachwort von Richard Alewyn
Band 7009

Spiel im Morgengrauen
Erzählung. Band 9101

Sterben
Erzählungen 1880-1892
Band 9401

Therese
Chronik eines Frauenlebens
Band 9412

Traumnovelle
1925. Band 9410

Der Weg ins Freie
Roman 1908
Band 9405

Jugend in Wien
Eine Autobiographie
Band 2068

Medizinische Schriften
Mit einem Vorwort von Horst Thomé
Band 9425

Fischer Taschenbuch Verlag

fi 297/10